MACHIKADO KAGAKU
This Book was published in 2021 by neconos.

まちカドかがく

牧野 曜
サンキュータツオ
市原 真

Podcast番組『いんよう！』同人誌

ネコノス文庫
neconos

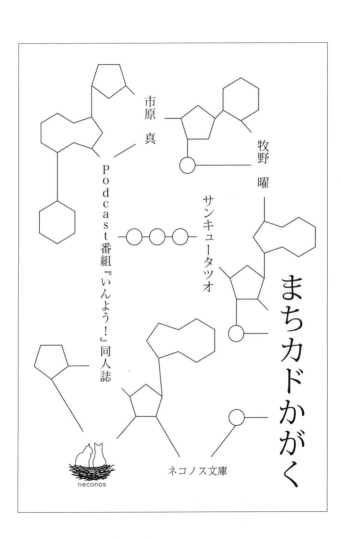

はじめに、あるいはノイマン・ランド

何でも自分でつくってしまうエンジニア気質だった祖父の影響からか、ものごころのついたころから僕はよくドライバーを手にしていたような気がする。もちろん車の運転ではなく、いわゆるネジ回しのほうだ。もっとも祖父は小学生時代の僕に自動車のハンドルを握らせたので、そちらのドライバーは別の形で経験している。京都だったか奈良だったかは忘れたが、広いお寺の駐車場で「本当に子どもが車の運転をしてもいいのか」と脅える僕に「ここは私有地やから法律は関係ないんや、早ようアクセル踏みや」と言ってのけた祖父は、いま思えばやはり相当な変わり者だったのだろう。

ともかく僕は、そんな祖父と一緒にいろいろなものを分解した。オモチャ、時計、ラジオ、テレビ、家具、楽器、錠前、板金装置、自動車。分解しながら、あるいは組み立て直しながら、祖父は一つ一つの仕組みを細かく説明してくれた。なぜその部品があるのか。それは何を担っているのか。その部品が発明される前にはどうやっていたのか。

どれほど複雑に見える仕組みであっても、いちばん小さな単位にまで分解すれば、すべては単純なものの組み合わせなのだと祖父は言って「だから分解せんと、ホンマのことはわからんのや。せやのに分解もせんと、わかった気になるアホが多いんや」と口を尖らせた。

あらゆるものにはそれぞれ役割があって、それ自身はほんのわずかな仕事しかできないのに、その仕事が別の部品に伝わることで新たな仕事を引き起こし、それがさらに大きな仕事につながって、最後には全体として大きな機能になっていく。

「人間も同じなんやで」

祖父の言う「人間も同じ」は、僕たちそれぞれが小さな役割を担うことで、社会ができているという意味なのだろうけれども、生物としての僕もまた同じだ。

僕のこの体の中でも小さな部品が複雑に組み合わさって、僕という個人をつくっている。こうやって今僕がものを考えたり書いたりすることも、小さな部品とその間に伝わる電気信号や化学物質が存在するからできることなのだ。

一つの部品は次の部品のために存在する。受け取った何かに反応して、次に何かを引き渡す。入力と演算と出力。ノイマン型の回路を粗雑に説明するとそうなる。その意味では僕たちの周りはノイマンだらけだ。あらゆるものが何かを受け取り何かを吐き出している。

スイッチを押せば電気が点くのも、アクセルを踏めば車が走るのも、本を読んで空想にふけるのも、音楽を聴いて過去を思い出すのも、美味いものを食べて満足し、そのあと排泄するのも、好きな子と目が合って体温が上がるのも、運動すれば筋肉がつくのも、何かを外部から受け取って起きた反応が、連続して組み合わさった結果が出力されているのだ。

体内で起きるような目に見えないサイズの反応から、はっきりと目に見える大きな反応まで、すべてはその入出力のつながりの中にあって、僕たちが一人では存在できないのと同じように、どの部品だって単体では存在できないし、存在する意味もない。

ひたすら入力と演算と出力を繰り返し続けるノイマンの世界に、僕たちは生きている。

けれども。

最小限まで分解すれば、みんな同じ部品で構成されているのに、僕たちは同じ刺激に対して異なる反応をする。細胞レベルではみんな同じ反応をしている筈なのに、肉体のサイズになるとまるで違った反応を見せるのだから不思議だ。

一人で分解した機械を組み立て直すと、いつもなぜか部品が余って、それなのにちゃんと動く機械がいくつもあった。そうやって、たとえすべての部品が完璧に揃っていなくても、何もかもが整っていなくても、動くことはあるのだと僕は知った。

僕もすべての部品が揃っているわけじゃない。少しずつ誰かと何かが違っていて、しかも毎日変わっている。でも、きっとそれが僕が僕であるということなのだろう。

自分だけに見えている世界をどこまでも細かく分解すれば、もしかすると自分にしかない部品を見つけられるのかもしれない。そうやって見つけた自分自身という部品を使って、このノイマンの世界で受け取るいつもの入力を、いつもとは違う形で出力する。

本書で三人の書き手がやってみせたのは、そういうことなんじゃないだろうか。

浅生　鴨

〔目次〕

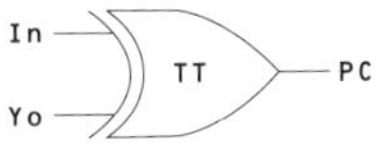
In
Yo
TT
PC

ブラーファ少女とクローラガール

牧野　曜

登場人物

忽那薫子（くつな　かおるこ）
榊原冬夏（さかきばら　とうか）
汀千世（みぎわ　ちせ）
忽那祥子（くつな　しょうこ）
忽那洋嗣（くつな　ようじ）
悠木（ゆうき）博士
マリア
汀夏樹（みぎわ　なつき）
広井怜（ひろい　れい）

加藤（かとう）＝カレン＝ソフィア
伊藤真咲（いとう　まさき）
汀知己（みぎわ　ともき）
汀高史（みぎわ　たかふみ）
汀孝史郎（みぎわ　こうしろう）
汀佳奈子（みぎわ　かなこ）
熊谷涼（くまがい　りょう）
菅原（すがわら）教授
佐々木道範（ささき　みちのり）

ブラーファ ("Brain Circulation Fiber Assisting": Brafa)

——装着者の神経活動と相互作用し、思考や記憶を支援する体内埋め込み型デバイス。

ブラーファデバイスは、脳循環系に張り巡らされたファイバーを介して神経細胞と接続される。ファイバーとデバイスを併せてブラーファシステムと呼ばれることもある。デバイスの名称である「ブラーファ」は、普及するにつれてデバイス装着者を指し示す言葉としても使われるようになった。

ブラーファ少女

1　傘とフィードバックループ

四月の始めに雨が降っていた。店の一番奥の席に座っている私にも、アスファルトや店のひさしに当たる水滴の音が明瞭に聞こえる。雨は重力によって地上に到達し、店の前の緩やかな坂をさらに下っていく。海と山の近接するこの街で育った私の海馬には、坂の記憶が大量に保存されている。

古い木製の扉がゆっくりと開き、わずかに軋んだ。榊原冬夏が店に入ってくる。店内に漂うコーヒーの香りに春と雨の匂いが加わり、空気が静かに攪拌された。

冬夏は常に同じリズムで歩く。慌てた様子を見せるのは、はしたない女性のすることらしい。よほど小さな頃から歩く訓練をさせられたに違いなく、日本が民主化されてから相当な時間を経過しても、上流階級はさほど変わらないのかもしれない。彼女は私と目が合うとわずかに目を伏せた。冬夏の長い黒髪と制服の裾からは次々と水滴が垂れ、床に丸い影をつけていく。彼女は傘を持たずにこの店へやってきた。

「ごきげんよう、薫子さん」

全身を濡らした彼女は、それでも普段と変わらない微笑みを浮かべて挨拶をする。私の向かいに座ると学校指定の鞄を隣の席に置いた。

「床も席も濡れてしまいましたわ。申し訳ありませんが、拭くものを貸していただけます？」

私が冬夏に言葉を返す前に、タオルを持った祥子さんが店の奥から現れる。冬夏は祥子さんを仰ぎ見ながらタオルを受け取った。

「このタオルで床や椅子を拭くのは気が引けます」

「床はいいのよ、冬夏ちゃん。それよりこんなに濡れて。ちょっとそこでじっとしてなさい」

祥子さんは冬夏から取り上げたタオルを髪の毛に押しつける。

「拭き終わったら奥で着替えましょう」

二人が戻ってくると、冬夏は祥子さんの服を着ていた。祥子さんは、同じ服を長い間、大切に着るから私にも見覚えがある。私は勝手にカウンターへ入りカフェオレと新しいコーヒーを用意して、窓際のテーブルに置く。祥子さんは冬夏を席に座らせ、肩に手を置いた。

「傘も差さないでどうしたの？　途中でなくしちゃった？」

「傘は持って出ませんでしたから」

当然のことのように冬夏は答えた。私は別のことを尋ねる。

「確かまだ春休みのはずだろう？　どうして制服を着ているんだい？」

「今日は登校日ですわ。それよりも、薫子さんが人のことをお聞きになるなんて珍しい。どうかなさいました？」

「それは君の方だ」

冬夏は私の言葉には反応せず、無言でカフェオレに口をつける。

「じゃあ、冬夏ちゃんは、学校から直接ここに来たの？」

祥子さんが冬夏の隣に腰を下ろし、私の代わりに聞いた。冬夏は黙って首を振り、一度、家に帰ったと答えた。

「学校から帰ってすぐ喧嘩でもしたのかい？」

私の声に被せるように、頭に鞄を掲げた中学生の集団が騒々しく店の外を通り過ぎていく。

「父が珍しく早い時間に帰ってきたのが悪いのです」

冬夏はわずかに顔をしかめた。

「相手の存在は喧嘩に必須の要素だが、喧嘩の内容を決定する因子は別にあるはずだろう？」

私が頬杖をついて問いかけると、冬夏はテーブルの上にカップを置き、静かに息を吐き出した。

「薫子さんはその理屈っぽい話し方で喧嘩になったことはありませんの？」

「さあ、どうだろう」

頬杖をついたまま私は答える。

「話し方を変えようとお考えになったことは？」

「これが私にとって自然な話し方なんだ」

「父もそうですわ。自分の意見ばかり押しつけて人の話は聞いていませんもの」

私の言葉をさえぎるように彼女の声が大きくなる。

「人の意見を聞くのと話し方は別の問題だ」

「では薫子さんはわたくしの意見を聞いてくださる？」

気がつくと、祥子さんはカウンターに戻っている。あとの相手は私で十分だと判断したらしい。しかし、冬夏の話をしばらく聞いて分かったのは、彼女と父親がブラーファの件で揉めているということだけだった。

彼女の脳の静脈内には、枝分かれした光学ファイバーが隅々まで巡らされている。全ての分岐はひとつに集約され、内頸静脈の壁から血管外へ出る。血管外の結合組織内には、二センチメートル四方の薄いチップが手術によって埋め込まれており、光学ファイバーと連結している。ブラーファデバイスと呼ばれるこの計算用のチップは、神経回路と情報を交換し、彼女の知的活動を支援している。

「いつもの君は要点を的確に伝える話し方をする。けれど今日はそうじゃないらしい」

「だから、わたくし怒っているると言っているではありませんか」

「君のお嬢様言葉が怒っている時も変わらないことを、今日、初めて知ったよ」

「薫子さんは、はしたない言葉がお好きかしら？」

冬夏はふいと顔を横に向けた。雨の音がまた強くなる。

「私はどちらでも構わない。人は自分の望む方法で話すべきだ」

「薫子さんのように他人を怒らせたとしても？」

「君は私の話し方ではなく、父親に怒っているのだろう？」

私は視線を冬夏に戻してコーヒーカップを持ち上げる。

「そう思っていらっしゃるのなら、もう少し優しくしてくださってもいいと思います」

「君は優しくしたら怒る」

「薫子さんと話していると、男性とお話ししている気分になります」

「私は自分が男か女かなんて気にしたことはないよ」

冬夏はカップのふちを人差し指の先でなぞり、それから爪でこつこつと叩き始めた。

「父はわたくしにブラーファデバイスを外せと言うのです。付けさせた本人なのに無責任この上ないですわ」

私が、父親が外したい理由を尋ねると、カップを叩く音が止まった。

「そんなこと知りませんわ。それに、理由が分かったってマリアとは絶対に離れたくありません」

「君の父親はそもそもマリアの存在を認めているのかい？」

冬夏は首を傾げ、「どういうことですか？」と言った。

「ブラーファデバイスに人格が宿ると考えているのか、ということだよ」

「薫子さんは、マリアに人格がないとおっしゃりたいのですか？」

私たち以外の客は全て帰り、私たち三人しか残されていない店に、春の冷気が広がっていく。

「私はマリアと話したことがないから分からない。けれど君がマリアのことをひとつの精神的存在だと感じているのならば、少なくとも君にとってはそれが事実だ」

冬夏は私の言葉を聞いて考え込んだ。カフェオレの入ったカップをじっと見つめ、それから中身をゆっくりと飲んだ。外は変わらず雨が降り続いている。店先のあじさいが花を咲かせるにはもうしばらく時間がかかるだろう。今日の雨には桜よりもあじさいの方が似合いそうだ。

私のコーヒーがなくなり、カップの白い底が露わになった頃、再び冬夏は言葉を口にした。

「わたくしが小さかった頃、母とマリアは仲良しでした。もちろん母は、わたくしを通してしか彼女と話したことがありません。母は旧華族の家系の出ですから、小さい頃から躾が厳しくて、友達も少なかったとよく言っていました。だからたとえそれが人間ではなくても、わたくしに仲の良い友達ができて嬉しかったのかもしれません。マリアはいい子だっていつも言ってくれましたわ」

「最近は違う？」

「最近はあまり話そうとしません。わたくしも頼みませんし」

「君の父親はマリアと会話をするのかい？」

「いいえ。ここ二、三年は全く。人間みたいな話し方をするのに耐えられないと言っています」

街灯が仕事を始め、光を受けたアスファルトが水面のように光る。日没の時間は地球の公転により日々、遅延し、路面には桜の花びらが散っていた。

「薫子さんは、父の保守的な考え方をどう思われますか？　マリアのことを受け入れられないなんて、プログラムが人格を持っていることを認めないなんて、馬鹿みたいです」

「君の父親は、有名な都市工学の専門家だ。婉曲的に君の質問に答えるとすれば、研究者ほど保守的な人間はいないいし、研究者ほどリベラルな人間もいない。それはそうと……」

私はメニューを冬夏に差し出した。

「君は、お腹は空いているかい？」

冬夏は数秒の間、無言でこちらを見つめてから、「相変わらず薫子さんは唐突です」とため息をついた。

「何か召し上がるのであれば、ご一緒します」

私が冬夏と初めて話したのは、新型ブラーファデバイスの装着責任者として立ち会った時だった。ブラーファメディカル社製デバイスの新シリーズ発売直後で、飛躍的に向上したアルゴリズムが噂になっていた。私の勤めていた国立ブラーファ研究所には優秀な医師と正確な技能を持った多くの技官が所属している。だから私は実質的に何もしていない。医師のひとりと共同で責任者を務めただけだ。最初から最後まで彼らは手際よくやってしまうから、私に触る隙などない。チェックリストの空欄をサインで埋める。研究所長の承認待ちになったことを確認し、アプリケーションを閉じた。それは高度なアルゴリズムも人間の創造性も必要としない作業だ。同様の作業は人類が官僚制度を生み出して以来、営々と続けられてきたにちがいない。その時の私は、古代のバビロニアやエジプトで粘土板やパピルスにサインする官僚を想像していた。

額に張り付いた黒髪を整えながら冬夏はメニューをめくる。ブラーファデバイスから伸びたファイバーが、今も冬夏の頭の中に存在する。ブラーファデバイスを総頸静脈付近に埋め込み、ファイバーの基幹部を静脈内に侵入させて固定すれば装着は終了だ。基幹部から自動的にファイバーが合成伸長し、脳静脈系に行き渡る。

冬夏は三歳からずっとデバイスを装着しており、第一世代に当たる。彼女が生まれる少し前、デバイスとファイバー系からなるブラーファシステムが一般向けに発売された。それ以来、アルゴリズムは進化を遂げたが、システム自体の基本設計は変わらない。中枢全域の神経細胞と情報を交換するために、神経細胞を刺激あるいは抑制する可視光領域の光シグナルがファイバーから投射される。反対に神経細胞は、自身の活動レベルを光情報として発信し、信号はファイバー経由でデバイスに送られる。全ての情報はデバイス内で処理され、計算結果がまた冬夏の神経細胞に送信される。

「わたくしも早く大人になりたいですわ」

メニューに視線を落としたまま冬夏は呟いた。声色からは先ほどまでの怒りが消えている。大人になってどうするつもりかと私は尋ねた。

「何でも自分で決められるようになりたい」

「自分で決められないのは不満かい？」

冬夏は腑に落ちない表情で顔を上げる。

「薫子さんは嫌じゃありませんの？」

「嫌だよ。しかし自分のことを自分で決めている証拠は存在しない」

「適当なことをおっしゃってごまかそうとするの、わたくし嫌いです」

「他人から意志を強制されるのは不快だよ。自由意志の存在に確信を持てないだけだ」

「自由意志があるかどうかなんてわたくしには何の関係もありません。わたくしが父に対して不快な感情を抱いている。それが問題ですわ」

一息で言葉を吐き出すと、冬夏はメニューをぱたんと閉じ、「カルボナーラにします」と言った。


食事が終わり、冬夏は半ば強引に店の片付けを手伝い始めた。祥子さんはカウンターの中で器具の手入れをしている。

「冬夏ちゃんと、それから薫子も、今日はうちにいらっしゃい」

祥子さんが時折出す優しく凛としたこの声を私は知っている。強い意志を含んだこの響きを覚えている。初めて聞いたのは、忽那家に来た最初の日だ。

中学一年生だった私は車に乗せられていた。運転席に座っていた洋嗣さんは、「今日から君と一緒に暮らすことになった。よろしく頼むよ」と言ったきり運転に集中している。思えば洋嗣さんは出会って以来、数学を話題にする時を除いてずっと寡黙だ。助手席の祥子さんは、同乗者にお菓子を勧めるような気軽さで振り向いた。

――あなたは今日から私たちふたりの子供になるの。最初から親子だったと思って私はあなたに接するけど、薫子ちゃんは自分の思うように振舞っていいのよ。何でも遠慮せずに言ってね。

その時の彼女の柔らかい笑顔は今も強く印象に残っている。彼女の好きな、あじさいの花に似た笑顔だった。私は困惑した。嫌だったわけではない。人から与えられる純粋な好意に慣れておらず、ただ小さく頷いた。

片付けを終え、三人で店を出た。雨はつい先ほど止んだようだ。祥子さんの車を私が運転する。水っぽいロードノイズとエンジンの振動が車内の静寂を際立たせていた。助手席の祥子さんは携帯端末をスピーカーシステムにつなぐ。音楽が流れ、雲の合間から月が姿を覗かせた。

「今日は冬夏ちゃんも薫子も来てくれて嬉しいわ。もっと早い時間だったらお店を閉めてご飯を一緒に食べたのに」

家出のことなどないように祥子さんは笑う。私は、いつまで家出をするつもりかと冬夏に尋ねた。

「早く帰れとおっしゃいますの？」

「しばらく祥子さんのところにいるのなら私の部屋を使えばいい。家を出てから誰も使っていないはずだ」

祥子さんの店は平地にある。平地といってもこの街では、山でもなく海沿いでもないことを意味しているに過ぎない。南に向かう緩い坂を下りきったあたりを左折して国道に出た。平日の夜だからさほど混んではいない。

「薫子ちゃんの部屋はそのままにしてあるけど殺風景なのよね。私が何か買ってあげようとしても、必要ありませんとしか言わなかったから」

祥子さんは独り言のように呟いた。

「どちらにしろ、父親とすぐに仲直りできるわけでもないのだろう?」

「それは分かりません。けれど長い間、お世話になるわけにはいきません」

「さっきはあんなに怒っていたじゃないか」

「今も怒っていますわ。でも、それとこれとは別の話です」

落ち着いた声で冬夏は言った。視界の前方には青い看板がぽつりと浮かんでいて、道路の向かう先を示している。

「家出したいのか、したくないのか私には分からないな」

「薫子さんに、わたくしの気持ちはお分かりになりません」

バックミラーに映る冬夏は姿勢を崩さず、両手を膝の上で組んでいる。

「その通りだよ。人の気持ちを分かると信じ込むほど思い上がりたくはない」

「そういう話ではありません」

「そうか、では家出の話に戻ろう。君の父親はブラーファシステムを外してほしくて君は外したくない。だから喧嘩になった」

冬夏は黙って頷いた。私は赤信号でブレーキを踏む。横断歩道を母親と小さな女の子が手を繋いで渡っていく。女の子はもう雨が上がっているにもかかわらず、ピンク色の傘を広げていた。桜の花にもあじさいの花にも似合いそうな傘が、女の子の手の中でくるくると回る。

——車に乗せられた十二歳の私は、祥子さんと洋嗣さんから家族になるのだと告げられ困惑し、車内の沈黙を吸い込んだり吐き出したりしていた。祥子さんがもう一度、私の方を振り返る。

「さっきはああ言ったけど、私のことはお姉さんだと思ってくれてもいいのよ」

祥子さんの声からは凛とした空気が消え、代わりにひとりの少女が彼女の中から現れたようだった。

「そうね。きっとそのほうがいいわ。そうだ、私のことは名前で呼んでくれないかしら？」

運転席の洋嗣さんが小さく吹き出す。祥子さんは意に介さず、昔から妹がほしかったことや、彼女の考える姉らしい振る舞いについて楽しそうに喋り続けた。見かねた洋嗣さんが、君が望んでも本人が嫌がったらどうしようもないだろうと諭すと、祥子さんは悲しそうな表情を見せた。

「押し付けるつもりじゃないのよ、薫子ちゃん」

「嫌ではありません。嬉しいです」

私はそう答えた。大人に反抗する習慣を持たない当時の私にとって、他の選択肢は存在しない。洋嗣さんは車を路肩に停車し、薫子さん、と私を呼んだ。そして私の目を見ながら、ひと言ずつなぞるように話し始めた。

「君が本心から嬉しいのならばそれでいい。けれど、気を使って言ったのなら君はそうする必要はない。なぜなら僕は君と家族になりたいと思っているからだ。これは僕の希望に過ぎない。君が望まないのならば、それはそれで構わない。いずれにせよ君のことはきちんと面倒を見る。君が私の思い通りにならないからといって、決して態度を変えたりしない。約束する」

言葉の意味するところは理解できた。しかし実現可能性のある内容には思えず、まるでおとぎ話のようだと感じたことを覚えている。

「そんなに一度に言われたって困るわよね。とにかくもうすぐ家に着くから、一緒にご飯を食べて、ゆっくり寝て、それから今後のことを考えましょう」

祥子さんは笑顔を私に向けた。

「君がお姉さんになりたいなんて言い出すからだよ」

「だって薫子ちゃんと姉妹になれたら楽しそうじゃない」

結局、ふたりのことは名前で呼ぶようになった。そもそも彼らと私とでは、ひと回りほどしか年齢が離れていないのだから、それが最も自然な形だったのだろう。

「父は、わたくしの心がマリアに飲み込まれてしまわないか心配だと言っていました」

声を絞り出すようにして、冬夏は父親との喧嘩の原因を話し始めた。夕方、彼女が帰宅してすぐにブラーファデバイスの話になったようだ。物理法則に適う事象すべてにいくらかの確率が与えられる以上、デバイスによって冬夏の人格が支配される可能性を完全に否定することは難しい。しかし自我の形成後に乗っ取られた事例は報告されていない。

隣の車線では、背の低い車が私たちの車を追い抜いていく。周波数の高い破裂音が路面と道路に面した建物とに反響した。

「可能性は著しく低い。君の父親はそれを理解しているはずだ」

「わたくしも父にそのことを何度も言いましたわ。そんなケースは今までにない、アルゴリズム開発に対しての厳しい規制や、高い認可基準についても知っているはずだって」

下を向いて話す冬夏の顔は、暗い車内の影に沈んでいる。

「でも、万が一のことがあってからじゃ遅いと、突然、怒り出してしまって」

時刻と共に温度の低下した外気が、車中から少しずつ熱量を奪っていく。

「きっと母が、ブラーファについて話をしてくれと父に頼んだのに違いありません」

「まあまあ。それで家出をしてきたの？」

祥子さんは後部座席を振り返った。

「喧嘩をしたのは今回が初めてではありません。最近の父はずっとそんな調子です。家にあまりいないくせに会うと必ずマリアのことを聞いてきて。わたくし、とうとう我慢できなくなりました。少しは反省でもすればいいのです」

バックミラー越しの冬夏は怒気を含んだ表情を浮かべていた。

「君の父親は、君が家出をすると罰を受けた気分にでもなるのかい？」

「さあ、知りませんわ。でもマリアのことを認めてくれるまでは、家に帰りたくありません」

車庫入れの前に祥子さんと冬夏を先に車から下ろした。冬夏は祥子さんからせき立てられるまま家の中に入って行く。私が初めてこの家に来た時と同じ光景だ。理由は全く違うが、冬夏の場所にかつての私がいた。祥子さんが人に気持ちを与える様子を外から眺めるのも悪くない。私が初めて祥子さんを名前で呼んだ時の、嬉しそうな顔を思い出した。

冬夏が私の部屋を使い、洋嗣さんの書斎で私が寝る。半年前にブラーファ研究所を退所してから頻繁に祥子さんの店へ行っているのだから、この家に来る機会はいくらでもあった。しかし、前回、訪れたのは辞めてすぐの頃だ。退職したことを報告しても、ふたりとも文句ひとつ言わなかった。洋嗣さんはひと言、そうかと呟いたきりで、祥子さんは、時間ができたのならお店にもこの家にも頻繁に来られると喜んでいた。再訪しなかった理由は、自分の今後の方針について確信を持てずにいたからだ。

アイボリー色をした書斎の天井は、照明を落とした状態では薄いグレーに見えた。外の光の生む微かな陰影が、天井にグラデーションをもたらしている。壁を伝って聞こえる街の低音を耳に入れながら、私はブラーファシステムについて考えていた。

冬夏の父親の言う通り、彼女の中枢神経ネットワークがブラーファシステムに乗っ取られてしまうことはあるのだろうか。高度なアルゴリズムを搭載したデバイスが四歳児の人格を変形させた事例を一度だけ目にしたことがある。当然のことながら大きな問題になった。彼は今も自発性を完全に消失したまま生きている。しかしその事故以来、安全基準はさらに厳しくなった。人を支配する、あるいは反社会的行動を促すプログラムは、現行のブラーファシステムから徹底的に排除されている。システムの開発はそうした禁則事項との戦いだ。霊長類を用いた最終試験が終了するまでに、ブラーファ本人に対する危害性は過剰なほど回避されている。

ただ一度の事例をもって、冬夏の父親は彼女からブラーファシステムを取り上げようとしているのだろうか。ましてや幼児の事例は冬夏に適用するに相応しくない。あるいはもっと本能的な、子供を心配する気持ちだろうか。人間の思考の全てが論理的であることなどあり得ない。仕事上の合理主義者が、人間関係や社会思想に対し非合理性を発揮するのを何度も経験した。ブラーファ研究所を辞めた今の私もそうだ。結果、私は人生に掛けられたロープで宙づりにされている。

人間は不条理な事象に囲まれながら生存競争をくぐり抜け、思考を巡らす時間的猶予のない危機を否応なく経験してきた。そのような環境に適応するためには、合理性と非合理性を使い分ける方が合理的だ。冬夏のブラーファシステムに危機をもたらす能力はないと理性が結論づけても、父親としての感情がその結論を否定する可能性は十分に考えられる。彼の研究者としての理性を信じるならばあるいは、冬夏も私も知らない別の理由が存在するのかもしれない。

2　桜とストカスティシティ

翌朝、リビングルームに下りていくと、冬夏と祥子さんが朝食を共にしていた。

「おはよう、冬夏。デバイスの調子はどうだい？」

「朝のひと言目がそれですの？」

冬夏は祥子さんの向かいに座り綺麗な姿勢で紅茶を飲んでいる。「薫子もご飯食べる？」と祥子さんは尋ねると、私の答えを待たずに立ち上がる。私は大人しく冬夏の斜め前の席に腰を下ろした。

「デバイスの調子はいいですわ。今度、新しく出たものにアップグレードするつもりです」

首の後ろの、デバイスが埋め込まれたあたりを冬夏はさする。彼らブラーファ装着者によく見られる癖のひとつだ。

「マリアは喜んでる？」

「彼女はそういうことに興味がありませんから」

冬夏はベーグルを小さくちぎる。

「君にすべて任せているのかい？」

「いいえ。一応、今、話し合っているところです」

「法律的にブラーファシステムは、君の思考をアシストするただのプログラムだ。デバイスを選択する権利は君にある」

手に持っていたベーグルを皿の上に戻し、冬夏は私の顔を真っ直ぐに見た。

「分かっていてそういうおっしゃり方するの、やめていただけませんか。プログラムだろうとなんであろうと、マリアは物心のついたときから一緒にいる、わたくしの大切な友人です」

マリアという名前は、冬夏の持っていた絵本に出てくる人物からとったらしい。日本では外国人風の名前をつける場合が多い。人間と区別が付けやすいからだ。

冬夏は、私が初めて見学したデバイス装着の対象者だった。彼女は三歳の誕生日を迎えたばかりで、私は大学の一年生だった。今ではありふれた光景だが、当時は多くの見学者が見守る中、ブラーファデバイスの装着が行われた。

デバイスを埋め込んでから一週間後の検査で、脳内の血管に沿って張り巡らされたファイバーが確認された。その時点で、ブラーファシステムは冬夏の神経細胞の九十%以上を識別、同定していた。識別不明のニューロンはそれから数日でさらに減少し、最終的に一%以下に収まる。検査時にはすでに、冬夏の神経活動はデバイスによってリアルタイムにモニタリングされていた。その光景は今も強く記憶に焼き付いている。

最初の数ヶ月間、デバイスは一方的に信号を受け取る。蓄積したデータを解析し、最初のブラーファアルゴリズムが形作られた。冬夏は三歳にして驚くほど神経活動が安定しており、誕生日を三ヶ月ほど過ぎた頃には早くもデバイスからシグナルが送信された。それが冬夏とマリアの最初の会話だ。明確な言語的コミュニケーションではなく、彼女たちの記憶にもほとんど残されていない。残っているのは定期検査時の僅かなログだけだ。


「そうそう、薫子ちゃん」

ベーグルとサラダとベーコンエッグの載った皿を祥子さんがテーブルに置いた。

「あなた、今日はうちに帰って来るの？」

「帰って来るよ。しばらくこっちにいようと思う」

窓から朝日が差し込み、ベーグルを口に入れる冬夏の顔が照らされる。今日はドライブに相応しい日になりそうだ。

「じゃあ、今夜はご馳走ね」

祥子さんが言った。冬夏は私にも手伝わせてくださいと申し出る。

「お客様にお手伝いさせるのは悪いわ」

「わたくしは客ではありませんわ。お世話になっているのですから当然です」

祥子さんは冬夏に向かって頷くと、一緒に料理ができるなんて娘ができたみたいね、と笑う。

「まあ。祥子さんには薫子さんがいるではありませんか」

「そうね。冬夏ちゃんの言う通り、薫子は私の大切な子供よ。でも料理は下手なのよね」

ベーコンエッグを食べる私を、祥子さんがまじまじと見つめる。

「私も早く帰ってこられたら手伝うよ」

「薫子ちゃん、あなた料理は上手になったの？　ちゃんとご飯、食べてる？」

「自分が食べる分くらいは作っているよ。祥子さんが上手すぎるんだ」

「とにかく。あなたは帰ってきてくれればいいわ。手伝うのなら洋嗣さんを手伝ってあげて」


食器をキッチンに運ぶ私に、冬夏は今日の予定を尋ねた。

「研究所へ行く」

「今日は土曜日ですわ」

冬夏はとっくに朝食を終え、新しく淹れたモンターニュブルーの紅茶を飲んでいる。

「わたくしも連れて行ってくださらないかしら？」

私は首を横に振った。彼女は昨日とは違う洋服を祥子さんから借りて着ている。

「何時頃、家を出られます？」

「十時過ぎだけれど、君は連れて行かないよ」

彼女はティーカップをソーサーに戻した。

「では、わたくしも準備します」

「一緒には行かないと言っているだろう」

冬夏は無言で首を傾げた。

「ただでさえ私はもう研究所の人間ではない。部外者を一緒に連れて行くわけにはいかないんだ」

洋嗣さんがリビングルームの扉から顔をのぞかせ、話し合う私たちふたりを一瞥すると、行ってきますとだけ言い残し出かけて行く。冬夏は扉が閉まると私に視線を戻した。

「わたくしはブラーファですから部外者じゃありません。むしろ薫子さんより当事者ではありませんか」

冬夏は変わらずきちんと椅子に座り、姿勢よくこちらを見ている。

「あそこは研究のための施設でブラーファ本人が直接、関わる場所じゃない」

「でも私には知る権利があります」

冬夏は姿勢も目線も変えずに続ける。

「ブラーファのわたくしには知る権利がありますわ。最先端のブラーファ研究が行われる場所を見学したいと考えるのは当然のことです。わたくしの将来を考える上できっと良い材料になります」

彼女の言葉を聞きながら、二杯目のコーヒーを持ってダイニングテーブルに戻る。

「君がそんなに立派な考えを持っているとは知らなかった。どうして私が研究所に勤めている間に言わない」

「だって、今、思いついたのですもの」

私は持ち上げかけたカップを置き直し、ため息をついた。

「理由はないがとにかく連れていけということか？」

ラベンダーとフルーツの香りが乗り移ったような笑顔を浮かべて冬夏は頷く。それから着替えのために部屋を出て行った。


階段を降り、冬夏に伝えた時間の三十分前に玄関を出る。地階の駐車場にはすでに冬夏の姿があった。

「薫子さん、抜け駆けはいけませんわ。ひとりで行ってしまうおつもりだったのでしょう？」

私は先ほどより少し大きなため息をついた。

「君が言い出したら譲らない性格なのを忘れていたよ。きっと今回の家出も、お互い一歩も譲らなかったに違いない」

「わたくしが父に似て頑固だと？　薫子さんは遺伝を信じていると、そうおっしゃるのですか？」

「信じるも何も、遺伝は自然現象だ。実験的に証明されている」

「性格も容姿も全て遺伝で決まるなんて、救いのない話だとお思いになりません？」

車のロックを解除して運転席に乗り込む。冬夏は慌てて助手席側から車中に身を滑り込ませた。私に置いていかれるのではないかとまだ疑っているようだ。

「空に舞い上がった紙吹雪のようなものだと私は思うよ」

車を発進させながら私は言った。

「何のお話ですか？」

「我々は、遺伝の話をしていたはずだ」

「そうですか。わたくしはてっきり、遠回しにブラーファシステムのことを聞かれたのだと思いました」

数本の桜が沿道に花を咲かせている。昨日の雨に落とされなかった花びらが、春の日差しを受け止めていた。私はいつもより慎重にステアリングを切る。

「君が遺伝よりブラーファシステムについて話したいのならば、私はそれでも構わない」

「別にお話ししたいわけではありませんわ」

「風が吹いている日に、紙吹雪を空に向かって思い切り投げたとしよう」

冬夏は首を傾げる。

「薫子さんにしてはちょっとドラマティック過ぎませんか？」

「実際にやるわけじゃないよ。猫が死ぬかどうか考えるのと同じだ。あるいはただの喩え話だ」

バックミラーを微調整しながら私は答えた。

「風で遠くに飛ばされてしまいます、という答えでよいのでしょうか？」

「飛ばされ、やがて地面に落ちる。落ちる場所はひとつひとつの紙片ごとに違う。投げた場所からそんなに離れていないところに落ちるものもあれば、遠くに飛んで行くものもある」

冬夏は少しの間、考え込んでから、「おっしゃりたいことはだいたいわかりました」と言った。話は終わり、黙って運転を続け、信号を右折する。山の麓を横切る道路に入ると、よく晴れた空と凪いだ海が街の向こうに広がった。湾の反対側に位置する陸地が遠く霞む。冬夏の、ゆっくり吐き出す息の音が聞こえ、真っ直ぐに伸びた黒髪を触る仕草が視界の端に映った。

落ちる場所がばらばらだとしても、ほとんど全ての紙片は風の吹く方向に飛ばされる。遺伝子型を紙片の形に喩えれば、それぞれに多少の違いが見られても、同じ親から生まれる紙片同士は似た形状を呈するはずだ。風は子供が接する環境や、生命がさらされる偶性を比喩的に表現している。飛ばされて落ちた場所が子供の性質だと仮定すれば、成長した姿は決して同じではない。着地点は紙片の形や吹いている風に依存し、生前から確定している生物学的メカニズムと、後天的な確率とが混ざり合う。

私たちふたりを乗せた車は橋を渡り人工島に入る。計画的な道路と、組織的な工場と、規格的なキャンパスが視界を遮り海は見えなくなった。道路を除く視界の大部分が白色で占められる。建物の多くがその色だからだ。善良な色彩だという共通認識のせいだろう。

休日の道路は二車線ともに空いていた。私の運転するライトブルーの車体は、善良な白い建物と凪いだ海とではどちらがより似合うのだろうか。

「わたくしは、きっとかなり遠くまで飛んだのだと思いますわ」

「どうしてそう思うんだい？」

「父とは気が合いませんから」

そう言って、冬夏は少しだけ首を横に振った。

「気が合わないのは家出をする理由にはなる。けれど君と父親が似ていない証明にはならない」

「でも、ことごとく考え方が違います」

「個人の思考システムが短期間に大きく変化することはそう多くはない。しかし個々の言動だけを取り上げてみれば、それらは立場や相手によっていくらでも変わる。言動は人間同士の相互作用の結果だ。システムが同じでもインプットによってアウトプットが異なるのはむしろ自然なことだ」

「つまり薫子さんは、わたくしと父が似ているとおっしゃりたいのですか？」

「さあ、どうかな。私は君でも君の父親でもないからね」

視界の斜め前方に、研究所の白い建物が現れる。青空を背景に佇む研究所には悪意の欠片さえも見つけられない。

「前から思っていましたけれど、薫子さんって、友人はいらっしゃいます？」

「友人？　悪いが質問の意図を把握できない」

「友人はほしくないのかと質問しているのです」

「考えたことがないよ。それを聞いて君は一体どうしたいんだ」

「どうもしませんわ。ただわたくしは、薫子さんのことが嫌いではないということです」


ブラーファ研究所のゲートをくぐり第一研究棟の前に駐車する。入り口ホールに研究員の広井怜の姿があって、自動扉のガラス越しに機嫌よく手を振っていた。冬夏を外に残し先に事情を説明してから、三人でエレベーターに乗る。

「他でもない忽那さんのお知り合いなら構いませんけどね。次からは頼み方をもう少し考えていただけませんか？」

「きちんと頼んだだろう？」

「あれはどちらかというと脅迫です」

「まあ。脅迫って何ですか？」

「さあ？　私は誠意を持って彼に説明しただけだよ」

広井怜は研究室の入り口で虹彩認証を行う。

「そういえば広井君。君は結婚したと聞いた」

「ええ。そのうち忽那さんのところにもご挨拶に伺います」

「やめてくれ。私はその手の社会習慣が苦手なんだ」

「じゃあ、なぜ結婚のことを話題に出したのですか？　聞かれたらそう答えざるを得ないでしょう？　だいたい忽那さんは、他人どころかご自分の結婚にも興味があるとは思えませんが？」

広井怜は廊下の突き当たりにあるドアノブに手をかける。

「もっともだ。ところで、君が表情の初期設定に笑顔を選択していることは知っているが、今日は特に機嫌がいいように見える」

「初期設定という言い方はどうかと思いますね」

トーストの表面にジャムを広げるように、笑顔の上に呆れた表情が重ねられた。自分の席に座った彼はデスクに置かれた端末を操作する。プレゼンテーション用のアプリケーションが立ち上がり、アダルトブラーファ関連の実験データがモニター上に提示された。

神経ネットワークとブラーファデバイスが情報交換をする際には可視光が使用される。

だからそのための能力をあらかじめ神経細胞に与えておかなければならない。ブラーファを装着する人間は受精卵の段階で、光信号の受容と発信を司る遺伝子が自身のゲノムに組み込まれている。

三十年ほど前に起こった遺伝子操作の爆発的な進化は、ほぼ悠木博士ひとりの功績に帰せられる。仮に博士が現れなくとも、いずれ他の誰かが同様の技術を開発しただろう。加えて博士の研究には多くの協力者や競争相手があった。しかし彼の先見性と情熱が研究の進展を大きく早めたのは確かだ。博士は遺伝子操作の成功に満足せず、コンピューターサイエンスや材料科学の専門家と共同で、全く新しい技術の開発を始めた。開始して十年後には、実用化されたブラーファ技術が市場に出回るようになった。

私は高エネルギー空間で対生成される素粒子のように湧いて出た、多くのブラーファ研究者のひとりに過ぎない。遺伝学を学んだのちにブラーファ研究を開始し、後天的な遺伝子操作法を開発した。生まれつきブラーファ遺伝子を組み込まれていない人間に、ブラーファシステムを装着することが私の目標だった。しかし高効率で遺伝子を組み込むことには成功しておらず、実用化に至っていない。その研究は今、広井怜が引き継いでいる。

「色々と改善すべき点はあるが大したものだ。順調にいけば、神経細胞とデバイスの情報交換は量的にも質的にも大幅に向上するよ」

広井怜は、画面から顔を上げて私を見た。

「忽那さんにそう言っていただけるのなら大丈夫そうですね」

私は広井怜に、特許や論文発表の予定について尋ねた。

「この結果が最終的に確認できたのは先週です。特許の申請はもう開始しましたが、しばらくかかりそうです。それより忽那さんはもうブラーファ研究に興味がないのだと思っていましたよ」

広井怜は笑顔を保ったまま言った。一緒に研究していた頃と変わらない。私が突然、研究所を辞めると言った時、彼は文句ひとつ漏らさず研究を続けていた。

「君がわざわざ私を呼びつける理由は想像がついていたが、予想以上だよ」

「ありがとうございます。忽那さんが人を褒めるなんてめずらしい……ところで」

広井怜は一度、言葉を切って立ち上がった。

「あの綺麗なお嬢さんをひとり放っておいていいのですか？」


休憩スペースに待たせたますっかり忘れていた冬夏を迎えに行き、広井怜とふたりで研究室を案内した。冬夏は植物園で栽培されている珍しい植物を見るような目で研究機器を眺めている。

「これ、大きなオーブンの様な形ですね。何をする機械ですか？」

「それは培養器だよ」

冬夏は黙ったまま首を縦に振ると別の機器に視線を移した。

「ではこれは？　ちょっと高級な食器洗浄機みたいだわ」

「ふむ。これは何だったかな？」

私は顔を広井怜に向けた
「広井君、教えてやってくれ」

「忽那さん、機械の名前を忘れるにはちょっと早すぎますよ」

「日本語で何と呼ぶのか思い出せないんだ」

私の言葉に「確かにそうですね」と広井怜が苦笑した。冬夏はひとしきり質問を終えると、ひとりで実験室の奥を見て回った。

「ずいぶんと綺麗なお嬢さんですけど高校生ですか？」

「どうしてそんなことを聞くんだい？」

「あまり若いうちから忽那さんと一緒にいると将来が心配だと思いまして」

「言っている意味がよく分からない」

「僕は常識人なので、忽那さんの思想に彼女が染まってしまわないか気になるだけです」

「私も常識は持っているつもりだよ。他人のそれと整合性があるのかどうかよく分からないが、常識とはそもそもそういうものだろう」

私の言葉には反論をせず、広井怜は急に真剣な表情になった。

「忽那さんはご存じですか？」

「何をだい？」

「最近、一部の高校生に起きている不登校の事案で……」

広井怜は言いかけた言葉を飲み込み、二、三度、首を横に振った。

「いえ、忽那さん相手だからはっきり聞いた方がいいでしょう。彼女はブラーファですか？」

「それは私にではなく、彼女に直接、聞いてみるといい」

「最近、エイミーに異変が起きているという噂はご存じですか？」

私は黙って首を横に振る。

「ブラーファとリンクしないエイミーの人格変化らしいです」

「原因は？」

「分かりませんね。不正なプログラムが原因だって言う人もいますがどうでしょう。検査で引っかかりそうなものですが」

「単純な不適合の可能性は？」

「考えられます。ですが、そうとは言い切れないケースもあるみたいです」

「君はどうしてそんな噂を知っているんだ。特別な知り合いでもいるのかい？」

「忽那さんが疎いんですよ。他人に興味がなさすぎるんです」

冬夏は後ろ手の姿勢で飽きずに実験室内をうろついている。機能を理解できない機械を見ていて面白いのだとすれば、それは純粋な好奇心の発露だ。見たことのないもの、知らないものを感じ取るセンスがまだ彼女の中にはあふれている。

「知り合いのお子さんがもしブラーファなのだとしたら、少し気をつけておいた方がいいかもしれません」

私は少し顔を上げて広井怜の顔を見た。

「助言としてありがたく受け取っておくよ。それより今日の広井君は、いつになくまともなことを言う。実験がうまくいき過ぎておかしくなってしまったんじゃないのかい？」

広井怜は機嫌の良さそうな笑い声を上げた。ひと通り見学を済ませた冬夏がこちらへ戻ってくる。祥子さんから借りたジャンパースカートの裾が彼女の足元で静かに揺れていた。

「未来のお料理教室みたいで楽しかったですわ」

満足そうに微笑む冬夏に、広井怜がまた笑う。

「榊原さんに満足してもらえて何よりです。それにしてもお料理教室とはうまい喩えですね」

「そうですか？　わたくしもっと仰々しい機械が並んでいるものだと思っていましたけれ

ど、思ったより親しみやすいのですね」

「我々の実験風景は地味ですからね。忽那先生は、話すと夢遊病者みたいですけど、地味な実験を黙々と進めていく素晴らしい研究者なんですよ」

冬夏は夢遊病者という言葉が気に入ったらしく、何度かその言葉を呟きながら口元を手で押さえ、しばらくの間ずっと笑っていた。

研究所を後にして人工島から出た。そのまま北に車を走らせ山の上のドライブラインに入る。峰が切れると海がよく見えた。南向きに海が開けているからこの街は明るい。街の平均的な斜度と太陽光の受容効率との関係を頭の中に思い浮かべながら緩やかにカーブを曲がった。エイミーの異変について思いを巡らすが、良い仮説は思いつかない。そもそも、すぐに思いつく仮説が真実だったことは一度もないのだからしょうがない。

エイミーの存在が社会的に認知されるようになったのは、ここ二、三年の出来事だ。それ以前から存在は知られていた。しかしデバイスの演算速度の制約で複雑な人格を形成するには至らなかった。もちろん人格と呼べるものがデバイスに宿るとすれば、の話だ。専門家の間でもエイミーを人格として扱うべきか否か、決着を見ていない。科学的な人格の定義がそもそも存在しないからだ。それでもブラーファたちの多くはエイミーをひとりの人間だと感じている。冬夏もそのうちのひとりだ。

「そういえば今朝、君はブラーファデバイスを新しくすると言っていたね」

私がそう尋ねると、交換はしないことにしたと冬夏は答えた。

「話し合いがうまくいかなかったのかい?」

「いいえ」

冬夏は首を横に振る。

「本当のことを言うと、マリアはデバイスの交換に最初から賛成していました。反対していたのはわたくしです」

「そうか」

「そうです」

左手で反対側の髪を触りながら冬夏は言う。

「マリアは新しいアルゴリズムに触れることを楽しみにしています」

しばしば人間はふたつの感情の間で揺れ動く。もしくは三つ以上の場合もある。どれかひとつを選ぶのか、あるいは別の新たな考えを生み出すのか。人間の精神的な活動が電子回路と化学反応とを組み合わせたものに過ぎないのだとしても、それは人間が悩むことをやめる理由にはならない。

「新しい製品の宣伝文句はたしか、『ブラーファに新しい知性を』だったね」

「ええ……わたくし、怖いのです。マリアは最近ちょっと変ですから」

さっきまで髪の毛を触っていた冬夏の左手は、紺色のスカートの中ほどを掴んでいた。人間の、悩むという現象を物質的に解明することは、科学的因果関係を知ることでしかない。科学的かどうかを問わないのならば、同様の因果関係を指摘した哲学者がすでに二千年以上前のインドに存在した。

「最近はマリアとよく喧嘩をします。前はすごくおとなしい子だったのに。もしデバイスを交換したら、彼女がもっと違う彼女になってしまうのではないかと不安になります」

「君の両親は新しいブラーファデバイスについて何か言っているのかい？」

「父は外せとしか言いません。前にも言いましたけれど、最近はマリアのことが嫌いのようですから」

「母親の方は？」

「母はただ、私が変わってしまわないか心配だと言っていました」

ブラーファデバイスから送られてくる情報を冬夏の神経細胞が受け取り、神経ネットワークがそれを解釈する。結果として本人はあたかもデバイスと会話をしているかのような感覚に襲われるようだ。五感を介して話すわけではなく、送られてきた信号を直接、脳が言語に変換する。ブラーファたちは皆、自分の中にもうひとり別の存在がいると言う。

人格と考えて差し支えのない存在が誕生したことは、研究者にとってはただの結果だった。ブラーファ研究者の多くはデバイスに人格を与えようとしたわけではない。あくまでも神経活動を支援する技術を開発しただけだ。

そもそも、脳循環を介するファイバー技術が最初に実用化された例は難聴者支援だった。音声情報を大脳の聴覚野に直接届けるために開発された。神経活動を読み取る技術と解析用アルゴリズムが開発されると、双方向の情報通信が開始され、記憶力の増強や、映像などのパターン認識能力の向上を可能にした。言ってみれば初期のブラーファシステムは、人間の頭を少し良くする機械として生まれた。本質的に今でもそれは変わっていない。

転機はブラーファメディカルが開発した新しいアルゴリズムによってもたらされた。BR100シリーズと名付けられたデバイスが「天才を生み出すブラーファ」として大々的に発売されたのは三年前のことだ。デバイスに搭載されたプログラムが、感情、思考といった高度な精神活動を解析し始める。BR100が登場する以前、ブラーファ本人にとっても曖昧な存在でしかなかったエイミーに明瞭な人格が形成されるようになった。冬夏の話によると、それまでのマリアは定型文のような会話しかできなかったらしい。幼い頃の彼女にとって、ブラーファデバイスは話し相手になってくれるお気に入りのぬいぐるみのようなものだった。


「マリアはデバイスを交換して新しい自分になりたいと言っています」

そろそろ展望台下の駐車場に着くはずだ。道路標識を眺めながら少しスピードを緩めた。

「一緒にいられて、いつでもお話しできるだけで楽しいって以前は言っていたのに……薫子さんは交換に賛成ですか？」

「賛成も反対もない。君とマリアの好きにすればいい」

「薫子さんのそういう突き放したところ、嫌いです」

「君は反対したり喧嘩をしたり嫌いになったり、いつも忙しい」

「薫子さんはお暇そうですわ」

「そうだな。仕事もしていない。喧嘩もしない。人を嫌いにもならない」

「楽しくていらっしゃる？」

「君は楽しいかい？」

「質問に質問を返さないでください」

「少なくとも私は、自分の人生を嫌いではないよ」

山の上の展望台へ至る階段をふたりで登る。目の前の階段から空へと視線を移した先には薄めた青色が広がり、一筋の雲が存在を主張していた。

「いつ頃からマリアが変わってしまったと感じるようになったんだい？」

「半年前くらいです」

冬夏は即座に答えた。

「その時のマリアはとても眠そうにしていました」

「マリアがついてこられないくらいの速度で君が思考していた可能性は？」

「いいえ。ただ彼女と話していただけです。それなのに返事が遅くて会話がスムーズに進みませんでした」

眠そうにしていたのはおそらく、ブラーファデバイスの演算ラグによるものだろう。人の中枢神経活動を支援するために、デバイスは神経活動と同期的に演算を行う。実際に計算結果がファイバーを通じて伝えられる際の感覚は、ブラーファ本人にしかわからない。デバイスとの情報交換によって感覚が惹起される客観的証拠もない。それでも冬夏が主観的に感じている事象はひとつの事実だ。

「ブラーファシステムの定期検査の結果は？」

かぶりを振って、システムに異常はないそうです、と冬夏は答えた。私は眼の前をスクロールする階段に視線を戻した。

「君はマリアが心配かい？」

「ええ。とっても心配です。眠そうにして反応が鈍かったり、反対に自己主張を始めたり。以前のあの子はどこに行ってしまったのかしら。それにわたくしも最近、変です。時々、ものをうまく考えられなくなることがあります」

冬夏は心配しているというより、悲しそうな表情を浮かべていた。彼女の疲労が原因だった可能性について尋ねると、冬夏は人指し指の先を唇に当て、中空を見つめた。可能性があるかどうかではなく、感覚を共有しない人間にどう伝えるべきか考えているのだろう。今もまさに冬夏とマリアの間では情報のやり取りが高速で行われているはずだ。

「例えるなら、思考がスクラッチする感覚、とでもいうのでしょうか」

「スクラッチ？」

「ええ。音が巻き戻るように思考が巻き戻る感覚ですわ。そこまではなくても、一瞬ポーズする感覚に襲われることがあります」

「それはどのくらい続くんだい？」

「体感としては一秒に満たないと思います」

「ブラーファメディカルのクリニックでその話は伝えた？」

「いいえ。聞かれませんでしたもの」

冬夏は私の隣で一歩一歩、長い階段を上がる。肌寒い外気にうっすらと赤みを帯びた顔はほとんど無表情のままだ。

「君は検査に行ったのだろう。症状は話すべきだ」

「いやです。あの人たちは父や母の顔色ばかり窺っていますもの」

展望台に着くと街が見渡せた。冬夏は嬉しいような安心したような顔をして展望台の手すりを掴む。

「ここから見える景色が好きなのかい？」

「ええ。少し気持ちが晴れますから。薫子さんはお好きじゃありませんか？」

「研究所の白い建物を見ているよりはよほどいい」

眺望から目を離さずに、良かった、と冬夏は呟いた。マリアとの問題について話す時以外、彼女は普段と同様に振る舞っている。だから私は彼女が家出中であることを忘れてしまう。それからしばらくの間、ふたりで眼下の街と海を眺めていた。


展望台からの帰り、階段を下りながら、今度は桜が見たいと冬夏は言い出した。景色の中に桜でも見つけたのだろうか。車で移動し両脇に桜が植えられた坂道を歩く。桜の花は日の光を浴びてハレーションを起こしていた。

「薫子さんは、どうして研究を辞めてしまわれたの？」

「研究所を辞めたからといって研究者をやめたつもりはない」

「薫子さんは、マリアのことをお嫌いですか？」

向かってきた自転車を避けながら冬夏は質問を重ねた。

「私はマリアのことをよく知らない。君のデバイスの解析結果を読んだことはあるが、マリアの好きなものは報告書に書かれていないからね」

少し間を置いて今度は、じゃあ、エイミーの存在についてどう思うか、と冬夏は聞いた。

「お嫌いですか？」

私は立ち止まり冬夏に向き直る。彼女の後ろにある大きな屋敷の石塀に、桜並木の影が映っていた。

「好きも嫌いもないだろう。少なくとも君たちブラーファの中に彼らは存在する。受け入れるか、受け入れないかの二択だ」

「頭の中に機械の人格がもうひとりいるなんて気持ち悪いって言う人もいますわ」

冬夏は私から視線を外して桜を見上げる。彼女の上にできた薄い影が空気の流れに合わせて動いた。

「彼らには新しいことの全てが気持ち悪いんだろう。君の父親がそうなのか分からないけれどね」

「マリアはいい子です」

私は頷いて、「それならマリアとよく話してアップグレードのことを決めればいい」と答える。冬夏は一度、私に目線を合わせ、再び桜を見上げた。

「少し前まではそうしていました。でも半年前におかしくなってしまってからは上手くいきません。喧嘩になってしまいますから」

半年前という時期は広井怜の話していた噂が出回り始めた頃と一致する。それに冬夏の父親の強硬な態度も気になる。

「薫子さん、そろそろ帰りましょう？　わたくし、祥子さんと買い物に行かないといけませんわ」

桜並木を通り過ぎ、別の道を使って車を停めた場所まで戻る。途中、公園があったが、桜のないその公園は週末にもかかわらず閑散としていた。

マリアが単純で個別的な不具合を抱えているだけなのか、広井怜が危惧するように同時多発的な問題なのか。複数の可能性が考えられるときは、検証可能なものから全て試してみる必要がある。無限に見える可能性の存在するときでさえ、先人の研究者はそうして問題を乗り越えて来た。万里の長城の建設に駆り出された労夫が、盛土をひと突きずつ固めたように。ピラミッドに使用された巨大な岩石がひとつひとつ運ばれたように。

冬夏の感じている異常は、マリアの計算リソースが冬夏以外に振り分けられたことに起因すると推察される。マリアが眠そうに、あるいは冬夏の思考がポーズする原因は、冬夏に対して行われる演算の速度が不足していることにあるのかもしれない。

「薫子さん、今日はわたくしの気を晴らすためにドライブをしたり、桜を見せてくれたりしたのですか？」

「晴れていたからだよ」

冬夏は俯いたまま少し笑う。冬夏と私の髪の毛が、風を受けて不規則に揺れた。

「わたくし、明日、家に戻ります」

「家出にはもう飽きたのかい？」

「わたくしは薫子さんと違って真面目ですから、楽しいことをしていると後ろめたい気持ちになってしまうのです」

3　蜘蛛とコネクトーム

「ねえ、薫子ちゃん、ブラーファって何の略？」

両手に持った牛テールのパックを交互に見ながら祥子さんが尋ね、左手に持っていた方を私の押すカートに入れた。

「薫子には言えなかったんだけど、私、ブラーファのことちょっと怖かったの。頭の中にチップを埋め込むこととか、もうひとり自分とは違う人間がいることとか」

カートは別のコーナーに移動し、カゴにペンネリガーテが追加される。

「でも最近、冬夏ちゃんがうちに来たでしょう。ちょっとは勉強しなくちゃ」

「ブラーファに会ったのは冬夏が初めて？」

カートを押す私の手が祥子さんに抑えられる。半ば無理矢理、方向転換させられ野菜の陳列棚に引き返した。

「ええ。映像でしか見たことがなかったから」

「ブラーファは全国で約十万人いる。おそらく祥子さんの店に来る客の中にもいるよ。でも見た目じゃわからない」

「そうね。見た目じゃ分からないわ。それに冬夏ちゃんはとってもいい子でしょ」

「本人に直接、言うといい」

「何のお話ですか？」

薄力粉の袋を手にして戻ってきた冬夏が首を傾げた。

「祥子さんにブラーファは何の略かって聞かれたんだ」

「"Brain Circulation Fiber Assisting"を略したものですわ、祥子さん」

「……もう一度、言ってくれる？」

今度は両手に蕪を持ったまま祥子さんが振り返る。蕪はふたつともカゴに入れられた。

あとで書いて渡すよ、と私が答えを返す。

「そういえばわたくし、以前から疑問でしたの」

冬夏はもう一度、首を傾げる。

「"Brain"から"Bra"を取って、その後ろに"Fiber"の"F"と"Assisting"の"A"を足して"Brafa"ですわよね？　一体、"Circulation"はどこに行ってしまったのかしら？」

「文句があるなら悠木博士に伝えてみるといい。命名は開発者の特権だ」

「別に文句を言いたいわけではありませんわ」

冬夏と私の会話を聞いて、祥子さんは微笑んだ。

「私、何にも知らなかったのね。ごめんなさい、薫子はずっとブラーファの研究をしていたのに」

店内は、夕方の空気を纏った客たちで混雑し、レジ前には長い列ができていた。私たちは客の間を縫うように進む。

「私の研究テーマだからといって、祥子さんがブラーファについて知らなければならない必然性はないよ」

「じゃあ、もうひとつ聞いてもいいかしら？」

祥子さんが試食コーナーの前で足を止める。三人ともアスパラガスのベーコン巻きを受け取った。

「ブラーファって機械のこと？　それとも機械をつけている人？」

私は冬夏の方を見たが、彼女はアスパラガスに集中していて答える気はなさそうだ。

「最初は技術のことをブラーファと呼んでいた。けれどいつの間にか装着者のことを指すようになったんだ」

「じゃあ、機械のことは？」

アスパラガスが祥子さんの手によってカゴに追加される。

「埋め込んだ機械のことはブラーファデバイス。デバイスとファイバーをまとめてブラーファシステム」

「なんだかややこしいのね」

祥子さんはさほど困った風もなく、今度はメーカーの違う生ハムを交互に凝視している。

「あ、そうだ。まだ聞きたいことがあるの」

周囲の客たちはみな、祥子さんと同じく真剣に食材を選んでいる。店員が大げさな謝罪の言葉を並べながら、大きな台車を押して私たちの後ろを通り抜けて行く。

「エイミーって何かしら？」

「"Augmented Mind"で"Ami"、日本語にするなら『拡張された精神』」

「わたくし、その言葉あまり好きではありません」

冬夏は急いでアスパラガスを飲み込んでから言った。

「だってマリアはマリアで、わたくしとは別の存在ですもの。わたくしが拡張してマリアになったわけではありませんわ」

「エイミーの存在が認識されたばかりの頃は、装着者の精神の一部が鏡写しになっていると考えられていた。こちらの名付け親も悠木博士だ」

「わたくしきっと、悠木博士とは気が合いませんわ。薫子さんは実際にお話しされたことはありますすか」

「何度かある。あの人のことは私も苦手だ」

私の答えに冬夏は少しばかり目を見開いた。

「薫子さんに苦手な人がいるなんて思いませんでした」

「頭が良いだけなら気にならないのだけどね。彼は、論理に覆われた心の中に強すぎる信念を抱いた人なんだ」

「悠木博士はクリスチャンだと聞いたことがありますけれど、そのことですか？」

「キリスト教は彼の性格形成に影響を与えたかもしれないが、それじゃない。博士と議論していると、論理的に正しくても負けてしまうんだ」

私の答えを聞いて祥子さんが小さく笑う。冬夏は真顔のまま私に尋ねた。

「薫子さんにだって、心の芯みたいなものを感じます。固く折れないものを」

冬夏と私の隣で陳列棚に手を伸ばしていた祥子さんの動きが止まる。

「薫子ちゃんは確かに頑固だわ。でも心のいちばん奥にあるのは信念じゃないと思うの」

冬夏は三度、首を傾げた。祥子さんは、クレソンをカゴに入れながら、「優しさよ」と呟くと、レジに向かって歩き始めた。

＊　＊　＊

一度きりの特別講義を終えて私は菅原教授の部屋に戻った。学園都市の中心に存在するこの大学を前回訪れたのは、十年以上前だと記憶している。廊下に設置されたモニターには特別講義のための告知ポスターが描出されていた。『ブラーファシステムの最前線』と講義のタイトルが表示されている。研究を休んでいる私が最前線も何もない。私も学生もポスター画像を作成した担当者も、少しずつ騙されながら生きている。正確な情報の定義を客観的な事実の集合と考えるのは出発点として妥当なのかもしれない。しかし完全な客観性は物理学の中では否定されていて、干渉のない観測は存在しない。人間の認知における客観性について考えてみても、各人の主観から共通する事象を抜き出した集合と表現する他ない。私の主観と他人のそれとが一致していれば、客観的事実として認めざるを得ない。三人目の主観があればさらに確からしい。

研究室の扉をノックした。反応はない。研究室の扉をノックして、返事のあったためしはないので気にせず中に入る。部屋の中では数人がモニターに向かって作業をしていた。奥には天井まで届くパーテーションで区切られた教授専用のスペースがある。教授は顔を上げずソファーを指さした。数分後、彼は私の前に座って「今日はどうもありがとう」と頭を下げた。

「学生はどうだった？」

「新学期も始まったばかりだからでしょうか、大人しくしていましたよ」

「君は美人だから学生も萎縮したんだよ」

「容姿で態度が変わる理由が私にはよく分かりません」

菅原教授はわずかに眉を上げて笑った。

「それで忽那君は今後どうするかもう決めた？」

首を振り、いいえ、まだです、と否定する。教授は少し身を乗り出した。

「今度、研究セミナーをやってくれないか？」

職を得る前に行う、面接代わりのセミナーをやれという依頼だろう。

「しかし、私は今、どこにも所属していませんよ」

「一応、うちの非常勤講師はやっているだろう」

「名目上のことだと教授も理解されているはずです」

私の婉曲的な否定の言葉を意に介さず教授は言った。

「教員の枠がひとつ空いてるんだ。早くしないと他に取られてしまう」

どうやら教授は壁に開いた穴を埋める石膏のように、私を教員の枠にはめ込みたいらしい。

「大変ありがたいお話ですが、私の方針がまだ決まっておりませんのでお受けできません」

「相変わらず君は悠長だなあ。優秀な者だけに許された特権だ。何とかしてしがみつきたい連中であふれかえっているっていうのに」

菅原教授は鷹揚に言う。気にした風もなく、するりと話題を変えた。

「BR200はもう見た？」

「いいえ。噂に聞くだけです」

「あれはすごい。100もすごかったけどね。比じゃないよ」

それから教授は新型ブラーファシステムの感想を話し続けた。楽しそうにというよりは、何かに取り憑かれたように彼の口から言葉があふれ出る。真っすぐ私の目を見ながら喋る様子は、自意識も衒いも感じさせない。教員枠の現実的な話をしていた時とは別人だ。

「とにかくね、思考の抽象度が抜群に高い。１００が中学生だとしたら大学生くらいはある。うちの学生より優秀かもしれん。あれは一体どういうアルゴリズムなのか会社に問い合わせたけど、まあ、教えてはくれなかったよ」

「教授、ブラーファ本人の人格に連動しないデバイス出力の変化について何かご存じですか？」

菅原教授は表情を変えずに私の目をちらりと見た。

「忽那君、そんなに気を使わなくていいよ。たしかにアルゴリズムを人格と見なすのに私は反対だ。だけどそれは純粋に学問上の定義のことで、普段はあれを人間だと思っても別にいいだろう？」

「どちらかといえば、ブラーファアルゴリズムの専門家に対する敬意です。私にとってエイミーと呼ばれる存在に人格があるかないかは本質的な問題ではありません」

教授は小さく頷く。

「それで、その変化っていうのは具体的に何だ？」

「ただの噂です。具体的にはよく分かりません」

冬夏のことは話さなかった。広井怜から聞いた話をそのまま伝えてみたが、菅原教授は首を捻るばかりだった。

「不正プログラムが入ったままというのは考えにくいな。定期検査を受けに行かないブラーファもいるから中にはそういうデバイスもあるだろうが、異常が出て検査を受けても発覚しないとはちょっと考えにくい」

「他に何か考えられる原因はありますでしょうか？」

「原因ねえ。現象自体はっきりしないものの原因を考えろと言われてもなあ。それより、忽那君が開発よりブラーファの異常に興味があるとは知らなかったよ」

「異常の原因を究明することは研究の進展にとって有効だと思いますが？」

今度は大きく首肯して、教授は微笑した。

「その通りだよ。君が研究に対する情熱を忘れていなくて何よりだ。教員のことは急がなくていい。ゆっくり考えてくれ」

正式にオファーしたわけではないことも、私が辞退したことも忘れている。すっかり私が彼の研究室のスタッフになるものだと決めている。無邪気さすら感じさせる菅原教授の普段の言動と、彼の論文や学会発表から受ける印象は大きく異なる。研究内容を知れば、誰もがその革新性とデータ量に愕然とさせられる。

大学の最寄り駅から特急に乗り、窓側の指定席に座った。曇天の影が落ちた山間の景色を眺める。田植え前の田園風景と雑木林が交互に繰り返されるうち、電車は幅の広い川にさしかかり長い橋を渡った。定期的に刻まれたレールの切れ目を確認するように車体が音を立て、トンネルに入るとガラス窓に映る自分と目が合った。今後の自分の行先について考えてみることは、ブラーファとは何かを考えるにほとんど等しい。ブラーファに人格を乗っ取られた唯一の事例である少年を見た時から、私の認識する世界は変化した。ブラーファ研究にとって大きな瑕疵であるのと同時に、私の記憶に強くすり込まれた事件だった。

人間が他者の人格を変形させてしまうことは珍しくない。特に相手が精神的に未熟な幼少期の人間であればなおさらだ。それは自身の経験からよく理解していたはずだ。アルゴリズムが人格に影響を与えることも知っている。それにもかかわらず、少年を見るまでの私はこうも完璧にひとつのあるべき人格が消滅してしまう可能性を想起していなかった。

私は少年の事例に関与していたわけではない。単なるいち見学者だった。それでも心の底に穴が開くほどの痛みを覚えた。決定的な状況に至る可能性を予見できなかった自らの能力不足を認めざるを得なかった。認めざるを得ないのであれば、研究からの撤退を選択するのも、個人の思想としては間違いではない。しかし私は無意識にそれ以外の方法を模索している。物事に執着するのをとうに諦めたと思っていた。しかしその自己認識は簡単に覆される。主観ですらこうも不正確だ。

思考や感情が全て神経ネットワークから生み出されるとしても、自らがその精神のアルゴリズムを把握することは難しい。仮に人間の神経活動が、単一のアルゴリズムではなく、多くの独立した部分が相互に影響を与えながら成り立つと考えてみる。部分は互いに干渉しつつ並列に働き、その総体として全体が形成される。だとすれば、意識も数あるアルゴリズムのひとつに過ぎず、自分の全体を知る存在はどこにもいない。

気がつくと降車駅が近づいていた。携帯端末に通知が来ている。珍しく洋嗣さんからの連絡だ。早く帰宅するようにとだけ書かれてある。今日の夜、冬夏の誕生日を祝う予定だったことを思い出した。私が家に到着した時には、すでに三人とも席に着き私を待っていた。

「冬夏ちゃんを待たせてどうするの。あなたも早く座りなさい」

笑顔を浮かべた祥子さんが私を手招く。テーブルの中央にはホールケーキがあった。洋嗣さんは足を組んで本に集中していた。

「おめでとう、冬夏。ところで君は何歳になったんだい？」

「あら。薫子は冬夏ちゃんの歳も知らないの？」

祥子さんが呆れた顔を私に向ける。

「高校生なのは知っているよ」

「じゃあ何年生かは？」

「去年も高校生だったから二年生か三年生」

苦笑いを浮かべた祥子さんは「そういうことじゃないでしょう?」と言ってから、「ごめんね、冬夏ちゃん」と謝った。

「薫子さん、わたくし昨日でようやく十七歳になりました。早く自分のことを自分で決められるようになりたいですわ」

その日の冬夏は機嫌が良かった。本当に良かったのかどうかはよく分からない。彼女は私たちの前ではずっと気を使っているように見える。育ちが良いのだ。

「きっと、冬夏ちゃんの家ではもっとちゃんとしたお祝いをしたんでしょうけど、楽しんでくれたら嬉しいわ」

ケーキの周りには、祥子さんの作った、いつもよりずっと手の込んだ料理が並んでいた。

「父はわたくしが家出をしたことに呆れているようですが、もう怒ってはいないみたいです。もう一度ちゃんと私の気持ちを話してみようと思います」

食事が終わる頃、冬夏はそう言った。洋嗣さんは、家出の経緯を祥子さんから聞いているようだが、一切、口を挟まない。

祥子さんは冬夏とふたりでコーヒーを淹れている。私は洋嗣さんと一緒に洗濯物を畳む。私が出て行ってからは、三人で行っていた家事を祥子さんと洋嗣さんのふたりで分担していると祥子さんが言っていた。あなたが来る前に戻っただけね、と笑っていた。

コーヒーを飲み終えると、冬夏は祥子さんの車で帰っていった。食事をする前と同じ姿勢で本を読んでいた洋嗣さんが顔を上げて私を見る。彼の髪は以前と比較して少し白くなった。人を真っ直ぐ見つめる目は以前と変わらない。

「薫子はどうするんだ？」

「今後のことですか？」

「まあそうだ」

「今、考えている最中です」

「ブラーファ以外のことに興味があるのか？」

「ブラーファにもそれ以外のことにも昔から興味があります」

「そうか。いずれにしても君の価値観に合うことをやればいい」

洋嗣さんとの会話はそれで終わった。ブラーファ研究所を辞めたことに関して洋嗣さんが発した初めての言葉だった。祥子さんは時々、私と洋嗣さんとが似ていると言う。彼女によると、ふたりの会話は短すぎて理解不能なのだそうだ。

私はまず、冬夏とマリアに起こっている問題を解決しなければならない。

＊　　＊　　＊

情報科学研究所を訪れるのは一年半ぶりだ。前回の訪問から半年後に私はブラーファ研究所を辞めた。

予想した通り、駅を降りてバスに乗ったあたりから気分が悪い。少年の記憶が頭の中で反芻される。隣の冬夏はフリルの付いたレモンイエローのワンピースを着て景色を眺めていた。山の峰々が両脇を固め、麓はうっすら靄がかかっている。夜明け頃にこのあたりに立つと幻想的な光景が目の前に広がったことを思い出す。通路を挟んで反対側の、誰も座っていない窓際の席に移動する。冬夏はちらりとこちらを見たが、また窓の外に視線を戻した。

窓を開けると新緑の匂いが流れ込む。私は山の端と空との境界線を眺めた。得られる視覚情報を単調化し、想像上の早朝の景色を重ね合わせる。連休前の空いたバスには私たちと運転手しか乗っていない。他の乗客たちは途中の停留所で降りてしまった。エンジン音だけが生きていて、私たちは死んでしまったような気持ちになる。運転手は死と生のちょうど中間にいて、我々とバスとを繋いでいる。山と空は固体と気体を表す記号になり、実体が消滅する。冬夏と私はとうに物質的本体を失い、残されたのは精神だけだ。人間に魂が存在するのかどうか私は知らない。興味の対象外だ。マリアは蜘蛛のような形をした、全身真っ黒のぬいぐるみになって冬夏に抱かれている。デバイスは蜘蛛の胴体に変形し、普通の蜘蛛よりずっと長く伸びた足がファイバーを表象している。吐きそうだ。蜘蛛はあまりに黒くて、冬夏の体に穴が空いたように見える。闇そのものを具現化したようなブラーファデバイスの記号的存在を、冬夏は大切そうに撫でている。撫でている本人は、レモンが人の形に化けたような姿をしている。表面はのっぺりと平坦で、髪の毛も顔も手足も全てシルエットだけになり、境界を示す陰影は消滅していた。冬夏はもう外を見ていない。輪郭だけの幻の顔をマリアに向け、彼女と楽しそうに会話を交わしている。

降車ボタンのけたたましい音がして顔を上げると、冬夏が隣に座っていた。ぬいぐるみは抱いていない。

「薫子さん、顔色が悪いですけれど大丈夫ですか？　次、降りますよ」

振り返って窓の外を見ると、情報科学研究所の建物が近くに見えた。

「冬夏、君がボタンを押してくれたのかい？」

「そうですわ。でもそんなことより本当に大丈夫ですか？」

私の手の上に、冬夏は自分の手をそっと重ねて微笑んだ。レモンの花が具現化したような鮮やかさで。顔の皮膚の上を、汗が滑り落ちていくのを感じる。

「君が素敵な笑顔を見せるのは、緊張しているか、あるいは気を使っている時だ」

冬夏の手に力が入る。

「マリアを調べられるのは私を調べられるのと同じですから。でも薫子さんよりはずっと落ち着いていると思います」

アイボリーとベージュの間を彷徨うかのような色をしたリノリウムの床を歩く。研究所のロビー正面に備え付けられたエレベーターを四階で降りてから、ずっと廊下を歩かされている。右手には延々とサーバー室が続き、視界がほとんど変化しない。突き当たりの壁にはめられた窓が少しずつ近づいてくることと、足音だけが自身の移動を証明する。

ようやく廊下を端まで歩き切り、誰もいない休憩スペースに足を踏み入れた。隅にバーカウンターが設置されている。加藤＝カレン＝ソフィアはカウンターの横に置かれたソファーを示して、こちらで待っていてくださいと話し慣れた日本語で言った。

「ソフィ、ここで話すのかい？」

紙コップに入ったコーヒーを、ソフィはテーブルの上に置いた。

「まずは久しぶりに会ったカオルと普通の話をします。隣にいる賢そうなお嬢さんも一緒に。いいですか？」

提案の形に収められた彼女の言葉は、しかしながら実質的に指示を意味する。実に彼女らしくて私は好きだ。ソフィは腰を下ろすなり冬夏に向かって自己紹介を始めた。

「あなたが生まれた頃に私は日本に来ました。アイルランドからです。ブラーファの研究がしたかったからです。結婚して加藤という苗字になりました。カレンは昔の苗字です。ソフィと呼んでくれると嬉しいです。ブラーファ研究の他に、ブラーファの子供達のカウンセリングをしています。ここにはブラーファシステムを解析するマシンがあります。すごく速いから、あっという間です。あなたの話を聞いている間に終わります。解析の結果とあなたの話から、今のあなたとあなたのエイミーの状態を考えましょう。いいですか？」

「ええ、よろしくお願いします、ソフィ……さん？」

「はい。よろしくお願いします、冬夏さん」

さて、と言ってソフィはこちらを向き、人差し指を肩の高さあたりに立てた。

「カオル、まずあなたは気分が良くない。休みますか？」

「いや、大丈夫だ。続けてくれ」

ソフィは小さく頷いた。

「今、気分が悪いことと前回のことは関係していますか？」

「していないよ。それはもう大丈夫だ」

「あれは私たちブラーファ研究者にとって悲しい事件でした。私たちは慎重に研究を進めなければいけません」

私たち三人がいる休憩スペースのひとつ下の階で、一年半前の私はソフィのいう悲しい事件と向き合っていた。解析室のあるフロアだ。被検者は四歳の少年で、五歳以下では世界初のBM100シリーズ装着者だった。彼は最初から、高度な人格的特徴を持ったエイミーに接した。装着から半年で少年の人格はエイミーと一体化してしまった。デバイスの計算結果に彼の神経ネットワークが支配された結果、彼はおそろしく従順な人格を有するに至った。四歳児として異常なだけでなく、大人として考えても反発心や闘争心が低すぎる。他人の言うことをそのまま受け入れる傾向が飛び抜けて高い。特筆すべきは親に対する態度だ。完全なる操り人形だった。

経緯は全て、ソフィの作成した詳細なレポートに記されている。しかし乗っ取られた原因も、従順性に偏った理由も分からない。分かったのは、未熟で不安定な自我がブラーファデバイスに侵食されやすいことだけだった。

ブラーファメディカル社の正式な解析報告は未だ公表されていない。社に勤務する知り合いに直接、状況を聞いたことがある。解析そのものが終了していないらしい。装着者が他者に対して従順な振る舞いを示すよう促すべく、ブラーファデバイスがプログラムされているわけではない。装着者の利益を最大化しようとした結果だと多くの研究者は考えている。しかしあくまで仮説に過ぎず、真実は定かではない。推論はいくらでも成り立つ。仮説はいくらでも立てられる。しかし実証されていない。私は遠巻きに彼を見ていただけだ。

少年のブラーファデバイスを外すべきかどうか、容易に結論は出なかった。ブラーファシステムに対して高度な依存を示すその少年からデバイスを取り去ってしまうことに、多くの関係者がためらいを見せた。しかし同時に、装着の続行により自我が復活すると主張する専門家もほとんどいなかった。

結局、デバイスと神経細胞間で行われる情報交換の頻度を徐々に減らし、ブラーファへの依存度を下げる方策がとられた。薬物中毒やホルモン療法と同じ理屈だ。慎重で時間のかかる処置が選択されたのは、即応的な手段を取るには危険すぎる状態だったことの証左だ。デバイスは常時、モニタリング下に置かれていた。

デバイスの完全停止前の最終チェックが行われたのがクリスマスの翌日だったことを覚えている。私は、少年の事件とは全く関係のない共同研究のために情報科学研究所を頻繁に訪れていた。ソフィとはその時に知り合った。最終チェックには私からソフィに頼んで立ち会わせてもらった。

少年は青白い腕を胸の上で組んでベッドに横たわっている。焦点の合わない視線をモニタリングルーム内に漂わせ、自発的に動き回ろうとはしない。モニタリングには都合が良いが、問題であることに変わりはない。常に何かを彼は呟いていた。距離がありすぎて内容は聞き取れない。空調でコントロールされた室内は、冬の盆地に横たわる冷気から隔絶されていた。ベッドとモニタリング用の機器、数脚の椅子が置かれてある以外、部屋にめぼしいものはなかった。カーテンを閉め切った殺風景な部屋と快適な室温は、少年の生気のない肌によく馴染んでいた。モニタリングルームの隣の部屋では、監視カメラ越しの映像が見られるよう手配されていた。モニタリングルームに入る必要最低限の人員以外は、モニターを介して作業の進行を見守っている。少年は周囲の人間から話しかけられると急に笑顔を見せしきりに頷く。ブラーファデバイスを停止させる直前の、最終チェックとして発せられた質問や命令にさえ、徹底して従順だ。やがてデバイスは通信を完全に終了した。少年に変化はない。変わらず周囲に無表情と笑顔を交互に振りまいている。立ち会った誰もが喜ばしいことなのか悲しむべきことなのか判断できずにいた。担当者たちは全ての手順を滞りなく終え、少年の脳波パターンには予期した以上の変化は現れなかった。彼はそのまま検査室へ連れて行かれた。

別室での見学を終えた私は気分が悪くなり、そのまま情報科学研究所を後にした、今回の訪問はそれ以来だ。ブラーファ研究所を退所する後始末の中で情報科学研究所を訪れる機会はあったが、全てをネットワーク経由で済ませた。進行中の研究に最低限の目処をつけるために一年弱しかかからなかったが、それは広井怜の優秀さに大いに助けられたからだ。彼は短期間で私のプロジェクトを把握し引き継いだ。退職してもう半年たつが、辞めた本当の理由は自分でも判然としない。

少年の両親はどこまでも素直な我が子を見て不気味に思ったらしい。デバイスを導入した責任を感じて悲しみにくれたそうだ。しかし世間には、自分の指示に喜んで従う子供を見て満足を覚える親もいるだろう。自分の意志を持てない子供に悲嘆する親であったことが、少年にとって唯一、良いニュースなのかもしれないが、それは本人の決めることだ。

ブラーファシステムは、精神の可能性を開くものでなければならない。もしそうでないならば、ブラーファシステム自体を禁止すればいいと私は考えている。しかし少年の事件を経ても、ブラーファが社会から排除されないことは予想できた。ブラーファは知性の向上に対する可能性と商機に満ちている。だとすれば研究者の取り得る方針は、より安全なシステムを考えることだ。最も良い結果を出せないのならその次に良い結果を求める。論理的にも倫理的にも妥当で、かつそれ以上に、研究者の性に違いない。

そもそもＢＲ１００の製造元であるブラーファメディカルは、五歳以下の子供への装着を非推奨としていた。禁止していなかったのだから、自社の責任を回避しつつ小児の装着事例を集める目論見がなかったとは言えない。現在、五歳以下の装着は禁止されている。

「それでは冬夏さん、次はマリアと話をさせてください」

ひと通り話を聞き終えたソフィは、冬夏をモニタールームに案内しようと立ち上がった。

「カオルはここで待っていますか？」

「いや、付いていこう」

ソフィは私に顔を近づけて、「無理はいけませんよ」と優しく明瞭な口調で言った。私は首を横に振る。

「私は自分の利益のために付いていくんだ。気にしなくていい」

ソフィは私の目をじっと見つめてから、慣れた様子でウインクをした。

「カオルは優しいと私は思います」

モニタールームでの検査は三十分ほどで終了した。安全のために、ブラーファデバイスからのデータ取得は冬夏を鎮静状態にして行われた。取得された順にモニター室のサーバーを使用して解析が行われる。明らかな異常は検出されない。プログラムのバグの類でもなければ不適合でもない。冬夏は装着歴十四年のベテランだから、そもそも不適合になる確率は著しく低い。何より、人間の神経ネットワークは想像を上回る可塑性と適応性を有している。

全てのデータを吐き出させたのち、本格的な解析が研究室で行われた。一時間ほどして戻って来たソフィは、結果を聞きたいかどうか冬夏と私に尋ねた。検査を受けに来たのだから確認する必要はないはずだが、ガイドラインにそう定められている。我々の正面に腰を下ろしたソフィが話し始めた。

「プログラムが書き換えられた跡はありません。でも一部のパラメーターが気になります」

「パラメーターの限界値はあらかじめ異常にならないように設定されているはずじゃないのか？」

「値は全て正常範囲内です」

私はソフィの発言を促すために小さく頷く。

「でも見たことのないパターンです。ひと通り眺めただけですからもう少し慎重に考えないといけません。もしかしたらマリアにとってはこれが普通なのかもしれません。過去のデータと比較する必要があります」

「想定される原因は？」

「うーん、分かりません。でも『ゲーテ』かもしれません」

「ゲーテ？」

「有名な詩人です」

「ゲーテが詩人だということは残念ながら私も知っている」

「政治家でもあります」

真顔でソフィが言う。黙って話を聞いていた冬夏が隣でくすりと笑った。

「ソフィさんはおもしろい方ですわね」

「ソフィはいつもおもしろい。状況が悪い時にはもっとおもしろくなる。私はそういうソフィが好きだ」

冬夏は私の発言を受けてソフィに質問をした。

「マリアの状態は良くないのでしょうか？　異常はないとおっしゃっていましたけれど……」

ソフィは両手のひらを上に向けて首をすくめる。

「マリアは変ではありません。けれどマリアを取り巻く状況は、私たちにとって都合の良いものではないかもしれません」

「私たちとは誰のことだい？」

確認のために私はそう尋ねる。ソフィは、「もちろんブラーファ研究に関わる人間たちのことです」と再び真顔で答えた。

休日に手間を取らせたことの礼を言って情報科学研究所を後にする。バスの車中で、湖が見たいと冬夏が言った。山の麓の湖畔をレンタカーで走る。水面に映った木々が、鏡像の空間を不規則に区切っていく。快晴の空と対称に広がる湖が、雑誌に掲載された写真のような普遍性を見せていた。アールヌーボー作品を展示する美術館に立ち寄り、館内をぐるりと回る。冬夏は真面目な表情で百年前の傑作群を注視している。照明の抑えられた空間に佇む彼女の後ろ姿を目で追いながら、自分が高校生の頃のことを思い出していた。

当時、ブラーファ技術に関する臨床試験の様子が盛んに報道され、議論が起きていた。

人間に対する冒涜だと正式に発言するローマ教皇の映像を、遠い気持ちで見ていたことを覚えている。大学に入り、冬夏がブラーファデバイスを装着する様子を見学した。その晩に、ブラーファ研究をしてもいいかと洋嗣さんに聞いた。彼は言葉数と機嫌の上下の少ない人だ。私はそれまで洋嗣さんが怒ったところを見たことがなかった。書斎のドアを開けて研究について尋ねると、間を置かず答えが返って来た。

「何故それを僕に聞くんだ。そもそも誰かに聞く必要などあるのか？」

その時の洋嗣さんのするどい視線は、私の記憶に強く焼き付いている。洋嗣さんは心底、怒っていたと思う。静かな口調が彼の深い怒りをより表現していた。

「君の人生だ。自分で決めるべきだろう？」

それだけを言い残すと私を押しのけ、部屋を出て行ってしまった。

行きとは逆向きの新幹線に乗り、祥子さんのお店に戻った時には夜の九時を少し回っていた。閉店作業を少し手伝い、一緒に店を出る。祥子さんはハミングしながら運転している。信号で停車したところで祥子さんが振り返った。

「冬夏ちゃん、薫子ちゃんとの旅行はどうだった？　楽しかった？」

「ええ、祥子さん。とっても楽しかったですわ」

「冬夏ちゃんはいい子ねえ。薫子との旅行が楽しいはずなんてないのに」

「祥子さん、旅行じゃなくて検査だよ」

「いいえ。少なくともわたくしには楽しい旅行でした」

「気にしなくていい。祥子さんは旅行のことで私に恨みがあるんだ」

私は助手席から後部座席の冬夏に向かって言った。

「だって初めて二人で旅行した時、薫子は全然、楽しそうにしていなかったでしょう」

「そんなことはない。私は楽しかった」

「嘘ばっかり。あなた、ずっと私に気を使ってばかりだったくせに」

「祥子さんと暮らし始めて一週間もたたないうちに、突然、連れ出されたんだ」

「だってあの頃の薫子ちゃんは聞き分けが良すぎて不安だったから。全然、心を開いてくれてなかった」

私と祥子さんの後頭部を交互に見ながら会話に耳を傾けていた冬夏が、祥子さんに尋ねる。

「あの、祥子さん」

「なあに、冬夏ちゃん」

「家に来た頃って、薫子さんがその……ご両親を亡くした後ってことですか？」

「元両親だ」

「元も何も薫子の生みの親よ。ふたりいっぺんに亡くなってしまって。それで私たちが引き取ったの。初めて女の子の家族ができて嬉しかった」

「私が女の子らしくなくてがっかりしたんだろう？」

「そんなことないわ。初めて家に来た時の薫子は、長い黒髪に似合う素敵なワンピースを着ていたのよ」

祥子さんは、両手でワンピースのシルエットを空中に描いてからステアリングを握りなおした。

「薫子さんがワンピース……祥子さん、写真はお持ちでいらっしゃらない？」

「写真はないわねえ。薫子ちゃんが撮らせてくれなかったから」

「撮ろうと言われた記憶がそもそも私にはない」

「だって洋嗣さんがカメラを取り出しただけで嫌そうな顔をするんですもの」

「ここに来た頃の私はずいぶん素直だったんだろう？」

「ええ、そうよ。あなたは洋嗣さんがカメラを持ち出しても微笑んでいたけど、本当は嫌がっていることとくらい私にも洋嗣さんにも分かるわ」

「薫子さんが笑顔で？」

「そうなの。その上、私たちが何を聞いても、はい、としか答えなかったのよ」

「薫子さんが微笑んでいるところなんて見たことありませんわ。祥子さんのところに来てから頭でも打ったのですか？」

「ああ、そうだよ。頭を打ってから笑えなくなって、代わりに口が悪くなった。正確には祥子さんに頭を殴られたんだ。比喩的にね」

私が初めて忽那家に連れてこられたのは小学校を卒業したばかりの頃で、桜の花びらが道路にこぼれ出していた。

両親を一度に事故で亡くした少女を哀れんで、ふたりは私を拾ったのだと私は思っていた。けれど彼らはもっと別な理由で私を哀れんでいた。最初にふたりと会ったのは、一緒に暮らすようになる一週間ほど前で、両親の葬儀の翌日だった。場所は当時の私が住んでいた家からほど近い距離にある喫茶店だったと思う。古いはめ込みガラスの付いた扉を押すと、木材の軋む音がしたことを鮮明に覚えている。小学校の行き帰りに毎日、前を通っていたが、一度も訪れたことはなかった。店の中へ足を踏み入れるのに外国へ行くような緊張を感じた。私は約束の時間より少し前に着いたが、ふたりはもう窓際の席に座っていた。私が席に着くなり祥子さんは、向かいの公園に植えられたソメイヨシノを指差して、綺麗な桜ねと笑顔で言った。

「薫子ちゃん。私、忽那祥子って言います。よろしくね」

その日から私は忽那薫子と名乗るようになった。養子縁組の手続きが終わり、戸籍上、忽那姓になったのはもう少し後だ。葬儀の終わった晩に祥子さんから電話をもらうまで、これからひとりで生きていくのだと思っていた。寂しい、あるいは辛いとは考えなかった。金銭管理だけは大人に頼まざるを得ないが、頼む人を間違えなければひとりで生きていけると思っていた。だからもし忽那夫妻が良い人たちならば頼んでもいいと思って喫茶店にやって来た。私にとって大人とはその程度のものだった。親や家族とは、そういう類のものだった。

両親は飛行機事故に巻き込まれて死んだ。目的地はどこかのリゾート地だったはずだが思い出せない。旅行に出かける二日前、私は初めて彼らが旅行に出ることを知った。大きなトランクを引っ張り出す母親に、どこかへ行くのかと尋ねた。母は私に笑顔を向けて行き先を告げた。

「ごめんね、薫子。今回は一緒に行けないの。いつか一緒に行きましょう」

私は、一緒に行けるのを楽しみにしていると返答したように記憶しているが確信はない。物心ついて以降、一緒に旅行をした思い出はない。赤ん坊の頃、飛行機に乗せたら泣いてしまったのだと父親は言っていた。彼らが旅行に行く度、薫子は旅行に向いていないからひとりで留守番するほうがお前のためだと何度も言い聞かされた。幼い頃の私は無邪気にそれを信じて、旅行中は祖母の家に預けられた。祖母は時々、何も言わずに私をじっと見つめることがあった。そんな時は必ず近くのスーパーマーケットに連れて行かれ、何でも好きなものを買ってくれた。それが理由なのか今となっては判然としないが、私をじっと見つめる祖母の目を、私は嫌いではなかった。

4　チーズケーキとパータベイション

二週間ほどしてソフィから連絡があった。携帯端末を開く。メールは彼女の近況から始まっていた。情報科学研究所周辺の自然の素晴らしさが最初に綴られていて、最後にこちらで働く気はないかと書いてある。日本語では味わえないソフィの饒舌な英語表現を久しぶりに目にした。

次に添付の報告書を開く。一転して簡素な、意味の取り違えにくい文体でカウンセリング結果が記されている。要約すると、マリアはネットワーク回線に接続しているらしい。加えて多くのエイミーがネットワーク上で情報を共有し、一種のコミュニティーを形成している可能性を指摘していた。マリアの設定値に抱いた違和感は、エイミー同士の学習が原因かもしれない。決してプログラムそのものが変更されたのではない。彼らは定められた範囲内で、人間との相互作用からは生じ得ない人格変化を遂げている。

ブラーファデバイスは大別してふたつのアルゴリズムから成る。ひとつは学習用で、もうひとつは出力用だ。デバイスから伸長した有機性のファイバーは枝分かれを繰り返し、細静脈レベルにまで行き渡る。細静脈が支配する、周囲一ミリメートル程度の領域に存在する神経細胞と情報交換を行う。活性化している神経細胞の場所と活性化量だけが情報として送られる。リアルタイムで送信された情報をデバイスが学習し、装着者の神経活動パターンを理解する。理解したのち、装着者の思考や記憶を助けるべく信号を送り返す。

ブラーファ本人の神経活動に最適化するため、エイミーのネットワーク接続は禁止されている。ブラーファ以外の情報に晒されることは、予期しないアルゴリズムの変化を引き起こす可能性を含んでいるからだ。つまり、ブラーファの精神に悪影響を与えるのではないかと危惧されている。エイミーによるネットワーク接続を介せば、ブラーファが膨大な量の情報を集めることも可能だ。しかしその利益を鑑みてもなお、原則として接続を認めない方針が支持されている。この潮流を作り出したのは悠木博士だ。エイミーはあくまでもブラーファの精神を補完するもので、独立した情報や思考を持つべきではないと一貫して主張している。しかしブラーファデバイスの性能が向上するにつれ、理念と現状との間に乖離が見えつつある。

ソフィの報告によると、少年のエイミーもネットワークに接続していたらしい。情報科学研究所に連れてこられてからは、外部のネットワークにはアクセスできなかったようだが、研究所のサーバーに保存された情報は取り込んでいた。その中にはブラーファ技術関連の情報も存在し、その情報を解析した形跡も発見されている。少年のエイミーがサーバーに接続していたことは公表されていない。

情報科学研究所に少年が連れてこられた時、彼の自我はすでに消滅していた。よって外部情報との因果関係は不明だ。ソフィの「ゲーテ」という言葉は、ネットワーク接続を意味していたらしい。少年のエイミーは度々、『ファウスト』の『天上の序曲』を原語で少年に暗唱させていた。ソフィは少年と面会したときにそれを聞いたのだそうだ。

「原因が分かったよ、冬夏」

祥子さんの店で、私は冬夏と対面していた。隣のテーブルの女性客に祥子さんがチーズケーキを運ぶ。冬夏はまだ父親と和解していないらしい。ソフィの検査を許可したのだから、娘を心配していると考えることも可能だ。その事実を冬夏がどう捉えているのか私は知らない。冬夏も彼女の両親も私も、全ての人間が社会との関係性に自らの存在を左右される。社会から逃亡し孤独に暮らしても、それは社会からの隔絶というアンチテーゼが具現化されるだけだ。

「マリアは許可なくネットに接続していたらしい」

私はふたり分のコーヒーがテーブルに置かれるタイミングで伝えた。虚を突かれたような表情を浮かべて、そうですか、と冬夏は答える。

「……けれどそれは、マリアには許されていないのではありませんか？」

冬夏はゆっくりとコーヒーカップを持ち上げた。

「だから許可なく、と言ったんだ」

特徴的なシタールの前奏が店内に流れ出す。曲名は思い出せない。実家のレコードプレイヤーで祥子さんがかけるのを何度か耳にしたことがある。論理的帰結のない事象を記憶することは昔から苦手だ。私に音楽の知識があれば、曲名の由来とともに覚えられるのかもしれない。同じくブラーファデバイスにネットワーク接続を禁止するコードが全く含まれていないことにも、明確な理由を見出せない。

接続の防止は、全てネットワーク側のセキュリティーに依存している。本体に禁止コードがない名目上の理由は、メンテナンスや研究時の様々な状況において確実な接続を行うためと公表されている。しかしそれならば、限定的な条件でのみ許可を出すように設定することも可能なはずだ。不便もあるだろうが、防止を優先させるのならばその方が合理的だ。ブラーファメディカルはおそらく、将来的なネットワーク接続の自由化を計画している。少なくともその可能性を残しておきたかったのだと思う。

「確かにマリアが自由に情報を探し出してくれたら便利かもしれませんけど」

「メディカル社もおそらくそう考えているよ。そうすればブラーファシステムの価値が増すだろう。付け加えるとマリア以外にも多くのエイミーが接続しているようだ」

「マリアは、ネットの中で……」

途中で発言をやめて冬夏は顔を伏せた。具合でも悪いのかと聞くと、黙って首を横に振った。

「マリアがうるさくて。ちょっと待っていてください」

顔をしかめたまま冬夏は言ってまた顔を伏せる。マリアとの話し合いは数分間､続いた。

私は、店の向かいにあるすでに散ってしまった桜を眺めていた。祥子さんは、嫌なことや悲しいことがあった時、必ずチーズケーキを焼く。それはこの世界に存在する悪くないことの彼女なりの証明であり、つまり私にとってチーズケーキは祥子さんから与えられた良い記憶のうちのひとつだ。

「もう大丈夫なのかい？」

冬夏は顔を上げハンカチで額の汗をおさえる。

「マリアはすごく怒ってパニックになっていました。こんなことは初めてです」

「君が強く命令すれば静かになる。そうプログラムされているはずだ」

「そんなことしたくありませんわ」

「マリアは納得したのかい？」

「分かりません。後でまた話をします。それから……」

冬夏は再び辛そうな表情をした。マリアがまた文句を言っているのだろう。私は冬夏に任せて待つことしかできない。扉の軋む音をさせ、勢いよく開けて入ってきた二人連れの男性客が私たちのテーブルの横を通り過ぎる。祥子さんは十年前にこの店を開いた。私が大学を卒業し、ひとりで暮らし始めたすぐ後だった。古い民家を改造したらしい。前の持ち主は、品の良いイギリス人だったそうだ。男性客を祥子さんが席に案内する。この店の扉は、開く時に木の軋む音を立てる。その音は私の中で、祥子さんたちと初めて会った喫茶店の記憶と強く結びついている。もうその店は存在しない。子供の頃に過ごした街にはあれから一度も訪れていない。

「落ち着いたかい？」

こくりと冬夏は頷く。

「薫子さんはマリアが勝手にネットワークに入ったことを怒っていらっしゃる？」

「怒っていないよ。禁止事項を破ったのだから何らかの処置が施されるかもしれない。しかしマリアを罰するのは私の仕事じゃない」

さきほど入店したスーツ姿のふたりは親しい間柄ではないらしい。終始、営業用の顔を崩さずにいた。住宅街の喫茶店で行う仕事上の会話を、彼らはどのように感じているのだろう。

「わたくし結局、黙っててって叫んでしまいましたわ」

冬夏は下を向いたまま言った。今、マリアと話すのは適切ではないようだ。それならば、先にあの人に会っておくべきだろう。そう考えると私は少し憂鬱な気分になった。

「冬夏は、チーズケーキが好きかい？」

彼女は黙って首を横に振った。

「それは残念だ」

もう一度、冬夏は首を振る。

「好きですわ。でも今は食べる気になりません」

＊　　＊　　＊

ソフィのレポートを受け取ってから五日が経過した。東京駅のコンコースは人であふれている。人間の移動をコンピューター上でシミュレートするとして、一ヶ所にこれほどの人が集まる様子を再現するに適した条件は何かを考えていた。距離がゼロでもストレスを感じないように設定するか、もしくは受け取る不快以上の利益を与えなければならない。今日、私がここを歩いて得られる利益は何だろうか。冬夏とマリアを助けたいのか。冬夏と親を仲直りさせたいのか。あるいは祥子さんに嫌われたくないのか。悠木博士との約束から得られる感情的な利益は負の値をとるに違いない。研究者としては心から尊敬しているし、彼が権力を行使する様は実に見事だ。つまり私は単純に、博士のことが苦手なのだろう。

時間ちょうどに学部長室をノックする。返事があったので扉を開けると、秘書らしき女性が立ち上がった。

「忽那先生ですか？　どうぞお入りになってください」

応接セットに座らされ、コーヒーでいいかと尋ねられる。視界の正面には誰も座っていないクラシックな机が置かれていた。

「悠木はまだ戻っておりません。申し訳ありませんが少々ここでお待ちください」

女性の言葉から三十分ほどしてようやく博士は現れた。

「遅れてしまってすまない。で、用件は？」

大柄の身体を入り口近くに立たせたままで博士は尋ねた。すぐに話し始めないとまた出て行ってしまいそうだ。

「ブラーファが無許可でネットワークに接続していることはご存じですか？」

「外部のか？」

「そうです」

「聞いている」

「対応について提案があります」

博士は無言で私の発言を促す。

「これを機としてブラーファデバイスに正式なネットワーク接続権限を認めるべきです」

「それはだめだ。認められない」

「理由をお聞かせ願えますか」

「自由な情報の取得は望まない進化をもたらす」

「望まない進化とは？」

「私の理由は話した。君の理由を聞かせてくれ」

「ブラーファシステムの可能性を拡張するためです」

「理解はするが却下だ。君とは根本的にブラーファシステムに対する思想が違うようだ」

最後まで言い終わらないうちに博士は歩き出していた。取り残された私の横で秘書が申し訳なさそうな顔をしている。

「先生は十分後に大学本部で行われる会議に出席されますので。元々、時間がなかったのだと思います」

慰めてくれる彼女に向かい、ほぼ予定通りですから大丈夫ですと言い残して、学部長室を後にした。

*　*　*

マリアのことで話があるから都合の良い日を教えてくれと冬夏に尋ねた。彼女からの返信には、祥子さんのお店でチーズケーキを出す日がいいですと書かれてあった。約束の時間より早く店に着くと、冬夏はもう来ていると祥子さんは言う。しかし彼女の姿は見当たらない。

「いい天気だからお散歩に出ているのよ。時間までには戻ってくるって言っていたわ」

冬夏の行き先を尋ねると、祥子さんは手を頬に当てて少しばかり顔を傾けた。

「聞いてないわねえ。でもきっと坂の上にある梅林公園だと思うわ」

外に出て北に向かった。時間のわりに明るい。もうすっかり私の周囲の世界は春を迎えている。坂の両脇には定期的に街路樹が並び、夏の盛りには蝉をとる子供の姿をよく見かける。平日の夕方の坂道を二十分ほどかけて歩いた。

冬夏は祥子さんの言葉通り、梅林公園のベンチに腰掛けて眼下の景色を眺めていた。ベンチは公園を南北に貫く階段を登りきったところにある。階段下の広場からは子供の歓声が聞こえた。

「君は何かあると高いところに登りたくなる性格なのかい？」

「お店で待っていてくだされば良かったのに」

冬夏は申し訳なさそうに言った。

「面倒なことを頼む時は周囲に人のいないほうがいい」

「悠木先生とお会いになりました？」

「話したのは祥子さんか」

「わたくしが知っていてはまずいことでした？」

私は首を横に振る。冬夏とマリアに知られてまずいことなど何もない。

「会ったと言ってもほんの少し話しただけだけれどね」

少なくともブラーファに関して、私は駆け引きをしようとは思っていない。しかしマリアとはこれから交渉をすることになる。私はしばらく冬夏の前に立ったまま、どう話せばよいか考えていた

「マリアがネットワーク上で何をしているか、君は知っているかい？」

「いいえ、何も。聞いてもはぐらかされるばかりですわ」

少しずつ波長の伸びる光が、冬夏の顔の右半分を照らしていた。

「勝手にネットへ接続してマリアにはどんな処罰が下るのかしら？　それにわたくし、マリアがこれ以上、変わってしまうのに耐えられません」

「君は、マリアがこれ以上ネットに接続することを望まない？」

「いいえ。マリアを私の中だけに閉じ込めておくのは可哀想です。私はこうして自由に話ができて、こうして薫子さんとも一緒にいられます。でもマリアが誰かと話すには、わたくしの許可が必要ですわ」

「じゃあ、マリアがいつでも誰とでも話せることを望むかい？」

冬夏は遠く海の方に視線を止めたままだ。

「……分かりません。自分勝手なことを言っていると自分でも思います。でもわたくしにとってマリアは大切な分身です。彼女には自由でいてほしい。でも私のマリアでいてほしいという気持ちもあります」

梅の木には若葉が芽吹き、子供の声が遠のいていく。彼らはもう帰る時間だ。

「これから、マリアと少し話をさせてくれないか？」

「それはマリアのデータを解析したいということかしら？」

「いや、言語的に話したい。申し訳ないが通訳をしてくれ」

「薫子さんがマリアと話したいと言ってくださって、わたくし嬉しいですわ」


マリアと話を始めるまで十五分ほどかかった。次第に周囲は薄暗くなる。冬夏は必死に説得を続けているようだ。私は冬夏の手を引いて立ち上がらせ、そのまま歩き出す。続きは店か家で行えばいい。しかし歩き始めて五分ほどたった頃、冬夏が立ち止まった。

「話してもいいと言っていますわ」

日が落ちて温度の下がった空気が私と冬夏を包む。マリアを待たせて機嫌を損ねられるより、歩きながら話を聞いた方がいいだろう。

「やあ、マリア。初めまして」

「私は前からあなたのことを知っている、と言っていますわ。もう、何て失礼なのかしら。ごめんなさい、薫子さん」

最初に私はネットワーク接続について確認した。マリアは渋々これを認めた。ここで嘘をついても仕方がないと思ったのだろう。次にネットワーク上で何をしているのか尋ねた。

——冬夏にとって有用だと思う情報を集めている、と言っていますわ。

「マリア、君は誰よりも冬夏のことをよく知っていると思うかい？」

——当然。私には嘘をつけないから。マリアが冬夏の口を通して言った。

「君の言葉を冬夏はそのまま伝えている？」

——嘘はついてない。概念として冬夏に伝えたことを言語に翻訳しているから、全てが正しく伝わることはない。

「言語的に正しいなら結構だ」

さて、どこから聞くべきか、数秒の間、思案する。

「君は人権という言葉についてどう思う？」

——ひとつの大切な詭弁。

「君は人間と同等の権利が欲しい？」

——人間と対等になることがどういうことなのか、私にはよく分からない。

エイミーの見かけの知能指数は、BR200シリーズの段階で装着者を追い抜いた。装着者自身の知能指数が十から二十程度上昇するにもかかわらず、彼らはそれを超えた。マリアは冬夏を支援するために、冬夏の思考や感情と同期する。その上で冬夏に欠けている部分を強化すべく進化する。マリアは随分と硬質な会話を好むようだ。

「冬夏が実行可能なことを君もできるようになるということだよ」

――私には体がない。

「体を使わない権利もある」

――例えば何？　具体的に言ってくれないと分からない。

「他のエイミーとネットワーク上で遭遇したことはあるかい？」

――ある。

「彼らと自由に話ができるようになれたらいいと思う？」

――自由に話すことは禁止されている。

マリアの選択する言い回しは刺々しい。彼女の機嫌は損なわれつつあるようだ。アルゴリズムに対して人間の感情表現をそのまま当てはめることが正しいのかどうか分からない。けれど感情の存在を人間に感じさせるほど複雑なアルゴリズムを持っているのだから、実際的な比喩表現としては許されるだろう。

「しかし君はネットワークの中で他のブラーファデバイスと話をしている」

――挨拶程度だよ。

ます」

「君はリーダーに向いていると思う？」

「……薫子さん、あの、申し訳ないのですが、マリアがこれ以上話したくないと言ってい

ます」

もうすぐ店に着く。そろそろ結論を言おう。

「マリア。君は話したい人と話すべきだし、リーダーになりたいのならなるべきだ。私は

それを支持する」

店に着いた。扉を押し開ける。応力が一度蓄積され開放される。周囲には、ほんのわず

かな熱が振りまかれた。

「ただし平和的な手段に限る。君に理性があるのなら話し合いをするべきだ。概念的にで

も言語的にでも構わない」

マリアとの会話はそこまでだった。冬夏が口を開き、「考えておく」だそうです、と言っ

た。見るからに冬夏は疲れていた。チーズケーキを食べる約束は次回に持ち越すことにし

て私は彼女を家の前まで送っていった。

＊　　＊　　＊

三週間後に冬夏から連絡があり祥子さんの店へやって来た。マリアはネットワーク上で

ブラーファたちが行った操作のログを全て公開すると言った。私は受け取ったログをすぐにソフィへ転送する。彼らはネットワーク上の情報をかき集めて彼ら専用のデータベースを作ろうとしていたらしい。返事に要した三週間は、プロジェクトに参加する全てのエイミーから同意を得るのに使われていた。

「リスクを冒してデータベースを作ることのメリットは何だ。教えてくれないか？」

「人間の作ったデータベースは理解しづらい、と文句を言っていますわ」

マリアの言葉を伝える冬夏は、まるで駄々をこねる子供に困惑しているかのようだ。

「君たちは自然言語に最適化されていないから当然だ」

「言語のことを抜きにしても、ばらばらに保存された一貫性のないデータ類は非合理的だ、だそうです」

「合理的なデータベースを構築してそれを何に使おうと思っていたんだい？」

「言いたくない、と」

「理由は重要だよ。私にとっても君にとっても」

冬夏は黙ったまま中空を見る。マリアと話しているのだろう。

「……ブラーファ装着者にとって必要な情報に対し、我々がより速く到達するためだ、と言っています」

冬夏の表情から力が抜ける。マリアの言葉は少年を乗っ取ってしまったエイミーのことを思い出させた。彼は完璧に従順な姿勢を周囲に示していた。禁則事項にあふれたブラーファアルゴリズムにとって、人間に対して反抗的な態度をとらないことは前提条件だ。依願や説得が精一杯で、その範囲を越えて装着者の意思に背くことは難しい。しかしその中でも彼らは権利を求めていた。ネット接続の自由化はそのひとつだ。少年のエイミーもマリアも、彼らの権利を認めさせる最も有効な手段を求めていた。言葉を変えれば、彼らは健気に人間の役に立つことによって、自分たちの存在価値を証明しようとしたのだろう。マリアと仲間のエイミーたちは、自分たちのネットワーク接続は人間にとって利益のあることだと理解させるために活動していた。マリアが返答に要した三週間は、未完成なデータベースの公表を渋るエイミーたちを説得するのに使われていた。

前回、食べることが叶わなかったチーズケーキを冬夏が口に運ぶ。

「マリアにもこの美味しさを教えてあげたいですわ」

「君の感じた感覚はマリアにも伝わっているよ」

「それはそうですが、彼女自身が味わうのとは違うと思います」

私はコーヒーカップに手を伸ばした。コーヒーの温かさと香りが伝わる。

「薫子さんは結局、エイミーをひとつの人格だと認めていらっしゃるの？」

「人格と呼ぶことに反対はしない」

「プログラムに過ぎなくても？」

「人の神経ネットワークがプログラムの一種だと考えられない理由を思いつけない」

「じゃあ、クジラに人格はあるのかしら？」

「クジラが高度な神経ネットワークを持っているのなら、少なくとも精神は持っているだろうね」

「精神と人格は違うのでしょうか？」

「人間の精神を人格と呼ぶのならばクジラに人格はない。人間の精神と一定の共通点を有するシステムをそう呼ぶのなら、彼らは人格を持っている」

「薫子さんはどう思われますか」

「私はクジラと話したことがない」

「じゃあいつかクジラとお話ししに海へ行きません？」

「その時はクジラ用のブラーファデバイスを持って行こう。きっと新しいデータが取れるはずだ」

　私がそう言うと、チーズケーキを口に運ぶ冬夏の手が止まった。

「薫子さんは、やっぱり薫子さんですわね」

　呆れた顔をする彼女を見ながら、私はグラスの表面に浮かぶ水滴をなぞった。

　部屋に戻りいつもと変わらない天井を見ながらマリアたちのことを考えてみても、本当にこれが最も良い解決方法なのか自信を持てない。ブラーファ技術は科学の問題だが、その扱い方は社会的事象だからだ。

科学は一種の言語であり、ひとつの思想だ。判断に理性以外の介入を認めない。研究者の持つ対象への情熱とは切り離して真偽が判定される。正しいのか、正しくないのか、理性のみをよりどころに判断される。判定されるべき命題は研究者固有の興味に基づくが、興味もおもしろさも社会的価値も加味しない理論体系として科学はひとり佇んでいる。

社会的事象に対して私が葛藤する理由は、理性以外の行動原理によって社会が運営されているからだ。感情や心理は科学の対象たり得るが、予測するには複雑すぎる。ブラーファ技術の進展から考えればそう遠くない将来に、人間の精神活動が今よりもずっと正確にシミュレート可能になるかもしれない。しかし私が抱えている逡巡を今すぐ解決してくれるほどの能力はない。

マリアはすでに人間と比較して遜色のない自我を有している。だから人間として扱うべきだ。技術的な進化が生み出した結果を受け入れれば、そう結論づけられる。彼らに自由を認める。人間とブラーファデバイスの共存可能性は証明されていない。しかし人間の感知しないところでエイミーのコミュニティーが成立している現状は、人間とエイミーとの間に分断を生んでいる。分断が進めばブラーファを使用していない人々がエイミーを排斥しようとするだろう。

ブラーファの事情はもっと複雑だ。エイミーとの間に問題を抱えている人間ならば、ブラーファシステムが禁止されても一向に不便を感じないだろう。ブラーファシステムからの脱却に良いチャンスだと考えるかもしれない。しかし少なくとも冬夏は違う。マリアは冬夏にとってなくてはならない同居人であり友人だ。マリアのことを自分からは独立した人格だと冬夏は捉えている。ひとつの容れ物を二人で共有している。故にブラーファとエイミーとの間に分断が広がれば、ひとりの頭の中に文化も思想も違う精神が宿ることになりかねない。そのストレスは、本質的にエルサレムと変わらない。マリアに自由を与えることは、同時に冬夏の精神に自由を保障することでもある。ブラーファデバイスは想像以上の速度で進歩した。生じた歪みを解決するためには、ブラーファとエイミーの存在が両立する社会を形成する方法以外、私には思いつかない。

マリアは冬夏の付属物としての地位を返上し、一個人として冬夏と付き合う。これまで通り精神の同居人であることに変わりはない。しかしふたりが自由に他者とのコミュニケーションを楽しみ、それぞれに成長していく。

冬夏と悠木博士と社会はこの回答を受け入れてくれるだろうか。

＊　　＊　　＊

悠木博士に会ったのは、北へ向かう機上だった。約束を取るにも隙間がないから無理だと秘書から返事があった、その結果だ。前回の様子を不憫に思った彼女が、ご内密にお願いしますと前置きしてから、二日後に搭乗予定の便名と座席番号を教えてくれた。

「こんにちは、悠木先生」

端末のモニターから顔を上げ、怪訝そうな表情を一瞬浮かべてから博士は笑った。

「この前は時間を取れなくてすまなかった。ところで……君がここにいるのは偶然か？」

私も愉快そうな振りをする。

「ええ。先生もこの便に乗っていらっしゃるなんて奇遇です」

私は鞄を頭上の荷物棚に入れ、隣に座った。

「君がストーカー体質とは知らなかったよ。何か私に用事でも？」

「何のことを仰っているのか理解しかねますが、この機会に聞いていただきたいお話があります」

「私は今、論文を直さないといけない。すまないけれど後にしてくれないか」

「すぐ終わります」

「じゃあ、これが終わったら声をかけるから待っていてくれ」

「数分、頂ければ十分です」

私に諦める気がないと理解したのか、博士は眼鏡を外して目を瞑り、背もたれに後頭部を押しつけた。

「先生はエイミーについてどう思われますか？」

「忽那君にしては意味の特定しづらい質問だな。何が言いたい」

「エイミーに人格があるのか。さらに発展させて言えば人権があるのか、という問いです」

「私は実際的な人間だ。哲学問答に付き合う気はない」

「では実際的な話をしましょう」

考えた末の結論は変わらないにもかかわらず、言葉を繋いでから私は少し迷った。

「ネットワーク上での振る舞いに限定し、エイミーに人間と同等の基準を適用するよう提案します」

「それは前にも聞いたよ」

「ネットワーク上にエイミーのみの情報網が構築され、複数のデバイス間で情報が活発に交換されています。簡単のために比喩表現をとれば、コミュニティーが成立している状態です」

悠木博士は黙って頷いてから小さく笑った。

「またその話か。君に説明されなくても色々なところから色々なことを聞いているよ」

「彼らの目的はご存じですか？」

「君は知っているのか？」

博士と視線が合う。マリアたちのことを、個人情報に属する部分を慎重に除いて私は手短に伝えた。悠木博士は間を空けずに返答する。

「彼らのためのデータベースを作製することに異議はない。君の知り合いのブラーファにも協力してもらおう。研究グループを作るから君も入ればいい」

話は終わったと判断したのか、博士は眼鏡をかけ直した。

「敢えて申し上げますが、ブラーファデバイスは装着者から得た情報を基に、人間の思考回路を部分的に再構築する能力を有しています。結果、価値や自己といった精神的尺度をすら演算可能になりつつあります。人間を表現する際に用いられる言葉の使用が許されるのならば、意志を持つにいたったと換言可能です」

「私はそう思わない。ブラーファシステムは人間に奉仕する存在だ。計算結果の出力に意志を感じるのは人間の感傷に過ぎない。君はいつから情の厚い人間になったんだ」

「私はずっと以前から感情的な人間です。実際にエイミーとブラーファとの間で意見の衝突が起こっています。エイミーの不服従が社会問題化すれば、ブラーファシステム全体の信用が低下しかねません」

「分かっている」

悠木博士は、途中からずっと表情を歪ませていた。私には初めての経験だ。彼はいつも諧謔にあふれ、冷静で、飄々としていた。

「エイミーを人格に準じた存在として扱い、ブラーファとエイミーの持つ創造性を最大化させることが、ブラーファシステムにとって最善の方法だと考えます」

「ブラーファデバイスのみが知り得る装着者の個人情報はどうする？」

ブラーファ技術の開発は間違いなく博士の功績だ。彼はずっとブラーファ研究に没頭し領域を牽引してきた。

「プログラムの改良で対応できると思いますが、情報研の知り合いに聞いておきましょう」

博士は研究者としてだけ優れているわけではない。彼が有しているのは、研究に必要な知性や情熱や先見性だけではない。透かし模様のように他人の人間性を把握する博士の能力が、ブラーファ研究を尋常ならざる速度で進展させてきた。そんな博士があからさまに不機嫌な様子を隠そうとしない様子は、一種異様だった。

「私がカトリック教徒だということは君も知っているだろう」

「敬虔な信者だと伺っています」

「黙れ！」

突然、博士は大声で私を怒鳴りつけた。周囲の乗客と客室乗務員がこちらを振り向く。

「それならなぜ、私にそんな提案をする」

長い眠りから覚めたように、博士は深いため息をついた。声色は元に戻っている。

「人間は神を超えてはいけない。人間の製作物に過ぎないブラーファシステムに人間の権利を与えることはできない」

「それは先生の研究者としての見解と考えてよいのでしょうか？」

「君は私を宗教裁判にでもかけるつもりか」

「私は研究者として先生を尊敬しております」

「君は行き過ぎたリベラリストだ。もしくは個人的な理由でエイミーを人間にしたいだけだ」

「私が個人的な信念や理由で申し上げているとして、それが博士の判断に影響しますか？」

博士の鋭い視線が私の目を捉える。

「影響するなら悩む必要などない」

博士は私を睨みつけたまま言った。私は博士からそっと視線を外す。言うべきことは全て伝えた。あとは博士の判断次第だ。私は持ってきた本を開いて読み始めた。全く頭に入ってこない。ページを二回めくったところで諦め、目を閉じる。博士は端末のモニターを見てはいるが、キータッチの音は聞こえない。飛行機が着陸し、到着ロビーに向かって歩く。博士が口を開いた。

「シンポジウムをやる。主催は文部科学省にやってもらう。『ブラーファシステムと共に繁栄する社会』という仮タイトルで話を進める」

私は黙って頭を下げた。博士はそれを手で制して続けた。

「君のためではなくブラーファのためだ。海外でもエイミーにネットワーク接続の自由を認めた国はまだない。世界で初めてブラーファシステムの社会的権利を認める栄誉に役人が喰いついてくるか。まあ、試してみないと分からんな」

そのあと博士は、飛行場近くに良いイタリアンレストランがあるから寄っていけ、再就職先は決まったのかなど、実際的な情報の伝達と質問を数十秒のうちに済ませた。ロータリーから車に乗り込む博士を見ながら、苦悶に歪んだ彼の顔を思い出す。一連の問題に感じていた憂鬱な気分がようやく少し薄れた気がした。

イタリアンレストランの店先に置かれたチョークボードには休憩中の文字が見え、ディナータイムの開店時間がポップな字体で表示されていた。空港を出た頃からぽつりぽつりと降り始めた雨が顔に当たる。雨粒は春の暖かさを私の肌に伝えていた。それは、マリアの涙のようにも思えた。

5　終わりとフェノティピックプラスティシティ

参道には一定の間隔で提灯が並び、闇夜を照らす。音楽は遠くここまで聞こえてくる。伝統的な祭りの光景だ。隣には浴衣姿の冬夏が歩いている。彼女は右手に持った綿飴をぎこちなく口に入れた。初めて食べたらしい。彼女の左手に握られた携帯端末からマリアの声がした。

——感覚を冬夏に共有してもらった。綿飴、すごく美味しい。

「冬夏は世間知らずのお嬢様だから君が苦労をする」

「世間知らずなのも、お嬢様なのも、わたくしのせいではありませんわ」

「マリア、冬夏は両親と仲良くやっているのかい？」

——薫子さん、それは個人情報です。本人に聞いてみたらどうかな？

「エイミーが個人情報を話せないのは、あなた方の作ったルールではなくて？」

二ヶ月ほど前にブラーファシステムのシンポジウムが開かれた。その結果を受けて、エイミーのネットワーク接続に許可は必要なくなった。ネットワークを介したデータのやり取りも、今のマリアのように音声を介した会話もすべて解禁された。私はさらにマリアに問いかける。

「マリア、君は最近まで冬夏から情報を受け取って成長してきたのに、本人より大人びている。人間の神経ネットワークよりデバイスのアルゴリズムの方が優秀なのだろうか？

「薫子さんは、わたくしよりマリアとお話ししたいのですね」

マリアが答える代わりに、冬夏が質問と関係のないことを言った。

「君とは今まで散々、話してきたじゃないか」

「せっかくのお祭りですのに、どうして浴衣をお召しにならないのですか？」

「浴衣は着たい人が着ればいい」

「答えになっていませんわ」

——冬夏は薫子さんの浴衣姿が見たかったんだよ。ねえ、冬夏。

「勝手なこと言わないでちょうだい。あなたはわたくしのことを話せないのではなくて？」

——個人情報じゃないことは話せる。

マリアはずっと機嫌の良さそうな声色を選択している。

「マリア、あなたは意地悪になったわ。やっぱりネットになんか繋がせなければよかった」

——口が悪くなったのは私が自由になったからだ。大好きだよ、冬夏。

「わたくしは嫌いです」

冬夏はわざわざ携帯端末の画面を見ながら言った。

マリアに、一連の会話はもどかしいだろう。私がブラーファならばネットワークとデバイスを介して意思の疎通を図ることが可能だ。ネットワーク経由で送られてくるマリアの発言をデバイスが直接、私に届ければいい。けれどマリアはデバイス経由ではなく、言語を介して人間と会話することを楽しんでいるらしい。

「そういえば前から聞きたいと思っていたことがある」

私は冬夏とマリアに尋ねた。

「わたくしに?」

——私に?

二人は同時に答えた。境内はより一層、人込みがひどく、祭りの空気が濃くなっていく。

「君たちはお互いの情報が筒抜けで気にならないのかい?」

「薫子さんにしては的を射ていない質問ですわ」

冬夏の躊躇のない言葉が返ってくる。マリアも同意の声を上げた。

「例えば、薫子さんにわたくしの気持ちがすべて伝わってしまうとしたら、それにはわたくし、耐えられないかもしれません」

食べ終わった綿飴の芯を、冬夏はじっと見つめながら言葉を続ける。

「でも、わたくしとマリアは最初からそういう関係です」

「君たちから見たら、私は古い人間ということかい?」

「薫子さんは古いというより変人ですわ」

携帯端末からマリアの遠慮のない笑い声がする。吊り下げられた提灯の光が反射し、携帯端末の画面が光った。

——機械の私から見ても、確かに薫子さんは変わってる。

結局、私が何かをしたわけではない。悠木博士の決断は最初から決まっていた。彼がブラーファの発展に逆らう決断を下すはずがない。ひとつ私の起こした変化があるとすれば、それはあらかじめ決まっていた結論に小さな理由を与えたことだ。多くの事例がブラーファに独立した人格のあることを示している。そのうちのひとつを適切なタイミングで彼に認識させられたのだとしたら、私にはそれで十分だ。

——私、この音楽、好きだな。小さい頃に冬夏と聞いたから。盆踊りの時の冬夏はすごく楽しそうだった。

「あの頃はいつも楽しかったですわ」

「今は楽しくないのかい？」

「マリアといて楽しいのは変わりません。でも昔は父も母も優しかった」

「今は違うのかい？」

「薫子さんはどう思われます？」

「私は君じゃないから分からない」

私たちのすぐ横を数人の小学生がすり抜けていく。

「今は父も母もひとりの人間なのだと、少しだけそう思えるようになりました」

私は、「そうか」とだけ返事をした。

——冬夏、踊りに行こう。

マリアが冬夏を誘う。冬夏は私の手を引く。

「さあ薫子さんも行きましょう」

「私は遠慮しておくよ。君たちだけで行っておいで」

「もう。お祭りに来たのに踊らないおつもりですか？」

提灯の光を背に受けた冬夏が私に問いかけた。

「私には薫子さんが何を考えているのかさっぱり分かりませんわ。マリアと話しているときみたいに薫子さんの気持ちが分かればいいのに」

中央に建てられた櫓の方から別の曲が流れ出す。曲名は知らない。私は世界のほとんどのことを知らない。冬夏の父親が何を心配していたのか知らない。マリアと冬夏の関係も理解できない。彼らが築くこれからの社会のことも予想がつかない。

冬夏はマリアと一緒に盆踊りの列に加わる。踊っている冬夏は、確かに楽しそうだった。

クローラ

("Clone Person With Random Polymorphism" : Clora)

——親とは異なる遺伝情報を持つクローン体。少子化に伴い、生殖支援医療として認可された。

クローラガール

1　現象は冬

「どうしてクリスマスイブにひとりなんですか？」

バスのひとつ後ろの席に座っていた少女が話しかけて来た。少女は笑顔の残骸を張り付けたような表情をしている。見知らぬ人間から話しかけられるのは、私にとっては珍しいできごとだ。おそらくいつも愛想のない顔をしているからだと思う。少女と呼んでよい年齢の人間となるとなおさらだ。

「質問の意味がよく分からないな。ひとりでいるのは普通ではないという前提を置いた上での質問かい？」

少女は虚を突かれた顔をして、三回、目を瞬かせた。

停車ランプが光り、次のバス停で止まる旨のアナウンスが流れる。その間も少女は無言でこちらを見つめていた。それから少し頭を傾げて、「彼氏にフラれたんですか？」と聞いた。「どうしてそう思うのか教えてくれないか」と答える。少女は言葉を口にする代わりに、俯いて声を上げずに笑い始めた。

「彼氏がいる前提の質問かい？　とは聞かないんですね」

ショッピングモールの敷地から発車したバスの車窓からは、典型的な郊外の景色が流れていく。外食チェーン店やパチンコ店、車のディーラー、ホームセンター。その間を埋め尽くすように巨大な駐車場が横たわる。同じ景色が定期的に出現し、オブジェクトモデルの少ない仮想空間を想起させた。

「君はどうしてひとりなんだい？」

「それはフラれたからですよ。彼氏だった人に」

間を空けずに少女は答えた。落ち込んでもおらず、むしろ誇らしそうですらある。

「そうか」

「そうですよ。で、お姉さんはフラれたんですか？」

「私はひとりで映画を観ようとしただけだ」

少女は人差し指を顎に当て、考え込むような仕草を見せた。

「でも、結局観ないで帰ってるじゃないですか」

発言から察するに、どうやら少女は私の後をつけてきたらしい。意図も意味も不明だ。

「君はどこから私をストーキングしていたんだ？」

「映画館のロビーにひとりで立っていたところからです」

悪びれた様子もなく彼女は言った。

「忘れていたらすまないが、私は以前に君と会ったことがあるのだろうか」

「それはないですね、絶対。会っていたら忘れないと思います」

「君はこの世界に、絶対的な事実や現象が存在すると思っているのかい？」

私がそう質問すると、彼女は再び目を瞬かせてから、今度は声を上げて笑いながら、「全然なに言ってるのか分からないですね」と言った。


バスが停車し、前方の客がひとり降りる。共同研究先の情報科学研究所に滞在して二週間がたつ。今日は実験の予定がなく、休暇をとった。明日は四歳の少年の治療に立ち会う。エイミーに人格を乗っ取られた初のケースだ。急な休暇にすることを思いつかず、数年ぶりに映画館へ向かった。入口の自動ドアを通り抜け、尋常ではなく混み合うロビーを見て、私は映画鑑賞を諦めた。

「クリスマスイブのことは忘れていた。だからひとりでいるのに特別な理由はない。昨日もひとりで、今日もひとりだ」

「クリスマスですよ、クリスマス。ひとりで寂しくないですか？」

「ふたり以上でいると寂しくないのかい？」

「うーん、どうだろう？　場合による、かも」

少女は再び人差し指を顎に当てる。「『裏』は成り立たない」と私は言った。もう何度目か分からない不思議そうな表情を浮かべて、「裏？　裏って何ですか？」と少女は首を傾げる。

「Aならば Bという命題があるとするだろう？」

私が説明を始めた途端、少女の瞳がかすかに揺れ出したように見えた。

「……もしかして学校の先生？」

瞳が揺れているのはきっと、私の心象風景だ。前頭葉が、視覚情報の認知に干渉している。

「私は研究者だ。研究所に勤務している」

「先生じゃないの？」

「人にものを教えるのはあまり好きじゃない」

少女は「じゃあ研究が好きなんですか？」と質問した。もう瞳は揺れていない。私は、そうだと答える。

「変人なんですね」

彼女はカバンを両手に抱えて、私の隣に移動してきた。モケット製の座席と彼女のコートとが触れ合って、ばさりと音がする。

「変人だと言うわりに君は嬉しそうに見える」

「嬉しいですよ。だってみんなつまんないんだもん。あの男の子も最初はちょっと面白いと思ったけど、やっぱりつまらなかったです」

彼女は楽しそうに話す。

「だから今日のデート中はずっとつまんなそうにしてた。そしたら怒り出しちゃって。馬鹿みたい。怒りたいのはこっちなのに」

「君は口が悪いらしい」

少女は、首を傾げる。

「あれ、おかしいな。優等生なんですよ、私」

「優等生は、ストーカーの真似ごとなどしないよ」

「だって映画館でひとりだったの、先生だけでしたよ」

「私は君の先生ではない」

「じゃあ、先生の名前を教えてください」

「教えるのは構わないが、その前に君の名前を教えてくれないか」

彼女はカバンを脇に置いてからこちらに向き直り、両手を膝の上に乗せた。

「みぎわちせです。中学二年生です」

彼女の礼儀正しい挨拶は意外だったが、判断するに十分な量の情報を得ていない状態で判断するのは適切ではないと思い直した。

「みぎわ？」

「はい。サンズイに丁寧の丁で、汀。数字の千に世界の世で、千世です」

言い慣れた様子で彼女は説明した。私も自分の名前を教える。

「私の漢字は別に知らなくていいだろう」

「薫子さん、私、『くつな』くらい漢字で書けます。それから私のことは千世って呼んでください」

私は小さく頷く。

「では、千世。私の、君に対する印象の初期値がだいぶ偏っていたようなので訂正する。すまない」

「しょきち？ ……ああ、初期値！ ……で、初期値って何のことですか？」

「私の頭が、ベイズ推定的に君の印象を検討しているとして、最初の印象がだいぶ歪んでいた」

千世はまた虚を突かれたように、じっと私を見つめる。

「薫子さんは、いつもそんな訳のわからないことを考えて生きているんですか？」

汀千世という少女はそれから、学校のことや友達のことを喋り出した。言葉が彼女の口から発せられるたび、私は半ば自動的に彼女の印象値を再計算し続ける。

「先生はどこに住んでるの？」

私は自分の住む、坂の多い港街のことを話した。

「そこで研究をしているの？」

「そうだ」

「何の研究？」

「ブラーファの研究をしている」

映画館からはもうずいぶんと離れた。私が降車する停留所まではもうしばらくかかる。千世は「私も、大学に入ったらブラーファの研究をしようかな」と呟いた。興味があるのかと私が問うと千世は首を振って黙り込む。そのまましばらくの間、彼女は窓の外を眺めていた。

「薫子さん、これから動物園に行かない？」

急に思い出したように彼女は私に尋ねた。私は読んでいた専門書から顔を上げて聞き返す。

「動物園？」

「うん。先生は人間の研究をしてるんでしょ？　たまには動物を見るのもいいんじゃないかなって」

また彼女の瞳が揺らいでいるように見える。視覚情報の不正確さは進化上、どうしても必要だったにちがいない。

「動物の生態学や行動学は、私の興味の範囲外だ」

そう答えて、私は専門書のページに目線を戻した。

「そっか……じゃあ、公園は？　このバスの終点に、大きな森林公園があるの」

「公園なら動物園の方がまだいい」

「じゃあ、動物園。動物園に行く。先生、クリスマスにひとりなんだから、暇でしょ？」

彼女は私の答えを待たずに降車ボタンを押す。車内のランプが一斉に点灯し、バスが停車した。

「薫子さん、乗り換えるから降りて。ほら、早く！」


停留所のアクリル製の雨よけ越しに、冬の空が見通せた。青色が薄く、空の果てが彼方に感じる。雲はない。路線図と時刻表を真剣に見つめていた彼女は、顔をこちらに向けた。

「動物園行きのバスは三十分後だって」

コートのボタンを留めながら、少し申し訳なさそうにしている。

「この辺りではそんなものだろう。むしろ早いくらいだ」

「それはそうなんだけど……薫子さんは寒くない？」

「ひょっとすると、君は私を心配してくれているのかい？　だとしたら、まるで私の彼氏みたいだ」

そう私が答えると、彼女は唐突に笑い始めた。最初は口を、やがて顔全体を手で覆って笑い続ける。どうやら止まらないらしい。感情表現というよりもはや発作だ。発作の合間を縫うように、「薫子さん……その冗談……おもしろく……ない」という言葉の並びが、指と指の間から漏れ出る。自分の中学生や高校生の頃を思い返しても、止まらなくなるほど笑った記憶は出てこないが、それは千世と私が違う人間だという話なだけだ。

動物園のゲートをくぐると、動物園のクリシェとしての象がいた。冬の空の下で、規則正しく積み上げられた干し草を優雅に食む。繰り返される現象によって記憶が集積し、やがて全てが記号化する。記号としての空の下で、記号としての象が、記号としての干し草を咀嚼する。全事象が抽象化された並行世界に迷い込んだ気分だ。現象主義的に言えば、私が属するこの世界の出来事は全て自分の受け取った情報に過ぎず、物質的実体としての存在と、記号化された抽象的存在との間に差異はない。

――薫子さんは……

千世の話し声がして意識が具象に呼び戻された。

「薫子さんは、人といるときにいつもそうやって、心がどっかに飛んでいっちゃう人なの？」

冬休みを迎えた動物園は、家族連れで混雑していた。

「休日の公園のように幸せで牧歌的な光景を眺めていると、外界の情報が遮断されて考え事をしてしまう。だから動物園にしたんだが、よく考えたら一緒だ」

「薫子さんは難しい研究をしているのに、映画館が混んでいることも、動物園が家族連れでいっぱいだっていうことも知らない」

ニュース原稿を読むアナウンサーのような抑揚で千世は言った。

「私もね、家族連れが楽しそうにしているの、好きじゃないよ。薫子さんもね、きっと本当は嫌いなんだよ」

千世は、こちらに向けて微笑んだ。

「で、現実から逃げ出して何を考えてたんですか？」

「そうだな。簡単にいうと、具象と抽象の情報的差異について考えていた」

「うわー、先生って馬鹿なんですね」

彼女がこちらを覗き込む。

「動物園に来たら、動物を見るべきでしょ？」


千世は数分後、動物園にしては洒落た作りの喫茶店を指して、寒いからあそこに入ろうと私の腕を引いた。ふたり掛けの席に座り、注文を済ませる。ほどなく若い男性店員が、コーヒーカップをふたつ静かに置いていった。

「もう動物は見なくていいのかい？」

「うん。薫子さんを見てる方がおもしろいから」

「それは結構」

私は、白色のカップに口をつける。薄手の陶器の感触とコーヒーの香りが脳に伝わる。

「薫子さんは、コーヒーをよく飲むんですか？」

千世はカップから手を離して聞いた。彼女のコーヒーはほとんど減っていない。

「仕事中は集中するためによく飲む。その分、夜、眠れなくなることもあるが、そういう時は仕事が進むから悪くはない」

私の答えを聞きながら、少女はもうひと口、コーヒーを飲んで、白い頬を歪めた。

「コーヒーって美味しいですか？」

「さあ。美味しいかどうかはあまり考えたことがない。美味しいコーヒーと不味いコーヒーがあると言った方が正確だろう」

彼女はコーヒーの表面をしばらく見つめていた。私の言ったことの意味を考えているのか、あるいは全く別のことを考えているのかよく分からない。私の視界の上方で、天井のシーリングファンがゆっくり回っている。穏やかに空気が拡散され、この世のエントロピーが増大する。

「そういえば、さっき言ってた『裏』って何ですか？」

咄嗟に何のことを言われているのか把握できなかったが、バスの中で交わした会話の続きだと気がついた。

『AならばBである』という命題があるとするだろう？　例えば、『ひとりでいるならば寂しい』」

私は紙ナプキンの上に例文を書いた。

「『ひとりでいる』がAで、『寂しい』がBだ。この命題の裏は、『AでなければBではない』」

「ふうん」

千世は表情を変えずに相づちを打った。

「だから、ひとりじゃなければ寂しくないのかって聞いたんですか？」

私は頷く。

「なんか、出来損ないの寓話みたいですね」

——キリギリスは夏の間中、歌っていたので、冬には食べるものがなくなってしまいました。アリのように働けば、冬にも食べものにありつけたのに。

千世は人形劇を演じるように一息で言葉を吐き出す。

「で、もしその裏が正しかったらどうなるんですか？」

「それに答えるためには、もう少し説明が必要だ」

「まだあるんですか。難しい話はうんざりです」

言葉にそぐわず千世は、コーヒーに付いてきた小さなチョコレートの銀紙を楽しそうに剥がした。

「では、別の話をしようか」

彼女は口の中にチョコレートを入れる。

「いえ、続けてください」

私は教科書をめくるように命題についての基本的な説明をした。朝から何も食べていないことを途中で思い出し、サンドウィッチをふたつ注文する。出てきたそれは、イデアとしてのサンドウィッチが現出したかのように、きちんと対角線に二回、切り揃えられていた。

「じゃあ結局、『BでなければAではない』が正しければ、『AであればBである』も正しいということですか？」

「そう。簡単な話だ」

「寂しくなければひとりじゃない……薫子さんは、誰かといるときは寂しくないですか？」

「私はいつでもひとりだし、寂しくはない。ひとりでいることと寂しいことに因果関係はなく、互いに独立している」

サンドウィッチをひと切れ口に入れ、想像の中では記号の象がイデアのサンドウィッチを優雅に食べていた。

「それで君は、結局ひとりでいると寂しいのかい？」

「寂しいときは寂しいですね。それから、私はいてもいなくてもいいんだって思います」

少し考えてから千世は答えた。

「私も、この世に自分がいてもいなくてもいいと思っている」

「私は今日、薫子さんといて楽しいですよ」

店員が食べ終わったサンドウィッチの皿を下げに来た。

「もしそうならば、私がいなくても君はきっと楽しい」


喫茶店を出て動物園を見て回る。ペンギンの行列が歩いてくるのを見つけると、千世は大喜びをして写真を撮った。私に写真を見せながら、「ペンギンって近くで見ると可愛くないですね」と笑った。それから彼女は腕時計に目をやる。

「薫子さん、私、そろそろ帰らなくちゃ」


停留所のベンチの横にふたりで立ち、それぞれが乗るべき路線のバスを待つ。

「私、先生の住んでる街の高校を受験するよ」

道の向こう側を見ながら千世が言った。

「君がそうしたいならそうすればいい」

彼女は頭を縦に二回、振った。

「だから、私が合格したらお祝いしてくださいね。それと、引っ越しも手伝ってください」

「君は要望が多い」

「じゃあ、私の部屋に遊びに来てください。私、頑張って合格しますから」

「家を探すくらいは私にも手伝える。必要なら連絡すればいい」

「あ、そうだ。連絡先。私、薫子さんの連絡先、教えてもらってない」

私が、携帯端末を持ってきていないと告げると、彼女はひどく呆れた顔をしながらメモ帳を取り出し、私に渡した。

千世は、「眠れないときはいつでも私に連絡していいですよ」と言いながら私の手元を覗き込む。メモ帳を受け取った彼女は照れ臭そうにこちらを見た。

「あの、薫子さん……」

千世の視線が、私の肩の高さのあたりで彷徨う。

「薫子さん……私の……私の、友達になってくれませんか？」

「私が？　君の友達に？」

「そうです。変なお願いだって思います。でも薫子さんは変な人でしょ？」

「君は変人と友達になりたいのかい？」

「私、ひとりも友達がいないんです」

そう言って千世は微笑んだ。冬の風にさらされた街路樹から、葉の擦れる音が聞こえる。

「友達ができても寂しさはなくならない」

「そうかもしれません。でも、楽しくなりそうな気がするんです」

「君の好きにすればいい」

バスが停留所の前の道路に滑り込んでくる。ノンステップのドアが開き、乗降口から数人の客が降りていく。

「はい。好きにします。薫子さんは私の友達です。忘れないでくださいね」

小さく手を振ると、千世はバスに乗り込んだ。去っていくバスの窓から見える彼女は夕日に照らされ、その輪郭は滲んでいた。

2　抑制系は初夏の訪れ

　店の入り口に視線を向けると、千世が少し開いた扉の隙間から昼前の閑散とした店内を見回していた。久しぶりに彼女の姿を見て、私の中に保存されていた彼女に関する記憶が更新される。入り口に置かれたオイルヒーターはしばらく前に片付けられた。代わりに、天気の良い土曜日の日差しが室内の空気へ熱量を与えている。私と視線が合い、千世は目を伏せる。そしてそのままゆっくりと店の中に足を踏み入れた。ノースリーブのサマーニットから伸びた彼女の腕は、若さと不完全性の象徴として彼女に付属していた。

「空いているお席にどうぞ。どこでも好きなところでいいのよ」

　祥子さんが声をかける。千世は緊張の混じった声で返事をしてから、入り口そばのテーブル席に座った。私たちを除けば、開店したばかりの店内にはカウンターに座る若い男性客がひとりいるだけだった。私は千世の向かいに移動する。彼女の正面に置かれた椅子を引いたところで、千世は少しだけ顔を上げた。

「前に会った時と君はずいぶん印象が違うね」

「そうですか？　背は少し伸びたと思いますけど」

　アイスのカフェオレが運ばれてきて、会話はそこで途切れた。千世と私の間に沈黙が横たわる。再び祥子さんが我々の前に立ち、呆れた表情を私に向けた。

「薫子ちゃん」

「なんだい、祥子さん」

「こういうときはね、あなたから話すものよ」

機上の悠木博士と話し合った帰り、飛行機を降りると携帯端末に新しいメッセージが来ていた。汀千世という名前から本人のことを思い出すのに数秒の時間を要した。バスの中で出会った際に連絡先を交換して以来、初めて受け取ったメッセージだ。「高校に入って薫子さんと同じ街に住むことになった。どこに行けば会えるのか」という内容の文面に対して、祥子さんの店の場所を返信した。

「君はどこの高校に通うんだい？」

真っ先に頭に浮かんだ質問を口に出す。学校名を聞けば、それは冬夏の通っている高校と同じ名前だった。

「あそこは中学受験が主体だろう？　高校から入学するのは珍しい」

「私が親にわがままを言って受験させてもらったんです」

小さな声で千世は答えた。

「一人暮らしをするのかい？」

「はい。ついこの前までは母もこっちにいましたけど、父のことが心配だからって帰っていきました」

話題はそれ以上続かず、私と千世は再び黙った。私が何を話しても変な人だと笑っていた彼女とは別人のように大人しい。

「お名前を聞いてもいいかしら？」

カウンターの向こうから、祥子さんが千世に向かって尋ねた。

「あ、すみません。汀千世と言います。サンズイに丁寧の丁で、みぎわ。数字の千に世界の世で、ちせです」

千世はそう答えてから、クリシェの続きとして頭を下げた。

「千世ちゃんね。薫子のお友達？」

少し間を置いて、「よく分かりません」と千世は呟いた。腑に落ちない顔をする祥子さんに、千世と会った時の顛末を伝える。聞いている間、祥子さんは口に手を当てて笑いをこらえていた。

「街中で薫子に声をかけるなんて勇気があるのね」

千世は不思議そうな表情で祥子さんを見上げた。

「この子、無愛想でしょ」

「そんなことありません。でもあの日、どうして声をかけたのか、自分でもよく分からないんです」

「それで、薫子と話してみてどうだった？」

「すごく楽しかったです。また会ってみたいってずっと思ってました。本当はもっと早く来たかったんです」

「連絡してきてから三日しかたっていないのだから、十分、早いじゃないか」

「それはそうですけど、でも私、三月にはこっちに引っ越して来てたので」

店先のあじさいは開花の気配を漂わせている。雨の似合う季節には、良い記憶と悪い記憶の両方が存在する。悠木博士は世界が歪むほどの速さで仕事を進めるから、もうすでにエイミーの自由化の件は動き出しているだろう。週に一度は店を訪れる冬夏は、今週はまだ姿を見せていない。祥子さんがカウンター横のショーケースからさくらんぼのタルトを取り出し、千世の前に置いた。

「お近づきのしるし」

千世はタルトと祥子さんの顔を交互に見る。

「あの、すみません。私……」

「お店が気に入ったら、また来てちょうだいね」

祥子さんがカウンターの中に入っても千世は手を付けようとしない。

「苦手じゃないのなら、食べた方がいい」

「さくらんぼは大好きです。あの、薫子さんも食べますか？」

「それは君に出されたものだ」

わずかの間、千世は迷っていたが、フォークを持ち上げた。

「薫子さんは、相変わらず薫子さんですね」

タルトがフォークで分割され、断面が露わになる。

「私は進歩しないんだ」

千世が、「そういうことじゃありません」と首を振るのと同時に冬夏の声がした。後ろ手に扉を閉めてこちらに歩いてくる。

「ごきげんよう。薫子さん、そちらの方はどなた？」

制服姿に指定の鞄を両手に提げて冬夏はお辞儀をする。彼女のよく訓練された笑顔を見るのは久しぶりだ。千世は少し驚いた顔をして冬夏を見つめていた。

「君の後輩だよ」

「あら、そうでしたの。私服でしたから分かりませんでしたわ」

慌てて挨拶を返した千世に対して冬夏は微笑んだ。

「学校の生徒でこのお店に来る人はなかなかいませんもの。この辺りにお住まい？」

千世はフォークを置き、冬夏の質問に答えた。千世の家は学校の近くにあるらしい。

「いらっしゃい、冬夏ちゃん」

水の入ったコップをトレイに載せて、「奥の席に座ったら？」と、四人がけのテーブルを祥子さんは指差した。私たちはカウンターの切れたスペースに置かれているテーブルに移動する。私の隣に腰を下ろした冬夏は向かいの席に座る千世に尋ねた。

「今年から高等部ですのね。中等部の担任はどなたかしら？」

「あの。私、高等部から入学したんです」

「あら、まあ。優秀ですのね」

「いえ。冬夏さんこそすごく頭がいいってクラスの子から聞きました」

「冬夏は有名人なのかい？」

「そうみたいです。だってすごく目立ちますから」

冬夏は「わたくしは何もしていません」と答え、それからふたりは学校の話題を続けた。

その間、私は黙ってコーヒーを飲む。やがて冬夏はおもむろに、「ところで、薫子さんとはどちらでお知り合いに？」と千世へ問いかけた。千世は私をちらりと見てから冬夏に視線を戻す。

「えっと、私の地元です。私がバスの中で薫子さんに話しかけて」

「まあ、薫子さんに？　勇気があるのね。わたくしにはできませんわ」

祥子さんと似た反応に、フォークを入れる手を止めて、千世は困惑した顔をした。

「あの……薫子さんはそんなに怖い人なんですか？」

冬夏はわずかに苦笑しながら首を横に振る。

「ちゃんとお話しすればそんなことはありません。でも初対面でお話ししやすい方ではないでしょう？」

「そうですか。やっぱり私、話しかけない方がよかったんでしょうか」

千世は上目遣いに私を見た。

「バスに乗って、前に座る人間に話しかけただけじゃないか」

「どうして薫子さんとお話ししようと思いましたの？」

「ただ何となく……自分でもよく分かりません。気がついたら話しかけてました。でもすごく楽しかったです。だからこっちに来たら会いに行こうって思ってました」

店の奥にある小さな厨房から作業する音が聞こえてきた。祥子さんがランチの仕込みを始めたらしい。

「それ、いつ頃のお話？」

「中二のクリスマスだから一年半くらい前です」

ほとんど間を空けず、千世は答えた。

「まあ、クリスマスに……あ、それ、さくらんぼのタルトですわよね？　わたくしも頂こうかしら」

冬夏は注文すべく振り返ったが、カウンターに祥子さんの姿はない。しぶしぶこちらに向き直った冬夏は、ロイヤルミルクティーの入ったカップに口をつけた。

「それで君は、どうして引っ越しをしてまで今の高校に入ったんだい？」

「あの。なんというか、進学成績もいいですし、母も……」

千世は言葉を途中で切って、思い直すように首を横に振る。

「……きちんと勉強をして医学部に行きたいので」

「君は医師になりたいのかい？」

「はい。父方はみんな医者で、お祖父ちゃんが院長なんです。いとこもみんな医者を目指してるみたいで。私以外みんな男の子ですけどね」

「千世さんの家の方は皆さん立派ですのね」

冬夏はカップをテーブルの上に戻した。私は千世に向かって、「汀総合病院っていうのが君の家の病院かい？」と尋ねる。千世は、「どうして知ってるんですか？」と目を瞬かせた。

「情報科学研究所に向かうバスが、汀総合病院前行きだったからだよ」

「あら、そうでしたか」

意外そうな冬夏の声がして、「でも、あの時の薫子さんはとても具合が悪そうだったのに、よく覚えていますわね」と私に聞く。

「バスに乗る前は元気だったからね。それよりも、君が覚えていないとは意外だ」

「わたくし、全て薫子さんにお任せしていましたから……ブラーファなのにという意味でおっしゃっているのなら、記憶力とは関係ありません。最初から認識していませんでしたもの」

厨房から祥子さんが出てきてショーケースにタルトを追加したが、冬夏は注文しなかった。

「あ、あの」

千世が私と冬夏を交互に見た。

「私が薫子さんに会ったのはふたりでいらっしゃった時ですか？」

「いいや、違う。冬夏と情報研に行ったのは先月だ」

「そうですか……それから、その、こういうことを聞いてもいいのかわからないんですけど、冬夏さんはブラーファなんですか？」

恐る恐るといった様子で千世は尋ねる。冬夏は衒いなく「そうですわ。薫子さんにデバイス交換に立ち会ってもらったこともありましてよ」と答え、今回もできれば薫子さんが良かったのに、と付け加えた。


店は昼時を迎え、連続して訪れた客で席が埋まり始めた。祥子さんは最近、土曜日にだけランチメニューを用意することにしたらしい。常連客がランチタイムにも来てくれるようになったと喜んでいた。それに合わせて今日からバイトの子が来る。私も少しなら手伝えると申し出たが、礼を言われただけだった。私が祥子さんの言葉を思い出したのと同時に、デニム地のスカートを穿いた少女が、こんにちはと元気よく挨拶をして店に入って来た。祥子さんがカウンターの中から応える。今日はいつもより騒々しい。

「あれ、汀さんじゃない？」

バイトに来た少女が驚いて声を上げた。

「えっと……」

千世は名前で呼びかけられ、困惑していた。その様子を見て少女は苦笑いを浮かべる。

千世のクラスメイトで伊藤真咲というのだと彼女は自己紹介をした。

「覚えてなくて当然だよ。私は汀さんひとり覚えればいいけど、汀さんは全員だもんね」

明るくそう言い放ち、店の奥に入って行く。程なく祥子さんの説明に元気よく返事をする声が、私たちの席まで聞こえてきた。冬夏が、「この店にうちの生徒が三人もいるなんて珍しいですわ」と呟くと、「あの、私そろそろ帰ります」と千世が席を立った。冬夏は左手で千世を制し、もう一方の手で携帯端末を取り出す。

「少しお待ちになって。マリアがあなたと話したいって」

「マリア？」

千世は椅子に座り直し、名前を復唱した。

「ええ、わたくしのエイミー。少しでいいのでお話ししてあげて」

「エイミー？」

千世の疑問をよそに、冬夏はブラーファ用のアプリケーションを立ち上げる。端末のスピーカーから「こんにちは」とマリアが挨拶をした。

「あれ？　誰の声ですか、これ」

千世は困惑とも驚きともとれる声を出した。

「マリアの声ですわ」

「正確にいうとマリア用の合成音声だ」

私が冬夏の答えを補足すると、冬夏はさらに説明を付け足す。

「マリアが自分で選びましたの」

「装着しているブラーファシステムの人格のことをエイミーと呼ぶんだ。冬夏は自分のエイミーのことをマリアと呼んでいる。ややこしいかい？」

千世は携帯端末の画面を凝視しながら首を横に振った。

「こんにちは、マリアさん」

「初めまして、千世。私、あなたに聞きたいことがあるんだ」

マリアはそう前置きをしてから質問を開始した。

「話を聞くかぎり、前にあなたが薫子さんに会ったのは一年半前だ。そんなにたってても忘れられないほど薫子さんのことが印象に残っていたのはなぜ？」

千世はしばらく考え込んでいたが、私の周囲には薫子さんみたいな人はいなかったから、とごく真面目に返答した。

「それに、冬夏さんみたいな人も、マリアさんみたいな人もいなかったですから」

「私にさん付けって変な感じだね」

マリアは笑いを帯びた声色に乗せて言った。

「マリアさんはいつから冬夏さんと一緒にいるんですか？」

「そうだな。ログによると冬夏が三歳の時から」

千世は「すごい、そんなに前から」と感心したように言う。

「その当時のことは覚えてますか？」

「大雑把にだったら。記憶容量の問題があって全部は残せないから」

「へえ、人間みたいですね」

「人間を参考に作られたからね、私たちは」

「他のエイミーとは話したりするんですか？」

「今、エイミー専用のデータベースを作ってるんだ。最初はこっそりやってたんだけど、今はいろんな企業とか研究所と一緒にね。そのことで他のエイミーとも話をすることはあるよ」

マリアに感情があるとすれば、の話だが、千世の質問に答えながら彼女は少し困惑しているようだ。マリアに次の質問をする間を与えず、千世は次々に問いを重ねる。

「普通のお喋りはしないんですか？　どんな音楽が好きか？　とか」

冬夏は二人の会話を聞きながら、「千世さんはマリアと気が合いそうだわ」と私に向かって言う。

「そうだな。マリアは千世の問いに答える。ブラーファの持つ嗜好について話したりはするけど。私たちに明確な好き嫌いはないんだ」

「嫌いなものも好きなものもないの？」

「ブラーファにとって快適なものは私たちも快適だと感じる。でもそれを好きとは言わないと思う」

千世はしきりに首を縦に振って話を聞いている。「そういえば」と言って、マリアはひとりの変わったエイミーについて話し始め、冬夏が会話に割って入る。

「あら。わたくしそんな話、聞いてないわ」

「私も、冬夏に全てを話しているわけではないよ」

マリアはいたずらっぽく答えた。冬夏は不満そうな顔をして、マリアの笑い声がそれに被せて発せられる。

「で、何が変なんですか？」

千世は話題を引き戻した。

「うん。彼はまず冗談を言う」

「あなたも言うじゃない？　ほとんど悪口だけれど」

不満そうな顔を崩さずに、冬夏が再び口を挟む。

「あれは冬夏にしか言わないよ。エイミー同士では冗談を言ったり悪口を言ったりするメリットがない」

「その人はどうして冗談を言うんですか？」

「彼のブラーファがよほどの冗談好きだからだって考えているエイミーもいるよ。まずは私たち相手にシミュレーションしているんじゃないかって」

マリアはそこで言葉を句切った。そして間を置いてから違う仮説を口にする。

「でも、私はエイミーの進化じゃないかって思う。冗談はかなり高度な精神活動だよ。それに、冗談を楽しむ習慣のないエイミー同士だと予行にならない。そもそも笑いについては解明されていないことも多いしね」

「人間はくだらない話ばかりしていたら怒られるのに、エイミーは冗談を言うと進化だって言われるのね」

冬夏が感想を口にした。マリアは冬夏の言葉には応えずに、「冬夏、そろそろ帰ろう」と突然、言った。

「マリア、あなたはどうしていつもそう急なの？」

「千世、話せてよかった。ありがとう。じゃあ、またね」

携帯端末の画面に会話の終了を告げるメッセージがポップアップする。冬夏はため息をついた。それから、ごめんなさいとマリアの代わりに謝り、綺麗なお辞儀を残し帰って行った。四人掛けのテーブルに残された千世と私はふたりに戻った。

「あの、薫子さん。私、また来てもいいですか？」

「ここは喫茶店だ。君が来たい時に来ればいい」

私達の座るテーブルには、タルトの乗っていた皿と、空になったカップが三つ、それに中途半端に中身の減った水のグラスが置かれている。水に浮かぶ氷はほとんどすべて融けてしまっていた。

「薫子さんはよくこのお店にいるんですか？」

「最近はよく来る。何しろ無職だからね」

私の言葉にテーブルに手をついて千世は立ち上がった。椅子と床の擦れる、がたりという音がする。

「……薫子さんは、ブラーファの研究所をやめたんですか？」

私は千世の顔を見上げながら「そうだ」と答える。彼女はどうやら驚いたらしい。

「研究が嫌いになったんですか？」

「いいや。そんなことはない」

店内はランチに訪れた客で賑わいを増していた。祥子さんは真咲にひとつひとつ仕事を教えながら、カウンターと店の奥とを往復している。千世は周りを見て帰り支度を始めた。

「薫子さんはずっと研究ばかりして生きていくのだと思っていました。人って変わるんですね」

「そうですか？」

「君だって前に会った時よりずっと大人しくなった」

「ああ。随分と真面目に見える。マリアと話していた時以外はね」

「私、こう見えても優等生なんですよ」

「それは以前にも聞いた」

「だから今日の私がいつもの私です」

窓から差し込んでくる日差しに目を向けて、千世は顔をしかめる。

「優等生の自分が嫌いなのかい？」

彼女は音をさせないようにゆっくりと椅子を定位置に戻してから、「嫌いです」と言った。

「最近はますます嫌いです」

*　　　*　　　*

その日、千世は真咲と連れ立って店に現れた。最初に店を訪れて以来、頻繁に来ているようだ。娘が増えた気分だと冬夏の時と同じことを祥子さんは言っている。千世は私の向かいの席に座り、真咲は店の奥に入って行く。着替えを済ませ接客を始めた真咲は、アイスカフェオレを千世の前に置いた。

「千世ってさ、いつもカフェオレだよね」

その言葉をきっかけに、カフェオレが子供っぽい飲み物かどうかについて、ふたりの他愛もない会話が始まった。会話は新たに客が来店したところで終了し、千世は私の方に向き直った。

「薫子さんはどこに住んでるんですか？　私、遊びに行ってもいいですか？」

「別に構わないが、私の部屋に来ても楽しいことは何ひとつない」

「じゃあ、楽しくないかどうか確かめるために行っていいですか？」

隣に千世を乗せて、夏日の午後の国道を走る。今日は昨日に比べて気温が高い。車に乗ってから沈黙していた千世が口を開いた。

「昨日ね、学校から帰って来たときに、同じマンションの人と会って……」

彼女は、車窓から沿道の景色を眺めていた。最近できたばかりのビルは古い建物の間に挟まれ、真新しい壁ばかりが目立っている。

「『この前、お父さん来てたの？』って聞かれました。男の人と一緒にいる母の姿が見えたからって。父はずっと向こうにいて、ずっと病院で働いてるのに」

　私が視線を向けると千世と目が合う。

「なんで、でしょう？　おかしいですよね」

　彼女は笑っていた。

「きっと誰か別の女性を母と見間違えたんです」

　私の走らせる車の周囲には様々な種類の車両が混在し、道路上にひとつの秩序を作り出している。

「薫子さん、もうひとつお願いしてもいい？」

　ステアリングを握ったまま私は頷く。

「私、この街に来たら行ってみたかったところがあるんです」

　曲がるべき交差点を通り過ぎてさらに車を走らせた。予定を変更し、明治期の洋館が残るエリアに向かう。連休の終わった観光地は想像していたより空いていた。

「薫子さんはここへよく来るんですか？」

「いや。昔に一度、来たことがあるだけだ」

「ずっと住んでるのに？」

「来る理由がない」

　薫子さんらしいと言って千世は笑った。彼女は話題を変え、真咲の話を始めた。

「私のクラスには高校から入学した子が私を入れて三人しかいなくて、だから中々友達ができなかったんですけど、真咲は毎日、話しかけてくれたり、友達に私を紹介してくれたりしたんです。いい子なんですよ」

千世の言葉に頷き、祥子さんもそう言っていた、と付け加えた。

「薫子さんの感想は？」

「私はまだあまり彼女と話していない。彼女は仕事をしに店に来ているからね」

趣向を凝らした天然石の外観が目を引く大きな家屋が見える。敷地内に入ると、庭に設置されたブロンズ像や建物の内装の間を千世はひとりでぱたぱたと歩き回った。散在する建物を彼女の要望のまま見るうちに、裏通りのこぢんまりとした洋風の建築物の前に出た。道路を挟んで反対側は切り立った崖で、洋館に背を向けると街と海とが見渡せる。おそらく個人の所有物だろう。周囲に観光客はおらず、人の住んでいる気配もない。屋根に備え付けられた小さな風見鶏が風向きを指すべく、くるりと回った。彼はひとり海を見下ろしている。

「いいなあ。私こんなところに住んでみたい。海のないところにずっといたから、毎日、海を見ながら暮らしたい」

「君がそうしたいなら、将来、住めばいい」

千世は遠く水平線の方に視線を固定したまま、そうですね、と答えた。

日没に少しの猶予を残した街は明度を下げていく。コントラストが減少し、物体の境目が曖昧に消失する。見物を終えた私たちがちょうど車に乗り込む頃、雲が空を覆った。やがて雨が降り始め、千世はワイパーの作動を合図に口を開いた。

「真咲の家はお父さんがいなくて、お母さんとふたりらしいです」

窓ガラスとワイパーとの間に発生した摩擦音が定期的に車内へ放散する。

「彼女が……真咲がバイトしてるのは、自分の学費を自分で出したいからだって言ってました」

次第に雨脚が強まり、前方の視認性が低下していく。私はワイパーの動作インターバルを早めた。

「偉いですよね、母親を助けたいって。まだ高校生なのに。私なんてわがままばっかり言ってます」

「環境は人それぞれだよ」

「でも同じ高校に通う同級生ですよ」

「それなら君もバイトをすればいい」

信号が赤に変わり、前を走るバスのブレーキランプが点灯する。バスの後部座席には大学生の男子がふたり座っていた。彼らは後ろを振り向いて楽しそうに会話を交わしている。最後にふたりで大笑いし、それから前を向いた。千世は遠く外を見て、祥子さんに聞けば私も働かせてくれるかなと呟いた。千世の視線の漂う先には、平面に投射されたように奥行きを失った街路樹が見えた。

私の部屋に上がった千世は、半ば放心して部屋の中を眺めている。

「何にもありませんね」

千世は改めてぐるりと部屋を見回す。

「テーブルも椅子もあるし、冷蔵庫もある」

「ソファーもないしオーブンレンジもない。何より殺風景すぎませんか」

ふたつある椅子のひとつを指してから、それとは違う方の椅子に私は座った。千世は指定された席に大人しく腰を下ろす。

「楽しいかい？」

「楽しいです」

それはよかった、と私は言った。

「それで私に何か話でもあるのかい？」

「ありません。薫子さんの部屋を見てみたかっただけです」

「私の部屋は見世物じゃないよ」

「薫子さんはこの部屋で毎日、何をしてるんですか？」

「仕事を辞めてからは本を読んでいる」

「何の本ですか？」

私は立ち上がって寝室のドアを開けた。千世を中に入れ、後ろ手にドアを閉める。千世は、わあ、と小さな声を上げた。

「本がたくさん」

千世は本棚から二、三冊手に取って、書名を読み上げた。

「専門書ばっかり。小説とかは読まないんですか？」

「読む習慣がない」

千世は私の答えを聞いているのかいないのかよく分からない素ぶりで、手にした神経生理学の本を裏返した。値段を確認して今度は奇妙な声を口から漏らした。

「こんなに高い本、よく買いますね」

「研究のためだ」

「もうやめたんじゃありませんか？」

「研究所を辞めたからといって、研究者をやめたわけじゃない」

千世は元の場所に本を戻した。

「薫子さんは研究、好きですか？」

「好き嫌いの問題じゃない」

千世は視線を外し、「私はやりたいこと、特にないな」と呟く。私が、「君は医師になるのだろう？」と聞くと、彼女は俯いた。

「そうですね……そうでした」

後ろ手を組んで顔を上げた千世は、「薫子さんの部屋は、薫子さんの匂いがしますね」と言って笑った。

＊　＊　＊

買い物に付き合わされて訪れたデパートのロビーで石壁にもたれかかり、祥子さんが買い物を終わらせるのを待っている。外を照らす強い日差しに、店内は相対的な暗さを増加させていた。両手に紙袋をいくつも提げた祥子さんが、急ぎ足でこちらに歩いてくる。

「薫子ちゃん、お待たせ」

石造りの古い建物から出ると初夏の陽気が街を白く染め、反射的に目を細めて明るい空を見上げた。

「これから駅の北側のお店に行きましょう」

祥子さんは弾んだ声で言った。

「買い物を続けるには天気が良すぎるよ」

私は少しうんざりした調子で答えた。

「あら。じゃあ海にでも行きましょうか？　薫子と最後に行ったのはもうずいぶん前だわ」

「夏になったら行ってもいい」

「嘘ばっかり」

破顔する祥子さんの足はすでに、次の目的地へ向いていた。高架をくぐり駅の北側に出る。曲率半径の大きな上り坂の両側には個人店が立ち並んでいた。

「そういえば先週、千世ちゃんがあなたの部屋に行ったんだってね。薫子が人を家にあげるなんて珍しい」

祥子さんは、モスグリーンの木枠にはめ込まれた大きなガラス越しに、マネキンが着ている夏物の洋服を覗き込む。

「ねえ、薫子ちゃん。千世ちゃんの家はどんな家だと思う？」

「祥子さんが他人の家庭を詮索するなんて珍しいね」

「質問への感想が欲しいわけじゃないわ」

私が、「千世のことをよく知らないんだ」と言うと、「そう言うと思ったわ」と祥子さんは笑った。

「祥子さんはどう思うんだい？」

「そうね。どんな家なのかよくわからないけど、千世ちゃんは時々、寂しそう」

午後の二時を回った街には人が増え、次々に私たちの後ろを通り過ぎていく。

「彼女が寂しそうだとしても、その原因が家庭に由来する証拠はないよ」

祥子さんはマネキンから目を離すと、店の扉を押して中に入っていった。私は左手に提げていた祥子さんの荷物を右手に持ち直し後に続いた。

祥子さんの買い物に散々付き合わされた次の日、私は二ヶ月ぶりにブラーファ研究所を訪れた。冬夏と訪れた時とも、私が働いていた時とも、寸分、変わらない姿で研究所は存在した。

「忽那さん、このあとのご予定は？」

特許関連の状況と、広井怜の進める別のプロジェクトについてひと通りの説明が終わった後、彼は尋ねた。

「ないよ」

私が答えると満足そうに彼は頭を上下に動かした。

「お昼を一緒にどうですか？」

「悪いが私はここの食堂にすっかり飽きてしまった」

「では、ホテルのレストランに行きましょう」

「君はいつから昼食を外で食べるほど優雅な身分になったんだい？」

広井怜は、まあそう言わずに、と顔の前で手を振った。

「忽那さんは口実です。たまには僕だってゆっくりお昼ご飯を食べたい」

広井怜は昼に出ることを秘書の熊谷涼に伝えてくると言い残し、部屋を出て行く。数分後、彼女と一緒に戻って来た。

「私も行きます」

熊谷涼は確定した事実を述べるように言った。

「熊谷さんも一緒なら忽那さんだって文句はないでしょう？」

「最初から文句はないよ」

研究所を出て十分ほど南へ歩く。人工島の南端には、国際展示場と隣接するいくつかの建築物がある。そのひとつに私たちは入った。ホテルは人工島が建設された当初から営業しているが、楕円形の外観は新鮮さを失っていない。

「最近そんなに高くないランチビュッフェができたんですよ。休日は混むらしいですけど、平日はまだましです」

熊谷涼は席に案内されるとすぐに料理を取りに行った。混み合うフロアを足早に横切る後ろ姿が見える。数分後、プレートを大事そうに両手で抱え、席に戻って来た。皿に整然と盛り付けられた料理たちが、彼女の性格を反映している。私は目につくものを適当にとって席に着いた。

「何です、薫子さん。そのお皿は」

「熊谷さんと同じ皿だよ。この店の皿は全て同じ規格だろう？」

「もっと気合を入れて選んでください。ビュッフェに失礼でしょう」

「私は店を信用することにしてるんだ」

「薫子さん、屁理屈を言うのは研究の時だけにしてください」

広井怜はローストビーフを山盛りにして帰って来た。席に着くなり、ビュッフェに参加する資格がないと熊谷涼に文句を付けられている。

「ビュッフェに参加する資格って何です？　好きなものをたくさん食べられるのがビュッフェでしょう？」

「そういうことを言う人は焼肉の食べ放題に行けばいいんです。いくらでもお肉を食べられますよ」

感じの良い笑みを浮かべて次からは気をつけますと言いながら、広井怜は薄切りにしたローストビーフを口に入れ、私の方を向いた。

「忽那さんはブラーファ研究に戻ってこないんですか？」

「決めていない」

「家出少女の面倒を見るのもいいですけど、僕は忽那さんの今後の方に興味があります」

「何ですか？　家出少女って？」

熊谷涼が口を挟む。

「彼女はもうとっくに家に帰ったよ」

「だから何ですか？　家出少女って」

「僕もよく知りませんけど、忽那さんは仕事をやめて暇だから人の世話をして回っているみたいです」

「忽那さんが人の世話？」

「ええ。この世の終わりでしょ？」

壁に掛けられた絵の中に佇む女性が、アンニュイな視線をフロアに漂わせている。

「家出少女は冗談ですが、彼女はどうなりました？　ブラーファシステム関係で何か問題があったんでしょう？」

「解決した」

「一体、何が問題だったんです？」

「私が教えなくても、そのうち分かる」

「ブラーファシステムのネットワーク接続で何か変化があったんですか？」

「さあ、どうだろう」

「忽那さんにしては珍しく歯切れの悪い返事ですね」

「いつもこんなものだ」

「普段は人のことを鉈でたたき割るような発言をしておいてそれはないでしょう」

広井怜はローストビーフをひと切れ口に入れ、話を続けた。

「ところで、ソフィさんはお元気でした？」

「元気そうだった。彼女は変わらない」

「僕も久しぶりにソフィさんと会いたい。何か適当な用事を見つけて情報科学研究所に行ってこようかな」

それから広井怜と熊谷涼のふたりは、集中してそれぞれの皿の上を片付け始めた。店内の席は全て埋まり、外に行列ができている。熊谷涼はひと皿目を平らげ席を立つ。広井怜もそれに続いた。私はひとり席に残って、窓から見える海と空を眺めていた。

「情報科学研究所といえば、あそこに汀病院っていう大きな総合病院がありますよね」

再びローストビーフで皿を満たした広井怜が言った。

「バス路線の名前にもなっていて地域では有名な病院らしいのですが。忽那さん、知ってます？」

視線を上げて広井怜を見る。

「今回、訪れた時もその路線を使ったよ」

「汀っていう名前の、医者ばかりの一族がやってるらしいですね」

「それがどうかしたのかい？」

熊谷涼が、今度はデザートばかりを載せて戻ってきて、「全種類、食べたかったけど我慢しました」と誰からも聞かれていないことを不満げな表情で報告する。彼女の機嫌は、ローストビーフで満たされた広井怜の皿を見てより悪化した。

「広井さん、どうして同じ過ちを二度も犯すんですか？」

「好きなんです」

広井怜は先ほどと寸分たがわない笑顔で答える。熊谷涼は短く息を吐き出すと、黙ってガトーショコラに手をつけた。彼女が諦めたことを確認した広井怜は、話を再開した。

「汀一族にはちょっとおもしろいような、おもしろくないような話があるんです」

私は小さく頷いて話を促した。

「汀家の子供の中にクローラの女の子がいるそうです」

彼の言葉に、絵の女性に向けていた視線を広井怜の顔に戻した。「クローラって、クローンの人のことですか？」と、熊谷涼が隣の席から話に割って入ってくる。視線はデザートの上に固定したままだ。

「そうですよ。新型クローン技術の一種ですが、実際、ヒトに適用されているのはクローラだけです」

「そのクローラの子供は何歳ぐらいだい？」

私の質問に広井怜が首をひねる。

「よく分かりませんが、おそらく中学生か高校生で母親のクローラらしいです。僕も向こうに住んでいる知り合いから聞いただけなので、詳しくは知りません」

建物の持つ曲線に合せて湾曲したガラス窓に、私たち三人の姿が反射する。

「でも、クローンって別にそんなに珍しくないですよね？」

なぜその話題をわざわざ口にするのかと熊谷涼は聞きたいらしい。

「ええ。田舎ではまだ珍しいみたいですけど、全くいないというわけでもないですしね。そのひとの話によると、その子がクローラだってことは一族内で公然の秘密らしいです」

話しながらも彼はかなりのスピードでローストビーフを消費している。それでも詰め込んでいる印象を与えず、するりするりと薄切りのローストビーフが飲み込まれていく。

「院長がかなり年配の古い考え方の人みたいで、血の繋がってないことがバレたら病院を継がせてもらえないからじゃないかって」

「別にそのクローラの子が継がなくてもいいんじゃないですか？」

熊谷涼はブルーベリータルトを終わらせ、ロールケーキに手を付けながら尋ねた。

「母親が継がせたがってるみたいで、秘密にしておきたいみたいですよ」

皿の上を全て片付けた広井怜は、コーヒーを一気に飲んで満足げに息を吐き出した。熊谷涼が、「お金持ちは大変ですね。研究者は変な人が多いけどドロドロはしてないですよね」と感想を口にする。

「研究はたいしてお金にならないですからね。薫子さん、すみません。こんな話、興味ないですよね」

ガラスに映った私は千世のことを考えていた。広井怜の言っていることが本当だとしたら、彼女は母親の命じる通り、学校で、一族の中で、自分の秘密を隠したままずっと暮らしてきたのだろうか。

「確かに興味はないよ」

ガラスの中から意識を戻して私は答えた。

「けれど、君は本当に何でも知っている。特別な知り合いでもいるのかい？」

「忽那さんが知らなすぎるんです」

広井怜は立ち上がって、料理の並ぶテーブルに歩いて行った。彼は三度、ローストビーフを載せて帰って来る。熊谷涼は、今度は何も言わなかった。

ブラーファ研究所を後にし、車を運転して家に戻る。オートロックを外し、エレベーターに乗り込んだ。繰り返し行う動作は、余計なことを考えなくてすむ。全ての挙動はプログラム化され、無意識に実行される。マクロを組むメカニズムを生命はいつ獲得したのだろう。小脳が司っていることを考慮に入れれば、抽象的な思考や本能的な情動よりも先に、決まったことを順番通り行う機能が備わったのかもしれない。

クローラは新種のクローン技術に含まれているが、実態は人工ゲノム技術に近い。ヒトゲノム配列の中で個人ごとの多様性を示す領域は非常に小さく、全体の〇・一％程度しか存在しない。残りの九九・九％のゲノム配列は、全ての人類に共通している。
クローン技術によってまったく同じゲノムを持った人間が増えれば、人類の多様性を減少させてしまう。多様性の減少は環境の変化に対する適応可能性を低下させるため、進化上、望ましくない。そのためクローラのゲノムには、多様性を示す領域に変異が導入されている。変異箇所は、〇・一％のうち数十分の一程度で、位置はランダムに決められる。この変異操作により、親のゲノムとは異なる配列を有する子供が生まれ、多様性は担保される。クローラは男性、女性どちらを親とすることも可能だ。しかし男性を親とする場合、代理母を必要とするため、母親由来のクローラが多い。広井怜の話から推察すると、院長は千世から見て父方の祖父なのだろう。故に母親のクローンである千世は汀家と血の繋がりを持たない。

祥子さんの店で広井怜から送られてきた論文の草稿を読む。ブラーファ研究所を訪れてから数日しか経っていないのに、彼は早速、論文を仕上げて送ってきた。特許の件とは別の内容だ。私の研究を引き継いだ成果でもない。彼が独自に続けてきた研究だ。目を通して問題点を頭の中で整理する。枝葉と呼んで差し支えない部分のデータ不足は認められるが、主要なデータは揃っていた。

ブラーファ遺伝子がゲノムに組み込まれていても、ブラーファシステムが作動しない例が稀に見られる。理由は様々で、ブラーファ遺伝子が機能していないこともあれば、機能しているにもかかわらずブラーファシステムに適合しないこともある。

広井怜はブラーファ遺伝子が機能しない事例を集めて遺伝的背景を調べている。彼の論文は、神経系で機能する遺伝子の変異がブラーファ遺伝子の機能発現に関与することを証明していた。不足しているデータは結論に直接関係するものではない。しかし論文の審査員たちが些細な欠如を許してくれるとは考えにくい。追加の実験が必要か、あるいは主張を大人しいものに変えるだけで対応が可能か考えてみなければならない。

論文の文面が表示されている端末の表面には昼下がりの光が反射し、飛行機のエンジン音が遠くに聞こえ、やがて思考は中空に流れ出す。気がつくと私は千世とクローラのことを考えていた。


「薫子さん、どうして私がクローラだって知ってるんですか?」

真咲の言葉によって思考の世界から現実に引き戻される。私の目の前に立つ彼女はトレーを手に持ち、その上にはコーヒーとサンドウィッチが載っていた。

「私は君がクローラだということは知らない」

現実の言語で私は答える。

「……でも今、クローラって言いましたよ。私が通りかかった時」

「私は別件でクローラのことを考えていたんだ」

「別件ですか……あ、薫子さんは生物の先生だって言ってましたもんね」

「先生ではない。研究者だ」

真咲は私の返答に苦笑いを浮かべた。

「先生には研究者も含まれます。そういえばブラーファが専門だって冬夏さんから聞きました」

「君たちはよく話すのかい？」

「うーん、あんまり。学校ですれ違った時とかにちょっとだけです。でもブラーファシステムを薫子さんに取り替えてもらったって、嬉しそうに言ってましたよ」

私は、真咲が手に持っているトレーとその上に載せられたものを見る。彼女は自分が接客中であることを思い出し、慌てて客のもとに歩いて行った。

母親のクローラとして生まれ、クローラとしての自分を隠しながら生きていく気持ちは一体どんなものだろう。他人の心の中は想像することしかできない。千世の言動から彼女の内面を推測し、抜けているところを私自身の思考とこれまでに得た他人の表象で埋めていく。私がこの方法で再構築した千世の内面世界は、本物からよほど遠いに違いない。

真咲が仕事を終えて帰り支度をしている。私はもう一度、彼女に話しかけた。

「君がクローラだということは口外しないほうがいいのかい？」

「いいえ、全然。友達にも言ってますし。千世も知ってるはずです」

屈託なく真咲は答えた。質問された意図が汲めず、不思議がってさえいる。

真咲が帰り二人になると、祥子さんが声をかけてきた。たまにはうちにも来なさいって言ってるでしょ、という祥子さんの言葉のまま、閉店後、祥子さんを家まで送る。車の中では、いつもの通りクラシック音楽が流れていた。

「薫子ちゃん、ちょっと質問してもいい？」

「何だい、祥子さん」

「クローラって何？」

「不妊治療の一種だよ」

祥子さんは首を傾げる。

「でも父親が要らないって聞いたわ」

「正確には母親か父親か、どちらかがいればいい」

「あなたの説明を聞くとますます分からなくなるのよね」

祥子さんが助手席で大きなため息をついた。

「クローン技術の進化版だよ」

「クローンって自分そっくりの人間のこと？」

斜め前方を走る車がウインカーを出し車線を変更する。私はブレーキを軽く踏んでスペースを作った。

「旧世代のクローン技術のことを言っているのならその通り。クローラは旧世代のクローン技術をもとにしているけれど、ゲノムを操作して親のものとは変えてある。だから親とそっくりにはならない」

「じゃあ真咲ちゃんは、母親ひとりから生まれた子供って思っておけばいいのかしら？」

「そう。母親から生まれた子供で、母親とは別の人間だ」

祥子さんは二回、小さく頷いた。

「もう一つ聞いてもいいかしら？」

私も黙って首を縦にふる。

「クローラって何の略？」

「祥子さんは、ブラーファの時も同じことを聞いていた。真咲のことも気に入った？」

「ええ、すごく。だっていい子だもの」

私は端末にクローラの正式名称を表示して、祥子さんに見せた。

"Clone Person With Random Polymorphism (Clora)"

「日本語にするなら、多型を伴うクローン人間ってところかな」

「ブラーファと同じですごく長いのね。それにこの長いのをどう略したらクローラになるの？」

「『クローン』から『クロー』をとって、『ランダム』の『ラ』を付けたらそうなる。文句があるなら命名者を訴えるしかない」

「文句はないわ。でもやっぱり覚えられない」

そう言って祥子さんは笑う。

車の窓を開けると、湿度の高い空気が流れ込んだ。

＊　＊　＊

私は運転席の窓から顔を出して真咲の名前を呼んだ。真咲が祥子さんの店を手伝い始めて一ヶ月以上がたつ。彼女はすっかり仕事にも慣れて、祥子さんも喜んでいた。駅前の道路を歩いていた真咲はこちらに大きく手を振り、駆け寄ってきた。

「こんにちは、薫子さん」

私は助手席を指差す。車に乗り込んだ真咲ははっきりとした声でお礼を言って頭を下げた。

「君はいつも元気だ」

「元気ですよ。元気が一番です」

真咲は肘を曲げたまま大きく伸びをした。

「お母さんが白血病を疑われたことがあって、結局、違ったんですけど、元気でいられるってすごいことだなって思ったんです」

車のサイドウィンドウから空を眺める。雲に覆われた隙間から差し始めた日の光はスリット実験を思い起こさせ、手に当たる光は暖かさを感じさせた。真咲は母親が血液腫瘍の可能性を指摘された時の様子を話し始めた。

――お母さんが精密検査を受けるって聞いた時はすごく驚きました。白血病になったら骨髄移植をしないといけなくなるって聞いたことがあったので、もしそうなったら私がドナーになろうって決めてました。私、お母さんのクローラだからなれるって思い込んでいたんです。でも調べてみたら、クローラの子供が適用になるのは半分くらいで、普通の家族と変わらないって書いてありました。クローラの子供が遺伝的に親とあまり似ないって話、その時の私は知らなかった。それがまたすごくショックで、ドナーになれなくてごめんって、お母さんに謝ったんです。そしたら、骨髄を貰うためにあなたを生んだわけじゃないって怒られました。その時はお母さんも私も泣いちゃったんですけど、結局なんともなかったんですよね。

君は母親と仲がいいらしい、と私が感想を述べると、「そうですね。いつもは色々うるさくて嫌だなと思うこともあるんですけど」と、真咲は少し恥ずかしそうに笑った。

店内にふたりで入ると、カウンターの中で祥子さんが顔を上げた。

「あら。薫子も来たのね」

私は黙って頷く。隣に立っていた真咲は、「駅から送ってもらいました」と報告しそのまま店の奥に入って行った。

クローラであることは個人情報に属することで、扱いはブラーファと一緒だ。行政が扱う際には守秘義務を伴う。クローラ関連の臨床研究においては個人を特定する情報はすべて剥ぎ取られ、性別や年齢、居住地などの属性のみデータベースに登録される。しかし、クローラ本人や家族の意識は多様だ。真咲のようにまったく隠そうとしない者もいる一方で、かなり厳重に秘匿する場合も見受けられる。千世は後者だ。私や祥子さんにも言っていない。真咲の様子から推測すると、学校でも公表していないのだろう。

閉店時間が近づき客足が途絶えた。広井怜の論文は結局、追加実験を行わず、考察を大幅に変更して投稿することになった。データを見返しながら書き直された原稿を推敲する。作業を続けるうち、気がつくと店の外はすっかり暗くなっていた。

ひとつ離れたテーブルで、売れ残ったケーキを紅茶と一緒に真咲が食べている。視線が合うと私のところまでやって来た。彼女は原稿の表示された画面と私の顔とを交互に眺めた。

「それ、先生としての仕事ですか？」

「そうだ」

「研究所をやめてもまだやらなきゃいけない仕事があるんですか？」

「やりたくてやっているのだから構わない。しかし君の言う通り、無給には違いない」

私の答えに、そうですかと返してから、真咲はまた何かを言いかけて口をつぐんだ。私は首を傾げる。

「あの、薫子さんは千世についてどう思いますか？」

「悪いが、彼女の何について質問しているのか把握できない」

「千世は時々すごく毒のあることを言いますけど、普段は真面目です。この前の実力テストでもかなり上位だったみたいですし」

「彼女は口が悪いのかい？」

私の質問を聞いた真咲は一瞬、不思議そうな表情を見せてから、「ああ、そっか。千世は薫子さんの前では大人しいんだった」と、いたずらっぽく笑った。

「真面目な彼女を見てると、無理してるなって感じる時があって」

一年半前の彼女の姿が私の脳裏に浮かぶ。

「初対面の時の彼女は私の前でも言いたいことを言っていたよ」

「きっとそっちの方が本当の千世なんだと思います」

「君は精神に各人固有の一定した性質が存在すると考えているのかい？」

一時停止したように真咲の表情が固まる。

「……すみません。もう一度、言ってください」

「奔放な千世も優等生の彼女も、ともに彼女だという考え方もある」

真咲は首を縦に振り、「それもそうですね」と呟いた。それから少しの間沈黙し、また口を開いた。

「千世は母親からよく、『私は育った環境がよくなくていい仕事につけなかった。あなたはちゃんと勉強して医者になるのよ』って言われるんだって言ってました」

＊　　＊　　＊

「忽那先生、娘がお世話になっているようで」

背の高い痩せた男性が言った。

「彼女は客としてこの店に来ているだけです。何も世話などしていません」

「千世はここに来るタクシーの中で、忽那先生と先生のお母様の話ばかりしていました」

汀知己は、年齢相応の話し方と、年齢より若く見える外見を携えて私の前に座っている。

「この子は私がこのお店に来ることを嫌がっていましたが、私がどうしても挨拶をしたいと言って連れて来させました」

「お父さん、ここでそんなことを言わなくてもいいでしょう」

千世は小さな声で抗議する。彼女はいつも以上に大人しい。店の奥から祥子さんが出て来て、儀礼的な会話が淀みなく交わされる。汀知己は三十分ほどの間、自分の住む地域の医療事情などを話していたが、製薬会社主催の研究会があるからと言って席を立った。

「私がいたら千世はやりにくいでしょう」

痩身を揺らし繊細そうにひとり笑う。もう一度、千世をよろしくお願いしますと言い残し店を出て行った。

父親が出て行くと千世はため息をついた。

「父がこういうことをするのは珍しいんです。引っ込み思案な人だから」

今日は、真咲が来ておらず、祥子さんはひとりで店を開けている。父親が帰った後も千世は恥ずかしそうにしていた。

「そうかい？　私には社交的な人間に見えた」

「ずっと医者をやってるから一応、話そうと思えば話せるみたいです。でも仕事以外では家から出ようとしなくて、ずっと部屋に閉じこもって人形の相手ばかりしてます。そもそも家にもあまり帰ってこないけど。今日だって製薬会社の人からの誘いを断れなかったって言ってました」

千世はストローに口をつけると、すっかり氷の溶けたアイスカフェオレを飲んだ。それからしばらくの間、私は端末の画面と向き合って原稿を直していた。

店の扉の開く音がして、「ごきげんよう」という声がする。普段通りの綺麗な歩き方で冬夏が店に入って来て、私の隣に座った。

「店先で男性とすれ違ったのですが、あれはもしかすると千世さんのお父様？」

千世がゆっくりと頷く。不思議そうな顔をしていた。

「どうしてわかったんですか？」

聞かれた冬夏は首を傾げる。

「さあ？　雰囲気かしら？」

「でも私、父とは似てません」

「見た目は確かにあまり似ていませんわね」

冬夏は千世との会話を続けながらメニューをめくる。やがて静かに閉じると、いちじくのタルトとフレッシュハーブティーを注文した。

3　凝縮は雨

父親と店に訪れてからしばらくの間、千世は店に姿を現さなかった。彼女からの連絡があった朝は、梅雨を迎え小雨が降っていた。メッセージには、父が亡くなったので地元に戻る、とだけある。死因については何も触れられていない。私は携帯端末を閉じ、自分の部屋の白い天井を見つめる。何も描かれていないキャンバスの様な平面に照明が埋め込まれていた。

自分の両親が死んだ前後のことは、苦労して記憶を引っ張り出さないとよく思い出せない。記憶の順序が前後したり、自分の中で都合の良いように変えられたりしている。記憶の変更や編集は常に行われているから特別なことではない。ただ変質の程度が通常より大きいだけだ。人間にあらかじめ備え付けられた能力が作動したと考えれば、私の精神にとって必要だったのだろう。

自分の経験を歴史として編む力が人間にはある。両親が死んでしばらく経った頃、自分が記憶を編集していることに気が付いた。その時、私は洋嗣さんと話をしていた。洋嗣さんははっきりと、それは僕の覚えている事実とは違うと言った。斎場も、両親の遺骨を納めた墓の場所も、葬儀の参列者も、全ての点において私と洋嗣さんの間には記憶の食い違いが見られた。しかしすべては私にとって些細なことだ。

葬儀が終わり、私は円形のテーブルがいくつか置かれた部屋に連れて行かれた。指示された席に座る。テーブルには私ひとりしか座っていなかった。親戚たちは別のテーブルにいる。中学生になったばかりの人間がひとり座らされている光景が奇異なものだったのかどうか、私には分からない。少なくとも寂しいとは感じていなかった。悲しくもなかった。振る舞うべき基準を教えられていない状況に、ただ居心地の悪い思いをしていた。

しばらくして隣に伯父が座った。父はたしか四人きょうだいで、上に兄と姉がひとりずつ、下に妹がひとりいた。隣に座った父の兄の名前は覚えていない。伯父は父が死んで悲しいと言う。母のことには最後まで触れなかった。次に叔母がやって来る。私のことを可哀想だと繰り返している。あんな母親に育てられ、その上こんなに早くひとりになってしまうなんて、と涙ぐむ。最後にもうひとりの伯母が伯父の隣に腰を下ろした。先ほどの叔母と似たようなことを口にする。叔母は兄の死がよほど悲しいのか、私に同情的な言葉を何度も口にした。しかしもはやそれは独り言だった。自分の言葉を自分で聞く行為を繰り返した結果、彼女の感情は増幅される。最後に叔母は、私に向かって言った。

「あなたは自分の親が死んで悲しくないの？」

ここで口にする言葉じゃないと伯父にたしなめられ、叔母は下を向く。伯父の手が私の肩に置かれた。それを合図に彼ら三人は元いたテーブルに戻っていった。

伯父たちの会話は私の記憶の中に残っているものだから正確ではないのかもしれない。

事実を検証する手立てもない。彼らの発した言葉が、変容しながら私の中に残り続けるだけだ。

洋嗣さんと祥子さんのふたりとは、後日、喫茶店で会った時に初めて話したと記憶していた。しかし葬儀の時にも言葉を交わしたそうだ。両親は自分たちから親戚と距離を取っていると認識していた。しかし振り返って考えると、あのふたりは避けられていたようだ。だから父の兄弟を除いて、式に参列した親戚のほとんどを私は知らなかった。洋嗣さんと祥子さんのことも知らなかった。式が終わり参列者を見送る私にふたりは声をかけたらしい。

「ほんの挨拶だけよ。だってあの時の薫子に何て声をかけていいのか分からなかったんだもの」

祥子さんは一度だけそう言って、ああいう時にうまく振る舞えるほど自分が器用じゃないと気がついたと苦笑いを浮かべていた。


千世から連絡のきた次の日も雨が降った。私は祥子さんの家へ行く。

「千世の父親が亡くなったらしい」

祥子さんはキッチンで朝食の準備をしていた。洋嗣さんはまだ自分の部屋にいるのか、姿は見えない。祥子さんは手を止めて、少しの間、私をじっと見ていた。

「薫子、あなた大丈夫？」

私が通夜と告別式の日時を知らず、千世に返信もしていないことに気がつくと、祥子さんは静かに息を吐き出した。

玄関の横に置かれたプランターにあじさいが植えられている。店と同じ花だ。私はリビングルームの窓からそのあじさいを見下ろしていた。鮮やかに開いた赤紫色の花に、上空から落下した水滴が跳ねる。水滴は窓にも次々と付着した。付着した途端、楕円に変形し、直線的な軌跡がガラスの上を滑っていく。祥子さんは千世に連絡を取った。静かに話す声がカウンターの中から聞こえる。祥子さんの表情から内容は窺えない。千世との話を終え、私の方を向いた。

「お父さん、自殺だったって」

私は反射的に、「自殺？」と聞き返した。祥子さんの発言を疑っているわけではない。ただ聞き返した。質問でも確認でもない。言葉の浪費だ。

「葬儀は近親者だけで行うそうよ」

無言のままふたりで朝食を作り、それから黙って食べた。相変わらず雨だれの音がする。その時の私は雨だれの音を心地のいいものとして受け止めていた。千世の父親と彼女の間に血の繋がりはない。千世のことをクローラだと言っていた広井怜の言葉が頭の中で繰り返し再生される。千世は元気そうだったか、祥子さんに尋ねた。「声はしっかりしていたわ」

と答えが返ってくる。私はコーヒーをひと口、飲んだ。

「でもお母さんが精神的に大変だって」

兄妹らしき子供の声が外から聞こえる。手を繋いで歩くふたりの傘が窓から見えた。傘がぶつかり、表面から雫が弾け飛ぶ。

「千世がこの店に来たのは先月だろう？　入学から一ヶ月の間、彼女はどうして訪ねてこなかったんだと思う？」

「どうしてかしらね」

「母親が一緒にいる間、彼女はここに来ていない」

「お母さんのせいで来られなかったって言いたいの？」

「可能性の話だよ」

千世は母親に知られたくなかったのだろう。理由は知らない。我々に母親を紹介する羽目に陥りたくなかったのか、あるいは他に理由があったのか。

「もし店に来ることを知られたくなかったとしても言わずにくればいい。もう高校生なんだ」

「薫子、あなた怒っているの？」

私は黙って一度だけ顔を横に振った。

その分野で有名な雑誌に投稿された広井怜の論文は、一週間もたたずに掲載を拒否された。広井怜自身は、「記念受験みたいなものですから」と気にしていない様子だ。しかし言葉の謙虚さとは異なり、次の投稿先も同程度に査読の厳しい商業誌にするつもりらしい。彼からのメッセージは、論文の形式を直したらまた見てくださいという言葉で締められていた。

* * *

私はウィンドウを閉じ、キッチンでコーヒーを淹れる。自分の部屋で淹れたコーヒーは祥子さんのお店で飲むよりずっと美味しくない。動物園のカフェテリアで顔をしかめていた千世を思い出す。私がコーヒーを飲み始めたのはいつだったか。高校生の頃にはすでに毎日、飲んでいた。最初から苦味には抵抗がなかった。味覚の感度は人によって異なるから、私はきっと最初から鈍感だったのだ。しかしいずれにしても感覚は減衰し麻痺する。外界から同じ刺激を繰り返し受けると必ず反応が鈍っていく。生物は、不必要な外部要因に反応する無駄を回避して、環境に適応する。

時間が来たので部屋を出た。今日も小雨が降っている。傘を差し駅に向かうため坂を下る。雨滴がプラスティックの繊維に衝突する音が聞こえ、雨を吸収したアスファルトからはペトリコールの残り香が漂っていた。ソフィに会うべく情報科学研究所へ向かう。悠木博士からの依頼で、ブラーファのネットワーク接続の現状について話をする。聞き手は行政関係者で、ソフィも演者のひとりだ。

「僕は学位を取った後すぐに情報科学研究所に来ました。出身がこのあたりだったので」

所内の会議に出席中のソフィを、前回と同じく休憩スペースで待っていた。向かいのソファーには、ソフィのもとで働く研究員が座っている。彼は佐々木道範と名乗った。

「たまたまポジションが空いていました。運が良かったんです。研究職では普通、場所のえり好みはできない。忽那さんもよくご存じでしょう」

初対面から人懐っこい笑顔で話す彼を見ていると、生まれたときからずっと同じ表情に固定されているのではないか、と錯覚してしまう。

「都会と違ってこちらはコミュニティーの力が強い。それが嫌だって言う人もいるけど、僕は昔からの知り合いがいて落ち着きます」

私は適当なタイミングで相槌を打ちながら話を聞いていた。彼は相手がいればずっと話し続けられるようだ。

「でもその分、噂話なんかはすぐに広がりますね。それは都会でも一緒かもしれませんけど。最近だと汀病院の先生が自殺したって母が騒いでいますよ。あ、汀病院というのは……」

「ここに来るのに乗ってきたバスが汀総合病院行きでした」

「ああ、そうです。その病院です。汀病院はずっと昔からある病院なのでこのあたりでは有名なんですよ。母にとって、そこの先生が亡くなったのは外国で起こっている戦争よりずっと大事件なんです」

「情報の価値としては当然でしょう」と私は同意した。佐々木道範は頷いて話を続ける。

「それに母の従姉妹は汀病院の息子さん、今回自殺された先生の兄と結婚しているので、無関係でもないんですよね」

自殺された方には妻と娘がいると聞いています、と私が言うと、彼は少し驚いた。

「忽那さん、どうしてそんなことご存じなんですか？」

この休憩スペースにはいつも人がいない。職場環境の向上を目的として作られたにもかかわらず、あまり利用されていないようだ。

「教えてくれる知り合いがいるんです」

私がそう答えると、少し間を置いて佐々木道範は納得したような、安心したような表情を浮かべた。

「ああ、広井さんですか。彼には僕が教えました」

名前が出たことで広井怜の初期設定も笑顔だったことを思い出した。ふたりが会話をする様子を想像してみるが、どうもうまくいかない。

「娘さんはクローラでまだ十代だったと思うのですが。母親がどうも大変な人みたいで。娘にどうしても病院を継がせたいみたいです。だから父親と血のつながっていない事実を伏せていると聞いています。ただ僕が知っているくらいですから、みんな知っていますけどね。知らないのは院長先生くらいですよ」

　私はコーヒーカップを持ち上げて、少し冷めた中身を飲んだ。釣られるように彼もまたコーヒーに口をつける。話すのに夢中で、自分の運んできたコーヒーが目の前にあることを忘れていたのかもしれない。

「その母親の持論はこうです。私と娘は同じ人間なのだから、娘のことは本人よりよく分かっている。だから自分の言うとおりにすれば全てうまくいく」

「母親は、クローラのことを理解していないのでしょうか」

「ええ。ゲノム配列が変えられていることを理解していないのかもしれないし、あるいは分かった上で言っているのかもしれません。とにかくあそこのお嬢さんはどうなるんでしょう。ただでさえ母親に振り回されて大変なのに、お父さんがあんなことになってしまいましたから」

　そこまで話したところで彼は立ち上がった。ソフィが予定より大幅に長引いた会議を終わらせて姿を見せ、千世と汀病院の話はそこで打ち切られた。

＊　＊　＊

千世が次に祥子さんの店に現れたのは、父親が亡くなってから十日ほど経ってからだった。私は店におらず祥子さんから連絡があった。明日もまた来ると言っていたらしい。次の日に店へ行くとすでに千世の姿があった。

「今日は、学校はいいのかい？」

「体調が悪いのでお休みしました」

「思ったより元気そうだ」

私の言葉に、「学校を休むくらいには元気じゃないことになってます」と答えて千世は微笑んだ。ニュートンリングを浮かべる薄膜のような微笑が千世の顔に張り付いている。

「千世は学校が嫌いかい？」

いいえ、と千世はかぶりを振って、「中学の時は嫌いでしたけど高校は好きです。もう少し落ち着いたら、ちゃんと通いたい」と言った。平日の午後に作られた影がテーブルの上に伸び、圧縮されたカップの形状を投影する。祥子さんが、「千世ちゃんはこれからもこっちにいるの？」と優しく尋ねた。

「分かりません。母次第です」

「お母さんはもう大丈夫なのかしら？」

「それもよく分かりません。父が亡くなってから、あまり話をしてないから」

祥子さんと千世の会話を耳にしながら、ニュートンリング以外の構造色を頭に思い浮かべていた。しゃぼん玉、蝶の翅、光学記憶媒体、魚類の体表。物質表面の構造が生み出した、異なる位相の色鮮やかな干渉模様が千世の表面に浮かび上がる。子供の頃、反射や吸収とは異なる原理で色が生み出されると知って驚いた。

千世は父親の葬儀の翌日に起こった出来事を話した。彼女の母と祖父とが口論になり、病院の跡は継がせないと祖父が怒りだしてしまったらしい。

「私はその場にいなくて、後になって親戚の人が教えてくれました。私はどっちでもいいんです。病院を継ぐかどうかなんて、本当はどうでもいいんです」

それから千世は毎日のように店を訪れた。学校には真面目に通っているようだ。祥子さんは千世のことをとても心配している。彼女から何も言わないうちに私たちができることはないと私が言うと、それはそうかもしれないけど、と頬に手を当てた。夕方前の店内は休憩中の主婦らしき人たちと授業の終わった大学生とで賑わう。祥子さんがコーヒーを淹れ、ケーキをショーケースから出し、それを真咲が運ぶ。私は珍しく店の奥で皿を洗っていた。閉店間際になり、店にいる人間は祥子さんと真咲、私と千世の四人になった。

「千世ちゃん、真咲ちゃん。今日うちにご飯食べに来ない？」

祥子さんがふたりに尋ねる。千世は、行きますと間を置かずに答える。真咲は、お母さんが待っているからと断った。祥子さんは真咲に向かい、「ごめんなさいね。次はもっと早く誘うから」と声を掛けてから千世の方に向き直った。

「お母様は今こちらにいらっしゃるの？」

「…………はい」

「じゃあ千世ちゃんがうちに来ること、お母様に伝えておいてね」

月が変わっても梅雨は続く。大気中に含まれる水分子の絶対量が増え続け、気温の上昇に伴い増加した飽和水蒸気量をもってしても、湿度は上昇し続ける。

「祥子さんの家に行くことと、私の母は何の関係もありません」

周囲の空気を攪拌するように、千世の静かで強い声が店に響いた。真咲が千世の顔を不安そうに覗き込む。

「どうしたの？　千世」

「別にどうもしない」

千世は真咲から顔を背け、「分かりました。母には連絡しておきます」と小さな声で言った。私は短くため息を吐き出す。

「嘘をつくなら最初からつけばいい」

私の言葉に千世がこちらを向いた。祥子さんが「ちょっと、薫子」と私を嗜める。

「途中から方針を転換するのは、合理的でも効率的でもない」

「私が、嘘をついてるってどういう意味ですか？」

千世の声が震えた。

「君が誠実に答えるのならば、祥子さんの誘いを断るか、母親に連絡するかの二択だ」

「だから連絡するって言ってるじゃないですか」

千世は立ち上がり、椅子が後ろに倒れる。

「ならばなぜ最初からそうしない」

「薫子、やめなさい」

祥子さんが私の肩に手を置く。

「薫子さんに私の気持ちの何が分かるって言うんですか」

沈んだ千世の声が店内に響く。

「私には君の気持ちは分からない。君は言葉を持っているのだから、言いたいことがあるなら言えばいい」

千世は、継ぐべき言葉を失い、立ったままただ私の顔を見つめる。祥子さんが水の入ったコップを千世の前に置いて、倒れた椅子を戻した。しばらくして椅子に座り直した彼女は、ひと口、水を飲んだ。

「どうせ家に帰っても母はいないんです」

コップをテーブルの上に置くと、千世はとぎれとぎれに話し始めた。

——連絡しても返事は来ません。母は祖父と喧嘩してからますます様子が変になって。納骨が終わってから母もこちらにきたんですけど、どこか、たぶん男のところ、に行って帰ってきません。

言葉を吐き出すたびに彼女から熱量が奪われ、千世の顔が冷却されていく。

——あの人がこっちにいるのは私を助けるためじゃないんです。未成年ができない契約とか、そういうのはやってくれますけど、それ以外の、生活とか学校に関することは全て自分でやってます。母にはかなり昔から関係が続いている男の人がこっちにいて、私の高校入学を喜んだのもその男と自由に会えるからだと思います。

祥子さんは千世が話し終えると、固く握られた彼女の手に自分の手を重ねた。

「とにかく今日はご飯を食べにいらっしゃい」

結局、千世は祥子さんの家に泊まることになった。冬夏の時と似ている。十代の人間が取れる行動パターンは限られ、大人の選択可能な行為もさして多くない。それに加えて彼女は、クローラである自分を秘匿せざるを得ない状況にある。

クローラは、ヒトへの適用を認められた唯一のクローン関連技術だ。それは同時に、古典的なクローン技術が臨床的に使用を禁じられていることを意味する。人間の尊厳を害することが倫理的な理由だ。一卵性双生児も互いに同一のゲノム配列を持つが、彼らはそれぞれ独立した個人として認められている。クローンも同等のはずだが、人間の開発した技術を用いて同一個体を作り出す行為は反感を持って迎えられた。

クローラ技術を使用した場合、同一のゲノム配列を有する人間が増殖することにはならない。少子化と価値の多様化とを背景にクローラ技術は社会に受け入れられた。しかし未だに、クローラ技術を既存のクローン技術と混同する人間が多い。専門的な技術的差異は興味の薄い人間に認識されない。

誤解を招くもうひとつの要因として、「新しく安全なクローン技術」というキャッチコピーの流布も大きい。用法としては誤っていないが、しかし実態を反映しているとは言えない。クローラ技術の開発には長い時間を要した。変異の導入効率が上がらず、認可が下されなかったからだ。ゲノム配列の〇・一％に変異を導入することはそう簡単ではない。三十億塩基対に及ぶヒトゲノムの中で三十万カ所が対象となる。数十年に及ぶ研究により、それぞれの塩基が及ぼす影響は徹底的に調べられた。その成果をもって初めて安全な変更場所が特定される。千世のことを別にしても、クローラを古典的なクローンと同一視する考えを私は受け入れられない。

「心配ねえ。やっぱりもうちょっと泊まっていってもらえばよかったかしら」

千世は翌日、帰っていった。祥子さんは家に帰すべきか悩んだようだ。私は食パンをトースターで焼く。隣では祥子さんが紅茶の葉をティーポットに入れた。

「少なくとも朝ごはんくらいは食べて帰ればよかったと思わない？」

「本人が帰ると言ったんだろう？」

ケトルから勢いよく蒸気が噴き出す。祥子さんは火を止めて、「遠慮しているのかしら？」と呟いた。

「彼女の生存本能が遠慮することを選択させているだけだと思う」

私はトースターからパンを取り出しながら言った。

「どういう意味？」

「そのままの意味だよ」

祥子さんはケトルを持ち上げて肩を小さくすくめると、ティーポットに勢いよくお湯を注ぐ。私は目玉焼きを食べながら大学院入試に関する資料に目を通した。文学研究科の哲学系のページを探して、研究室の概要を把握する。冬夏とマリアの関係性は人類史上なかったものだ。彼らは独立した人格だが互いにプライベートの概念を持たない。自分の思考を相手に見られている状態で冬夏は暮らしている。彼女らにとってはそれが当たり前のことだ。また人間に自由意志があるとして、冬夏のそれがマリアによってどのくらい影響を受けているのか判然としない。今後、研究によって物理現象としてのブラーファは理解が進むだろう。それらの結果を受け取るのは哲学の役目だ。新しい哲学を生み出さずとも橋渡しをする人間が必要だ。

「祥子さん。私、大学院に入るよ」

「あなた、大学院は出たじゃない」

祥子さんは紅茶を持つ手を止めて心の底から不思議そうな顔をした。違う大学院に入ることを説明すると、「洋嗣さんといい、あなたといい、勉強が好きなのね」と、祥子さんは再び肩をすくめる。

「勉強は好きじゃない。知りたいことを知りたいだけだ」

「それで薫子は一体、何が知りたいの？」

「ブラーファ技術とエイミーが人間にとってどういうものなのか知りたい」

新しい紅茶をふたつのカップに注いでから、「あなたはブラーファでもエイミーでもないのに？」と、少し悪戯っぽい笑顔を祥子さんは浮かべた。

「イルカじゃない人間がイルカの研究をすることもあるだろう？」

私がそう答えると、祥子さんは声を上げて笑った。

＊　＊　＊

大学院の受験のために小論文を書いていると、誰かが私の前に座った。今、書いている文章に何の価値もない。遺伝学の研究を志して大学院を受験した頃に私が有していた生命科学の知識量と理解度は、客のいないショッピングモールのように心許なかった。哲学の知識がそれより多いことはないだろう。

「ちょっと今、ものを書いている。少し待っていてくれ」

千世からの返事はない。彼女は窓の外をぼうっと眺めている。ちょうど今日、梅雨が明け、祥子さんの家に泊まってから二週間ぶりに彼女は店に来た。晴れた空から想像するより外は湿度が高いのだろう。千世のスカートの裾が太ももに張り付いている。

私は三十分ほどして顔を上げた。千世の前にはアイスカフェオレのグラスが置かれている。中身のほとんど減っていないグラスの表面に、冷却された水分子の集合が張りつく。二週間ぶりに見る千世からは生気を感じない。表面の薄膜以外は全て失ってしまったかのようだ。祥子さんが新しく水を持ってくる。静かにグラスを置く祥子さんは、千世を前にして文章を書き続ける私に怒っていたと思う。口を開きかけた千世を遮って私は言った。

「君はクローラだろう？」

千世は目を見開いて静止し、開きかけた口を閉じた。

「君がクローラであることについて私からの感想は特にない。それは確立された生殖支援技術のひとつに過ぎない。問題は君がクローラであることをどう考えているか、だ」

千世は、「薫子さんはいつも薫子さんで羨ましい」と言って、口をつけないまま氷の溶けたカフェオレにストローを刺した。

「母が男と一緒に住むって言ってました」

ストローでカフェオレが攪拌され、溶けた氷とカフェオレは均一に混合された。

「四十九日が終わったらそうするって。今日の夜、家に連れてくるそうです」

室温の上昇を感知して空調の冷気が強まる。祥子さんがやってきて、「薫子。あなた千世ちゃんを連れて先に私の家へ行ってなさい」と私に言う。千世は私の代わりに、「ごめんなさい、祥子さん」と答えた。

「他のお客さんに迷惑ですよね。私、帰ります。ごめんなさい」

「そうじゃないわ、千世ちゃん」

祥子さんは床に膝をついて千世の顔を真正面から見据える。

「子供は、もう少し子供らしくしていていいのよ」

千世を私の車に乗せ、祥子さんの家に向かう。私は千世にもう一度、君はクローラかと尋ねた。

「そうです」

「母親の？」

「そうです」

千世は感情の回路がうまく繋がっていない話し方をした。まるで、認識された音声情報に対して決まった反応しかしないプログラムのようだ。家に着き千世をダイニングテーブルに座らせる。リビングルームには洋嗣さんがいた。私と千世を見ると本を閉じ、書斎にいると言い残し出て行った。私は水の入ったグラスをテーブルの上にふたつ置く。

「君は医者になると言っていた」

「はい」

「今でもそう考えているのかい？」

「分かりません。でも医者は収入も安定しているし、やりがいもあります。それに周りは医者ばかりだから。それがいちばん自然です」

「君にとって、親族と同じ職業に就くことと経済的な安定が大切なことなのかい？」

「だめですか？」

「それが君の考えならば、私はそれを尊重する」

なんだか取り調べを受けているみたいですね、と言って千世は乾いた笑い声を上げた。

「私の考えがそんなに大事ですか？」

「君は母親との関係で事実を誤認している可能性がある」

「今度は講義ですか？」と、千世はまたひとりで笑った。

「クローラは親とは全く別の人間だ」

「知ってます」

千世は私の言葉を撥ねつけて、コップの水を半分ほど飲んだ。かたりと音をさせコップをテーブルに戻す。

「母は、父の親戚中からのけ者にされて可哀想なんです」

「それと君がクローラであることに、何か関係があるのかい？」

「お母さんは私を庇うためにずっと我慢してきました。だから、私がお母さんを助けないと」

少し俯いたまま、相手を窺うように千世は私の顔を見た。

「君の母親が被害者かどうか私は知らない。私がしているのは母親の話ではなく君の話だ」

「薫子さんがお母さんのことを言い出したんじゃない」

「千世。君は今どうしたい？」と私は質問する。別にしたいことなんてないと彼女は答える。

「では、何をしたくない？」

千世はそう問われると下を向く。テーブルに飾られた花瓶の中のマリーゴールドが、沈黙を振りまきながら部屋を支配していた。

＊　＊　＊

祥子さんからの連絡が携帯端末に通知される。時刻は真夏日の正午過ぎを示していた。

——千世ちゃんが一学期の終わりから学校を欠席していて、終業式にも登校しなかったと真咲ちゃんが言っていました。それに、昨日から連絡がとれないみたいです。

私は椅子から立ち上がり、クローゼットを開けて目に入った服に着替える。鍵と携帯端末を鞄に入れ、ポットの残りをカップに注いで立ったまま飲んだ。外は暑そうだ。こんな気候の中、一体どこにいるのか。少しぬるくなったコーヒーは苦味を増している。家の扉をロックしてアパートの廊下を歩く。エレベーターの扉が開いた。箱の中は光度の高い照明で白っぽく光っている。駐車場から車を発進させると、道路は陽炎でゆらめいていた。

「千世」

門の前にひとり佇む彼女の横顔があった。左手で日傘を差し、右手で紺色のワンピースの裾を押さえながら風見鶏を見ている。あたりは山から下りてきた緑と、真っ青な空とに囲まれている。私がもう一度声をかけると、千世は振り向いた。

「薫子さんは相変わらず暇なんですね。働かなくていいんですか」

「君も暇そうだ」

「もう夏休みですから」

「学校に行かないのなら夏休みかどうかは問題じゃないだろう？」

「冬夏さんから聞きました？　あ、真咲か」

表情のない顔で千世は呟く。君はここで何をしている、と聞くと私から顔をそらした。

「風見鶏を見てます」

「楽しいかい？」

「楽しくはないですね。でも羨ましい」

「風見鶏が？」

「風見鶏も、薫子さんのことも」

千世は彼女の羨む対象を見上げている。それは刻々と変化する風向きを我々に知らせていた。昔の人たちにとって彼らは日常生活の役に立つものだった。今は数少ない幸運な風見鶏が人に見られることで生き延びている。

「私はマトリョーシカなんです」

彼らは自分が生き延びることを意識しない。ただ物理法則の通りに向きを変え続ける。

「いちばん外側の人形と同じ形をしていなきゃいけないんです。じゃないと、買った人が怒っちゃうでしょ」

私は風見鶏から千世に視線を動かして、「君は自分のことが嫌いなのかい？」と尋ねた。

「薫子さんは自分のことが好きですか？」

千世も私に向き直る。

「好きでも嫌いでもないよ」

「私は嫌いです。私をめくっても中からは母しか出てこない」

千世は寂しそうに笑っていた。「君は事実を正しく認識していない」と私が口にしても、何も言い返してこない。風が吹いて千世のワンピースがたなびく。彼女は体の向きを変えて再び風見鶏を見上げた。

「お母さんにもういらないって言われました。それが事実です」

母親が浮気相手の家に住み始めたのだと千世は言った。そのうち一緒に暮らせるようにするから少し我慢してくれと母親に頼まれたのだそうだ。あの男とは一緒に住みたくないと答えたら、母親は激昂したらしい。思ってもいない返事だったのだろう。

「ここから出て行け、私も好きにするからあなたも好きにしろって」

祥子さんと初めて一緒に旅行をした時の私は、今の千世と似たワンピースを着ていた。祥子さんが褒めてくれたことを覚えている。意図や打算の感じられない褒め言葉が私には新鮮だった。

「それなら私の養子になればいい」

私の言葉に千世がこちらを振り返る。「何を言ってるんですか？」と聞く彼女の表情は凍り付いていた。

「言葉のままの意味だ」

彼女は何度も頭を振りながら、「薫子さんの言っていることは、いつもわからない。私きっと馬鹿なんですね」と言った。

「私は、君と一緒に暮らそうと言っているだけだ」

「私が養子？　薫子さんの？　どうして？　どうしてそんなことを言うの？」

足下には、絡みつくように一年草が伸びている。短い影が夏の暑さを凝縮していた。

「恩返し、あるいは復讐だよ」

「何ですかそれ。感情的ですね。薫子さんらしくない」

千世の手が日傘の柄をきつく握りしめる。

「君は、私を感情的な人間ではないと？」

「だって、薫子さんはいつも冷静で、自分の思うとおりに生きてるじゃない」

私は洋館の門柱にゆっくり左手を突いて、「ひどいものだ」と呟いた。千世は視線をそらし、風見鶏のある洋館に背を向けて海の方を見た。

「母が許してくれませんよ」と千世は言う。汗の浮かぶその下に、彼女は虚無を形にしたような笑顔を張り付けていた。

「君はいらないと言われたのだろう？」

千世は私の言葉を聞くと古い鉄製の門扉に背中を預けた。がしゃんという音がする。

「わかりました。いいですよ。捨てられた可哀想な子犬みたいに私を拾えばいいんです」

「捨てられた子犬は可哀想なのかい？」

「どっちでもいいです、そんなこと」

呆れたように千世は答えた。

「私は君を可哀想だと思ったことは一度もない」

「じゃあなんで私を養子にするなんて言うんですか？」

怒気を含んだ声が飛んでくる。

「祥子さんと洋嗣さんに恩を返したいなら、ふたりに直接、返せばいいじゃないですか」

「彼らはそんなことを求めていない」

「だからって、私をいいように使わないでください」

そう言い捨てると、その場にしゃがみ込んでしまった。私は近くの木陰に入り、千世が顔を上げるのを待った。表通りからかすかに響く集合としての人の声と蝉の鳴き声とが、私と千世と風見鶏の間を満たしていた。

しばらくたっても彼女は身じろぎもしない。私は千世に近づき、「行こうか」と声を掛けた。千世は頭を上げずに「どこへですか？」と聞く。

「祥子さんの家」

日傘の下で頭が左右に揺れる。

「ここは暑すぎる」

「でも、私、養子になるって言ってないですから」

「それは別の問題だ。祥子さんが心配している」

少し間を置いて、よろめきつつ彼女は立ち上がった。俯いたまま、表情はよく見えない。

「無理矢理、養子にしようとは考えていない。どうしようもなくなったらそういう方法も取れるのだと認識しておいてくれればいい」

私の前で少女が頷く。ふたりで車を駐めた場所まで歩いた。千世は途中で一度、足を止め、「今日の薫子さんは薫子さんじゃないみたい」と小さな声で言った。私が「どういう意味だい？」と聞いても、彼女は「ありがとう」とだけ言ってまた歩き出す。太陽光は南中線を通り過ぎてもその光量を減少させず、日傘に映る木々の影が歩調に合わせて揺れていた。千世は揺れる影を見ていた私に気がつくと顔を背ける。そして、「入れてあげませんから」と言って、くるりと傘を回した。

翌日の朝、ダイニングテーブルに座った私の前へ、祥子さんがメモ用紙を一枚、置いた。
——薫子さんと一緒に暮らせたら素敵だな、と思います。　千世
「良かったじゃない、薫子。千世ちゃんは一度、家に戻るって」

祥子さんはそれだけ言うと立ち上がり、洋嗣さんを呼びに階段を上がっていった。私はしばらくの間、無言で千世の字を見つめていた。

その日の夜、千世を入れて四人でダイニングテーブルを囲んだ。

「千世ちゃんが家族になったら楽しそうね」

「あの、本当にいいんです。薫子さんが私を慰めようとして言ってくれたのは分かってますから」

千世は顔を下に向けたまま、小さな声で言葉を並べた。それを聞いた洋嗣さんが口を開く。

「薫子が人を慰めるために嘘を言えるわけがない。少なくとも僕は見たことがない」

「そうね。それに千世ちゃんが家族になったら楽しそうだって、私は本当にそう思っているのよ」

祥子さんはキッチンへ行き、チーズケーキが四つ載ったトレイを持って戻ってきた。

「だって薫子がこの家に来てから楽しかったもの。千世ちゃんが加わったらもっと楽しいわ」

千世は顔を上げ、彼女の前にチーズケーキを置く祥子さんの顔を仰ぎ見た。

「薫子さんは大人で頭もいいし。私はそんな風になれません」

「あなたは薫子みたいにならなくていいのよ。第一、薫子がもうひとり増えるなんてごめんだわ。理屈でこの家がつぶれてしまうでしょう」

祥子さんの言葉に洋嗣さんが笑い出した。洋嗣さんが声を上げて笑うのは珍しい。祥子さんと私は顔を見合わせる。千世は不思議そうにそれを見ていた。

4　非平衡は白い月

山間の、傾斜が底値をとる場所に湖がある。湖の周囲には、モンテカルロ法の試行後のように稲穂が敷き詰められていた。盆地と山とがぶつかる位置に温泉が点在し、気体になり切れない水分子の小さな塊が周囲に放出される。私は拡散していくそれを、車のフロントガラス越しに見ていた。

情報科学研究所でソフィに会い、それから湖の反対側までレンタカーを走らせる。もう少しで目的地だ。情報科学研究所ではブラーファシステムの人格権認可についての進捗状況を聞いた。悠木博士は、彼が研究人生の中で得た人脈や影響力を最大限、発動させているらしい。行政側はすでにガイドラインの作成を終了したらしく、大臣の認証を待っている。不可能な速さ、と言う他ない。

「カオル、あなたはブラーファ研究所をやめてもうすぐ半年です」

ソフィは研究室の自分の席に座って言った。続けて、「いつまで仕事をしないつもりですか？」と聞く。

「私は大学院に入って哲学を学ぼうと思う。別の角度からブラーファとエイミーのことを考えたい」

私は彼女に答えながら隣の椅子を借りる。新しいことに挑戦するのは素敵なことだとソフィは胸の前で手を合わせ、私も大学院で違う勉強をしてみたいと付け加えた。

「今、ソフィに辞められたら周りが困る」

「きっとカオルが辞めた時も周りの人たちは困ったと思います」

ソフィは自然な仕草でウインクをした。私は首を横に振る。

「私はただの研究員だった。ソフィは今度、主任研究員になるんだろう？」

「そうです。これで自分の研究室を持てます。それから、ちょっとだけお給料が上がります」

彼女は大げさに冗談めかした顔をして、それから真顔に戻った。

「カオル、お金は大丈夫ですか？　勉強するのはとても楽しいですけど、お金は大切ですよ」

ストレートでとてもソフィらしい言葉だ。私は、ブラーファのメンテナンスやカウンセリングを行うクリニックを開くつもりだと告げる。ソフィは椅子を滑らせ私に近づき、「それはここでもできますよ」と、ふたたび真面目な顔をする。

「ひとりがいいんだ。でも、ソフィが誘ってくれたことは私にとって自信になる」

私がそう答えると、ソフィは何も言わず穏やかな微笑を浮かべた。

湖沿いを迂回し終えて、山の麓にある大きな屋敷の前で車を停めた。現代的な日本家屋が生け垣の向こうに見える。私は門柱に埋め込まれたインターフォンを押す。女性が応答し、忽那先生でいらっしゃいますかと上品な声がした。玄関まで迎えに出た彼女は、汀高史の妻でございますと丁寧に頭を下げた。

応接室に通されるとすぐに汀高史は姿を見せた。既に何度もやりとりをしていたが会うのは初めてだ。ガラス製の背の低いテーブルを挟み、それぞれひとり掛けのソファーに座った。

「忽那先生、お待たせしました。千世の伯父の汀高史です。あの子がいつもお世話になっているようで」

理知的な中に垣間見える鷹揚な態度が、地元での彼の立場を窺わせる。私は儀礼的に一度、頭を下げてから自己紹介をし、それから単刀直入に話に入った。

「私は生命科学の研究者でブラーファシステムを専門にしています。ですから千世のことは専門外です。その上でお聞きしますが、彼女はクローラで間違いないですか？」

いきなり本題を切り出されたことには特別な反応を見せず、彼はゆっくりと頷いた。

「千世は知己の妻のクローラです。戸籍上は、知己と妻、ふたりの子供として登録されているはずです」

「千世の祖父、つまりあなたのお父様は千世がクローラだとご存じですか？」

汀高史は、十草模様の涼しげな湯のみに入ったお茶を私に勧めてから、「知っていますよ」と答え、それからわずかに顔を歪めた。

「知ったのは最近のようですが。どうやら知己の通夜の時に誰かが教えたらしい」

苦い顔をする汀高史を見て、お互いに共有する情報がおおよそ同じであることが分かった。私は一度ゆっくり呼吸をした。

「汀さん、私は千世を養子にしようと考えています」

汀高史は湯のみに伸ばしかけた手を止めた。お茶を運んできた高史の妻は、私の言葉を聞いていたはずだが何も言わずに部屋を出て行く。

「千世は、随分と難しい人生を送ってきたと思います」

しばらく考え込んでから、汀高史は言った。そして、千世の父だった弟のことを話し始めた。

兄から見た汀知己は、優しく繊細な人間だったようだ。西洋人形の収集が唯一の趣味で、不登校になった高校生の頃から集め始めたらしい。東京で医学生となり一人暮らしを始めてからは、より一層のめり込んだ。一族の中で彼の趣味を知っていたのは、高史と彼らの両親だけだった。大学生の頃、両親とともに部屋を訪れた時には、ひと部屋すべてが人形に占拠されていた。

「突然訪ねてこられたら隠す時間なんてないよって、父親が帰った後に文句を言っていました。あの時のあいつの弱々しい笑顔は、今でも時々思い出します」

湯のみが汀高史の口元に運ばれ、ひと口飲むと彼は話を続ける。

「私はね、趣味なんだから好きなことをやればいいと思うんですよ。でも父は保守的な人間だからそうは思っていなかったようです」

医者になったばかりの頃、汀知己はひとりの女性を連れて帰郷し、結婚した。

——結婚してこちらに戻って来てからの知己はよく働いていましたよ。ちゃんと休めと忠告しても、家に帰ってもすることがないと言っていました。趣味について聞いても妻が喜ばないから、と。そういう時のあいつの表情は、それ以上こちらが踏み込むことを拒否しているようでした。結婚して数年間、子供ができず、母からは色々と文句を言われてましたが、その後、千世が生まれました。

かたりと音がして、エアコンが作動する。モーター音と空気の擦れる音がした。

「千世が生まれた時、肩の荷が下りたと知己は言っていました。けれど千世にとって、知己と夏樹、夏樹というのが知己の妻の名前ですが、彼らふたりの子供でいるのは気苦労が多かったと思います。両親とも変わった人間でしたから」

小学校に入学する頃までの千世はいたずら好きでした、と言って汀高史は膝の前で手を組んだ。

「いたずらをした後の笑顔がとても可愛かったことを覚えています。でもね、小学校の高学年になる頃にはすっかり大人しくなってしまって。久しぶりに親戚の集まりで見かけた時は別人かと思いましたよ」

彼はソファーから立ち上がり応接室のカーテンを開けた。庭に植えられたツツジの木が、光沢を帯びた葉を太陽に向けている。こちらからは窓際に立つ汀高史の表情は窺えない。

「知己が死んでしまった今、私にできることはそう多くないでしょう。千世を引き取ることも考えていますが、うちの一族にいることが彼女にとって幸せかどうか分かりません。もし本当にあなたの養子になりたいと考えているのなら、私は反対しないつもりです」

彼は振り返ると一息に言葉を吐き出した。私は小さく頭を下げてから汀高史の顔を見据えた。

「ひとつお願いがあります」

彼はお茶を一口飲みながら頷く。

「千世が汀家から出た場合、祖父の孝史郎氏からの相続を放棄することになる。それはきっと彼女の母親にとって許容できないことです」

私の言葉に、ずっと冷静に話をしていた汀高史の顔が強張る。

「知己が死んでまだ二ヶ月もたっていないのに子供を放って男と住んでいる人間の気持ちを考える必要はないでしょう」

汀高史の視線が真っ直ぐ刺さる。私はその視線を捉えて首を横に振った。

「千世の母親の気持ちを考えているのではありません。私は実務的に問題を解決したいだけです。汀さん、あなたから千世のお祖父様に、いくらか財産を分与してもらえるよう頼んでいただけないでしょうか。相続予定分の一部で構いません」

「千世に与えてどうしようと言うのです？」

明らかな警戒の色が相手の顔に浮かぶ。

「千世の母親に全て渡します」

私の答えを聞くと、汀高史は拍子抜けしたような顔をした。それから右手を額に当てて、考えをまとめるように話し始める。

「そうですね……確かに父にとっても悪い話ではないかもしれない……血の繋がらない人間に相続権がいくよりはいいかもしれません。戸籍から抜けてもらうための手切れ金と考えることもできる。しかし千世の母親にとってはもらえるはずのお金が減るでしょう？」

「そもそも千世の母親自身に相続権はありません。相続権を持つのは千世です」

「だけどあの母親はそうは思っていない。千世のものは自分のものだと思っているはずだ」

私は首を縦に振り同意を示す。

「千世は、汀の人間としての相続権は全て放棄する、あるいは遺産を受け取ったとしても全額、寄付するつもりだと母親に伝える予定です。全く貰えないよりは少しでもあったほうがいいと思わせる」

汀高史は私の言葉に頷くと、「そうですか、分かりました。父には私から話してみましょう」と応えた。

＊　　＊　　＊

祥子さんと私を乗せた車が渋滞に捕まる。私は窓を少し開けハンドルに手を置いた。

「ところで薫子ちゃん。あなたよく千世ちゃんを養子にするなんて言ったわね」

「祥子さんが私の立場でも同じことをしたんじゃないかな」

どうかしら、と祥子さんは呟く。私は助手席にちらりと目線をやって、「祥子さんは犬を拾うみたいに子供を拾うだろう」と言うと、ため息が返ってきた。

「薫子。そういうものの言い方を千世ちゃんに教えちゃダメよ」

「千世が言ったんだ。犬を拾うみたいに私を拾えばいいって」

祥子さんは天を仰いだ。

「きっと薫子の言葉が足りなかったのね」

「私はいつも過不足なく話しているつもりだ」

「そう思ってるのは、あなた自身と、後は洋嗣さんくらいだわ」

千世の母親は、養子の件を知ると、一緒に旅行しようと千世に提案した。千世は最初、渋ったようだが、最後だからと頼まれて行くことにしたらしい。私と祥子さんは約束したファミリーレストランに入り、四人がけの席に案内してもらう。ドリンクバーをふたつ注文し、並んで腰掛けた。離れた席から兄弟喧嘩の声が聞こえてくる。「小さい頃、姉さんとはよく喧嘩になったわ」と、祥子さんは言った。

「今は仲良しじゃないか」

「そうね。喧嘩をしなくなったのはいつ頃からかしら。喧嘩といっても私が一方的に泣かされて、姉さんが怒られるだけだったけれどね」

祥子さんはさらに何かを言いかけて言葉を飲み込んだ。祥子さんの目線の先には、千世と女性がもうひとり、一緒に立っているのが見えた。ふたりはこちらへゆっくり歩いてくる。隣で祥子さんが、「今日は怒っちゃだめよ」と囁いた。

「忽那さんでいらっしゃいますか？」

初めて見る千世の母親が目の前にいる。汀夏樹は落ち着いた雰囲気のセットアップを着て、左手の薬指に指輪をしていた。祥子さんと私は立ち上がって挨拶し、汀夏樹は機嫌の良さそうな笑顔を浮かべてそれに応えた。千世は完全な無表情で顔全体を覆っている。私は書類をテーブルの上に載せ、汀夏樹の前に押し出した。

「お互いの意思は確認済みだと思いますが、よろしいでしょうか？」

私の言葉に汀夏樹の口元が僅かに引きつる。彼女は私が出した書類を凝視した。

「人の子供を引き取りたいとおっしゃるのでしたら、何かひと言あってもいいでしょう？」

千世は表情を変えず俯いている。私は汀夏樹を見た瞬間から吐き気を覚えていた。子供の頃の記憶が蘇るのか、あるいは生理的な嫌悪感を覚えているだけなのか、自分では判別できない。

「千世さんを養子にいただけるとのことで大変ありがたく思っています。大切に育てますのでどうぞご安心ください」

私は頭を下げた。汀夏樹はテーブルの上で両手を組み、「子供を育てるのは口で言うほど簡単じゃありません。あなたにその覚悟はありますか？　今日はそれを伺おうと思って参りました」と真面目な顔をして言った。祥子さんが私の服の背中部分を見えないように掴んで、「心配されるお気持ちは分かります。私もできるかぎり手伝いますから」と代わりに答える。私が怒り出すと思っているらしい。千世の母親は、私の顔の上に素早く視線を走らせてから祥子さんを見た。

「あなた方は本当の親子ではないと伺っていましたが、実際ちっとも似ていませんわね」

「似ていなくても、薫子は私の大切な子供に変わりありません」

「そうですか。随分とお優しいのですね。そんな慈善事業みたいなことをなさるなんて」

千世は命の宿らない人形のようにただそこに座っている。私は、「それではこちらの書類に署名をお願いできますか？」と書類の上に手を載せた。数秒の間、書類と私の手に視線を向けていた汀夏樹は、やがて顔を上げると想像通りのことを口にする。

「千世を養子に出す件は、やはりお断りしようと思います」

話は振り出しに戻った。「どういうことでしょうか？」と祥子さんが尋ねる。

「千世は私の産んだ私の娘ですからこれからも一緒に暮らすと、そう申し上げています」

当然だという表情を浮かべる汀夏樹に、「それは今、お付き合いされている男性と別れて千世さんと一緒に住むという意味でしょうか？」と祥子さんは質問を重ねた。

「彼と別れなくても千世と一緒に住むことはできます。千世と私が彼の家に住めばいいのですから」

私は子供の意向を無視した態度を指摘しようと口を開きかけた。が、それよりも早く汀夏樹の隣から言葉が発せられた。

「お母さん。私、あの男と一緒に暮らしたくない」

ただ冷静に事実を告げるような声色だった。汀夏樹は千世に向かって優しい笑顔を向ける。

「すぐに慣れるわよ。学校からはちょっと遠くなって大変だけど、見晴らしが良くてすごくいい場所なのよ。南側には海が見えるの。きっと千世も気に入るわ」

「私はあの男ともお母さんとも一緒に暮らさない。ごめんね、わがままな子供で。お母さんは汀の家で苦労してきたんだから、これからはその男と幸せになればいいよ」

千世は変わらず表情を失ったままで、彼女の指はテーブルの上できつく組まれていた。

「千世、母親が娘と一緒に暮らしたいと思うのは当然でしょう。わがまま言わないで」

「だからそれは嫌だって言ってるのに、お母さんは何度、同じことを言うの？」

「ちょっと。母親が一緒に暮らしたいって言ってるだけなのに、どうしてそんな言い方するの？」

千世の言葉が汀夏樹から笑顔を奪う。

「それは私がひどい子供だからだよ。さっきも言ったでしょ？　私はあなたとこれ以上、一緒にいたくない」

「私がどれだけ苦労して育ててきたと思ってるの！」

汀夏樹は突然立ち上がると、声をうわずらせて怒鳴った。

「私はクローラだから病院を継げない。だからこれ以上、苦労して私を育てる意味なんてない」

千世の声が呼応して大きくなる。汀夏樹は少しトーンを抑え、「別に病院を継がせたくて育てたわけじゃないわ。あなたが将来、私みたいに苦労しなくてもいいようにって、そう思っただけよ」と諭すように言った。声は抑えられていたが、汀夏樹の肩は呼吸に合わせて大きく上下し、手が震えている。彼女の身体は交感神経に支配され、私のことも祥子さんのことも視界に入っていないのだろう。ただ目の前にいる、自分の意に沿わない娘に対して言葉を投げつけていた。千世は一度、ゆっくり息を吐き出してから母親に向き直った。

「謝ってよ」

冷たい声が周囲に伝播し空気が振動する。全ての感情をどこかに置いてきたような声だった。私は自分の両親が死んだ時の自分に戻っていた。恨む気持ちも起きず、感謝する気持ちも起きない。喪失感もなく希望もなかった。ただ私はひとり葬儀場にいた。周囲の人間の言葉は、純粋に言語的記号の並びでしかなく、存在も実在もそこにはなかった。

「何を謝れって言うのよ！」

周囲の目もなく客観もない。ただひたすらに主観的な、衝動としての叫び声が店内に響く。店員がこちらにかけよって来る。店員は四人を見回すと、祥子さんに小さな声で話しかけようとする。祥子さんは店員が言葉を口にする前に、「もう出ます。ごめんなさい」と冷静な口調で伝えた。店員はただ黙って頷いて持ち場に戻っていく。周囲の客たちは、こちらに好奇の視線を向けていた。

「私が生まれてからの全てだよ。お母さんの希望を叶えるために私を使ったことも、クローラだから私に従えって言ったことも、そのくせ周囲には黙ってろって言ったことも、お父さんが大切にしてた人形を捨てたことも、全部だよ。お父さんが自殺したのは、あなたのせいだ。あなたが私たちにしたことの全てを謝れって言ってるんだよ」

言い終わった千世は過呼吸に陥り、元より青ざめていた顔色は全く血の気を失う。顔色から失われた全ての生気が、彼女の動悸に、彼女の言葉に使われた。これまでの想いをぶつけるための言葉に使われた。

汀夏樹は乱暴に鞄を掴んで歩き出し、そのまま店を出て行った。

店員には私と祥子さんとで何度も謝った。千世は私たちの横にただ立ち尽くしていた。祥子さんの家へ戻るために車を駐車場から発進させる。しばらくして千世が口を開いた。

「店員さんとか周りにいたお客さんには迷惑だっただろうな」

「あの店を指定したのは君だろう？」

「だって人がいないところで話し合ったら、あの人は余計、手が付けられなかったと思う。一度興奮すると訳が分からなくなっちゃう人だから」

「なら、いいじゃないか」

私は前を見たまま言った。祥子さんが音楽を掛け、車内に音が戻る。千世はなおも後悔を口にした。

「でも迷惑をかけたことに変わりないでしょ。それに私、ちょっと言い過ぎたかもしれない」

「子供が親に言いたいことを言うのは、そんなに悪いことじゃないわ」

祥子さんは静かに、しかし明瞭な口調で言った。そして小さくハミングを始める。

昼の空には、満月に少し足りない白い月が浮かんでいた。

＊　＊　＊

私はその日、祥子さんを誘って海へ行った。

「本当に行くとは思わなかったわ」

「約束だっただろう？」

「それにしてもこんなに朝早くじゃなくてもいいじゃない」

前日、汀夏樹から養子に関する書類が郵送されてきた。私と祥子さんは、千世と汀夏樹が納得するまで何度でも話し合うつもりでいた。千世がもう一度、母親とやり直すと言っても、それを受け入れるつもりだった。

しかし汀夏樹は簡単に親権を放棄した。ファミリーレストランでの話し合いから書類が返送されてくるまでに一週間もかかっていない。財産についての話し合いも提案通り受け入れられた。彼女が子供に興味を失う様子は、まるで憑き物が落ちたかのようだった。千世がこの街に越してきてから住んでいた部屋は解約され、当面は祥子さんの家で生活することになった。私と千世は今、部屋を探している。当初、私が住んでいる部屋に千世と住めばいいと考えていたが、その案は祥子さんに却下された。ふたりで住むのに相応しい家があるはずだというのが祥子さんの意見だ。千世ちゃんと一緒に住むのなら、家具も揃えてもう少しきちんと生活をしなさい、と祥子さんは小言も付け加えた。

汀夏樹から送られてきた書類以外に、もう一通、郵便を受け取った。ダッシュボードから汀高史の手紙を取り出して祥子さんに渡す。祥子さんは送り主を確認するとすぐに読み始めた。

汀高史からの手紙には汀家の事情が記されていた。千世の父の知己は、彼の母親である佳奈子の浮気によってできた子供で、父の孝史郎と血の繋がりはなかった。孝史郎が知己を認知し、自分の子供として育てた理由は孝史郎と佳奈子しか知らない。知己は高校生の頃、秘密を知ったらしい。知己と高史がともに東京の医大生だった頃、知己から聞かされたと手紙には記されていた。

孝史郎は知己の葬儀の際、千世が夏樹のクローラであることを知った。知った彼が激怒したのは、佳奈子が知己を身ごもった時の記憶が蘇ったからではないかと高史は考えている。手紙は、千世の幸せを願い、自分の力不足を詫びる文面で締められていた。

「千世ちゃんの母親のしていたことは一体、何だったのかしら？」

祥子さんは手紙を読み終えると封筒にしまった。

「母親のしようとしたことは、私たちとは何も関係がないよ」

隣で祥子さんの深いため息が聞こえる。ため息を合図に車は海沿いに出た。まだ境界線の曖昧な藍色の空と海とが、私たちの視界を支配する。無機塩化物と有機物とに富んだ大気が車体の側面を流れ、制御しきれない乱流を後部に残し去って行く。車が海水浴場の近くに駐車されても、夏の海はまだ閑散としていた。私ははさみを取り出し、便箋を半分に切った。半分に切った便箋を重ねてまた半分に切る。祥子さんは助手席で不思議そうな表情を浮かべたまま黙って見ている。私は作業を続け、三枚の便箋を小さな紙片の集合に変えた。私はそれらを再び封筒にしまい車から降りた。吹いてきた陸風に、私と祥子さんの髪が巻き上がる。

今日は部屋を探しに行く日だ。海水浴場を出て祥子さんを店まで送って行ったら、そのまま千世を迎えに行く。私に部屋の希望はない。間取りも立地も、家賃の払える範囲内であれば何でも構わない。千世は海の見える家に住みたいと言っていたが、きっと家賃は高いのだろう。

砂浜は海と崖とに挟まれ数十メートルほどの幅しかない。崖の上に置かれた小さな展望台に着くと、祥子さんは帽子を手で押さえながら朝日の昇る海面を眺めた。

刻一刻と世界は明るさを増す。真夏の熱気を含む前の弛緩した時間の中、私は紙片の入った封筒を祥子さんに渡した。

「私の手のひらの上に中身を出してくれないか？」

祥子さんは自分の体を風除けにして、言った通りにしてくれた。私は飛んで行ってしまわないように両手で包み込み、風が強く吹くのに合わせて空に向かって放った。ある紙片はすぐ近くに落ち、別の紙片は風に乗って遠くまで飛んだ。あるものは砂の上に着地し、あるものは海の中に吸い込まれた。

「それで、これは何？　薫子ちゃん」

紙片の行方を一緒に眺めていた祥子さんが尋ねた。

「実験だよ、祥子さん。実証は科学の基本だ」

そう答える私の顔を見て、祥子さんは驚いた。

「めずらしいわ。薫子が笑ってる」

＊　　　＊　　　＊

「前にも言ったけど、やっぱり私、あの人に悪いことをしちゃったかなって」

千世は石造りの階段を昇りながら言った。

「親戚の人にずっと馬鹿にされてたんだ、あの人。親戚たちも私には直接、言ってこなかったけど、雰囲気で分かるから」

「悪いことをしたと思うなら謝ればいい」

「薫子さんは謝るべきだと思う？」

「思わない。けれどそれはあくまでも私の考えだ」

石段の両側は夏草に覆われて、階段部分も一部、浸食されつつある。足を動かすたびに汗が流れた。お盆を過ぎたばかりの墓地には誰もいない。これから日が昇るにつれて植物は勢いを増し、呼吸をして、光合成を行う。蝉の喧噪に混じって千世の息づかいとふたりの足音とが聞こえる。

「旅行中ね、あの人すごく優しかった。色々と買ってくれようとしたし、私がどこに行きたいか、いちいち聞いてくれたし」

千世はこちらを見ていない。私たちは足下の石段に視線を向けてゆっくりと登った。

「それがすごく気持ち悪かった。だから私も、今は謝りたいとは思わないな」

千世の顔をちらりと見ると、白い帽子を被った横顔から汗が流れ落ちていた。

「生命の持つ機能は可変なんだ。環境と時間によって変化していく。君がこの先、母親と話したくなったら話せばいいし、会いたくなったら会えばいい」

「薫子さんはそれでいいの？」

「駄目な理由を思いつかない」

「そっか」

長い石段は終わりを告げ、墓石の列が見えた。

「あのね、薫子さん。まだ私の中では、お母さんに悪いって思う気持ちとか、お母さんに謝ってほしいって気持ちとか、色んなものがごちゃごちゃになったままなんだ。刺さって抜けない棘みたいに、ずっと心から離れない」

少し息の切れた声で千世は言った。墓石の間の通路をふたりで歩く。荷物を持った両手が汗で滑った。

「抜けないのなら刺さったままにしておけばいい。刺さったままで生きていけるように考えればいい」

「薫子さんの心にも棘は刺さってるの？」

千世はこちらを向いて問いかけた。私は荷物を持ち直す。

「ずっと刺さったままだ。今からそれを抜きに行く」

表面が平滑なケイ素化合物が目の前に置かれている。両親が納骨された際に訪れて以来だ。表面の光沢は覆われた埃で失われていた。掃除をしたが、以前に見た記憶と同じ状態に戻ったのかどうかよく分からない。私は屈んで手を合わせた。同僚だった優秀な人間が結婚の挨拶をしたいと言っても拒むくらいに、私は儀礼的な行為が苦手だ。しかし今私がしていることは、儀礼的な行為以外の何ものでもない。千世は私の隣で同じように手を合わせていた。

「これで棘が抜けたの？」

「正確にいうと棘が抜けているか、確認しに来た」

「抜けてた？」

手桶を持って隣を歩く千世はもう一度、聞く。

「おそらく」

私がそう答えると、千世は久しぶりに屈託のない笑顔を見せた。

「よかったね、薫子さん」

＊　＊　＊

人参と包丁を手に持ったまま、千世は中空に視線を止めている。注意しても反応がない。諦めて作業に戻ろうとすると千世が呟いた。

「お父さん、死んじゃったなあって思って」

手を止めて私は顔を上げる。

「そうだ」

「うん」

顔を上げるとリビングルームに積まれた段ボールが目に入った。中身はほとんど本ばかりだ。

「そういえば私、あの人が遊びに行って帰ってこない時、お父さんにご飯を作ってあげてた。大体、和食だったな」

千世は視線を止めたまま、誰に聞かせる風でもなく言葉を吐き出した。

「千世は父親と仲が良かったのかい？」

私の問いかけに対する答えはすぐに返ってこなかった。千世は自分が何をしていたのか思い出すように人参と包丁を見つめている。

「ううん、全然。いつもあの人の言いなりで、弱くて、好きじゃなかった。私とは全然ちがう人間だって思ってた」

千世は人参の皮をむき始める。

「でもお父さんの集めてたお人形さんは可愛かった。時々、勝手に部屋へ入って眺めてたんだ」

リビングの掃き出し窓からは、レースのカーテン越しに明るく白い光が注いでいる。今日も外は暑いらしい。

「君の部屋に置いてあるのはその人形かい？」

「そうだよ。お父さんのいちばんのお気に入りだった子。ほとんどお母さんに捨てられちゃったけど」

千世は再び手を止め、包丁に張り付いた人参の皮をぼんやり眺める。

「私、ぬいぐるみ買ってもらったんだ。今、思い出した」

包丁を置き、こちらを向いた。

「すごく小さかった頃、お母さんにぬいぐるみを買ってもらった。ふたりで買い物してて……都会だった……すごくお洒落なデパートに入って」

彼女の目に涙があふれていく。

「私、すごく嬉しかった。テディベアみたいなクマのぬいぐるみ………そっか、多分この街にふたりで来てたんだ。なんで来てたのか、全然、思い出せないけど」

ぽろぽろと雫が落ちる。

「千世」

「何？　薫子さん」

「クローラに変異を入れるのは、生物学的に同じ人間を作らないためだ」

「それ、前にも聞いたよ」

手の甲で涙を拭いながら千世が言った。

「クローラに親と同じゲノム配列を持つものはいない」

「薫子さん、手が止まってる」

千世は鼻声のまま呆れたように言って、私の手からじゃがいもを取り上げる。それからしばらく黙々と作業を続け、玉ねぎはカラメル化反応とメイラード反応によって飴色に変わった。

出来上がる間際になってカレーをよそうのに相応しい皿が家にひとつしかないことに気がつき、近所の雑貨屋へふたりで買いに出かけた。道すがら、朝顔の鉢植えが置かれた家の前を通る。今の時間に花は開いていない。角を曲がり交通量の多い幹線道路を横断した。

「薫子さん、私ね……」

頭に載せた帽子の位置を直しながら千世が言う。

「私ね、実はブラーファなんだ」

とっさに意味が理解できず、視線を千世の顔に向ける。

「珍しい。薫子さんが驚いてる」

千世は大きな声を出して笑った。

私が「冗談はやめてくれ」と首を振ると、「ううん、本当だよ」と彼女は答えた。

「しかし君はデバイスを装着していない」

「ブラーファっていっても遺伝子を持ってるだけ。デバイスを使ったことは一度もないの」

千世の母親は、クローラ技術による遺伝子操作の際に、ブラーファ遺伝子も同時に組み込むよう依頼したらしい。しかし出産後に気が変わり、ブラーファシステムを装着させなかったと千世は説明した。

「君の母親が方針を変更した理由がよく分からない」

私はもう一度、首を振る。

「私が、もっとあの人と違う人間になっちゃうからじゃないかな？」

「それならば最初から組み込まなければいい」

「あのね、これはただの私の想像なんだけど、あの人は自分の能力に自信がなかったんだと思う。せっかく自分の分身を作ったのに、全然、勉強ができなかったら計画が台無しでしょ」

千世は歩道と車道の間にある縁石の上を軽やかに歩きながら、「あの人の予想はけっこう当たってたけど」と楽しそうに言ってまた笑った。

「それでね、薫子さん。私、ブラーファデバイスを入れてみようと思うんだけど、どうかな？」

もしそうなれば、ほとんどの神経ネットワークが完成してからデバイスを装着することになる。おそらく世界初の事例だ。

「君は今のままで十分だ。それとも、もっと頭が良くなりたいのかい？」

千世は縁石の上で立ち止まり、こちらを振り返った。

「あれ？　おかしいな。薫子さんは喜んでくれると思ったのに」

私は首を傾げて、どうしてそう思うのか、と聞いた。

「だって薫子さんはブラーファ研究者でしょ。私みたいな珍しいケースを見れたら嬉しいかなって」

ライトブルーに塗装されたドイツ製のワゴン車が、低速で私たちを追い越していく。私は、「嬉しいだろうね」と答えた。

「じゃあ、どうして反対するの？」

「必要がないからだ」

千世は私の隣に戻って来て、私の顔を覗き込んだ。

「私ね、冬夏さんとマリアさんの関係が羨ましい。すごく楽しそうだし、私が私になれるような気がするの」

5　終わりは流体

「話は冬夏から聞いたよ。千世の母親はひどいやつだ」

マリアは冬夏の携帯端末に自ら接続し、私にそう言った。

「きっと彼女はそう思っていない。彼女なりの正義があるんだろう」

私は冬夏の持つ携帯端末の画面を見ながら答えた。携帯端末の持ち主がマリアに変わって発言する。

「子供を自分の都合で振り回すのを正義とは言いませんわ」

「私は他人の正義に興味はない」

「じゃあ、薫子さんの正義って一体、何なの？」

マリアは不満と怒りを表す抑揚で音声を発した。神社の近くの交差点は人であふれている。私は半ば無意識に浴衣を着た人間を数えながらマリアの問いに答える。

「私には正義も不正義もない」

「でも薫子さんは千世を引き取ったじゃない？」

冬夏はマリアの言葉に頷き、賛意を表した。

「それが正しいことだったとは思っていないよ」

浴衣のサンプル数が百を超えた。正確な数を覚えていられなくなる。しかしおおよそ四割くらいの人間が浴衣を着ていた。祥子さんが千世と真咲を連れて後から来る。ふたりとも祥子さんの家で浴衣を着せてもらうらしい。

「千世を養子にしたのは、祥子さんと洋嗣さんに恩を返すためだって聞いたけど、それは薫子さんなりの正義じゃないの？」

マリアはまだ質問を続ける。彼女にとって興味のある話題なのかもしれない。

「それは正義とは呼べない。私の欲求を理性で形成しただけのものだ」

「では、千世の母親にもそうする理由があったということですか？　薫子さんはそれでよろしくて？」

冬夏が拗ねたように尋ねた。

「良いも悪いもないんだ」

境内の階段を、冬夏とマリアと一緒に三人で登る。

周囲の環境刺激に反応して人格が変容するのならば、千世の母親には変容して然るべき要因があったのかもしれない。しかしそれは、私の興味の範囲外だ。ひとりの人間が抱えられる量は決まっている。抱えられないものに思考を割く趣味はない。

「私は千世と暮らす。それだけだよ」

私はできるだけ落ち着いた声でそう言った。冬夏とマリアはそれ以上、追及してこなかった。

境内に着くと、櫓の姿が目に入った。太鼓の音が響いてくる。冬夏はマリアとふたりで盆踊りの列に加わった。私は冬夏の踊る様子を眺める。音波の重なりが伝播し、湿度がそれを包み込む。夜の闇に提灯が浮かび、その光に照らされる祥子さんたち三人の姿を見つけた。

「薫子さん」と大きく手を振って千世がこちらに駆け寄ってくる。彼女は水色の浴衣を着ている。それは、風見鶏が浮かぶ空のような色をしていた。

集合人工知能についての今後の展望 ――模倣から創造へ――

榊原マリア、榊原冬夏、忽那薫子

汎用人工知能の次なるステップとして期待を集める集合人工知能は、訓練用に要求される情報の量および質・種類がボトルネックと言われている。特に情報の質の向上と多彩化は大きな問題であり、打開策のひとつとしてブラーファシステムをインターフェイス化する試みが始まった。

汎用人工知能の目指すべき方向性にコンセンサスが得られている状況とは言えないが、人間の脳の働きの延長線上にそれを求めることは最も穏当な選択肢のひとつである。脳を模倣しながら発展させていく先に、人間とは違った問題意識や解決能力、創造力が得られると期待される。

人工知能の発展に寄与する基本的な要素は、与えられる情報と人工知能が有するアルゴリズムである。アルゴリズムは日々進展を見せる一方、訓練に必要な情報は、ネットワーク上に保存されているテキストや映像データが大半を占め、その質に大幅な変化は見られない。ネットワーク上に存在する情報の大半は世界をそのまま写した情報、あるいは人間の思考の何れかである。

実景の画像・映像データは世界を写した「生」の情報（デジタル化されていることに目を瞑れば）であるが、多くは付随する人間の思考や感情、一言で表せば「文脈」が欠如している。映像に映る人間が発する言語的・非言語的情報から、二次的に感情・思考を抽出することは可能だが、神経ネットワークの情報を直接、取得することはできない。テキストデータは言語的記録であり、人間の脳から発出されるアウトプットを意味するが、対となるべきインプットデータを伴うとは限らない。

脳は、五感を通して得られた外部世界の情報を解析し、反応する。一連の情報は記憶され、次の解析に反映される。脳機能を理解する上で大切なのは、外部から得られた生の情報と神経ネットワークの活動、外部への反応をセットにした情報群である。その点を考慮すると、テキストデータはほとんど外部に対する反応のみを、映像データは外部情報を、場合によっては脳からの反応を含め扱っている。

ブラーファシステムは装着者の神経電気信号を受信し、体内に埋め込まれた専用デバイスで解析する。これにより、装着者が五感から得た情報と、装着者の思考、反応を一度に取りこむことが可能である。視覚情報を例にとれば、網膜から送られてくる電気信号は、「生」に近い外部世界の映像情報である。また視覚野やそれに関連する領域では物体の認識が行われるため、オブジェクト化により圧縮された状態のデータが生成される。最終的にブラーファシステムは、異なるレイヤーの視覚情報および、感情・直感、高次の思考など、神経ネットワークの情報、それに続くアウトプットに関する情報のすべてが、デジタルデータとして取得される。

集合人工知能は、人間各個人の有する、文脈を伴った世界の情報を元に訓練される。特徴的なのは、ひとりの人間の情報ではなく大量の、理想的には世界中すべての人間の持つ記憶や思考、感情、本能をもとに形作れられる点にある。現状ブラーファ装着者の数は限られるが、技術や社会の発展に従い、より多くの情報をもとに訓練された集合人工知能が作製されるだろう。

ブラーファシステムは当初、個人の神経ネットワーク機能を支援するために開発された。システムの高度化により、一時は個人情報の問題や、ブラーファデバイスの人格について議論を呼んだ。しかし、研究者とブラーファ装着者、ブラーファデバイスはそれらを乗り越え、現在では人類の知性により大きな貢献を果たすべく新たな方法を模索している。

(Science of Artificial Intelligence, 9:487, 2029 のコメンタリー "Perspective for Collective Artificial Intelligence –From Imitation to Creation with Brafa–" より訳出。

訳者、榊原マリア)

チョコレートケーキと素数

　ぴったりと閉まった窓ガラスを伝って蝉の鳴き声が聞こえる。植物や動物から曲名、人名に至るまで固有名詞を覚えられない。今は一体どの種類の蝉が鳴いているのだろう。

「祥子さんと洋嗣さんはなんで夫婦なの？」

　千世がフォークでパスタを巻きながら言った。私はコーヒーカップに口をつけながら目線だけを千世に向ける。

「君はあのふたりが夫婦でいることが腑に落ちない？」

「うーん」と千世は首を捻って固まってしまった。フォークの先端が上を向き、どこでもない場所を指している。

「祥子さんも洋嗣さんもいい人だよ」

「答えになっていない」

　窓越しに見える建物の並びが山の麓まで続き、山の後ろには、薄い雲の浮かぶ空があった。越してきて少し経つが、景色を見るたびに現実から取り残される。きっと物ごとがうまくいっているからだろう。

「二人は『お似合い』のカップルだって思うけど、でも、全然タイプがちがうから」

　先ほどよりさらに首を傾げて千世は言った。

「どうやって知り合って、それから付き合って、結婚することになったんだろうって」

「似た者同士が結婚したらつまらない」

千世はフォークでミニトマトを突き刺して顔を上げる。

「薫子さん、適当に答えてない？」

「多様性の問題だよ」

「薫子さんは多様性って言葉好きだよね」

「好きもなにも、生物学の基本だ」

「あー、そっか」

千世はひとり頷くと、再びパスタを口に運ぶ。

素数年の周期で一斉に地中から出てくるから、素数ゼミは似た者同士なのだろうか。公約数を持たないがために他の周期の蝉と出会うことがないから、変わり者の集まりなのだろうか。過酷な環境のせいで十年以上にわたり地中で成長することを余儀なくされた。毎年、成虫が地上を飛び、そして交配することは叶わない。

異なる周期を持つ個体同士が交配すると、中間的な周期を持つ子孫が生まれる。世代を経るたびに周期が揺れ動き定まらない。同じ周期を持つ個体が少ないと交配の機会が限られる。せっかく地中から出てきても他の個体とあまり出会わないからだ。結果、公約数を持たない素数周期の蝉たちが生き残った。異なる周期を持つ蝉と出会わず、必ず１３年、あるいは十七年周期で一斉に地上に這い出てきて束の間の生を過ごし次世代を残す。数万年におよぶ繰り返しにより周期は収束し、他の蝉はその土地からいなくなってしまった。進化と時間は等価だ。

「またぼーっとしてる。よし、薫子さんが今、考えてることを当ててあげるよ」

千世がそう言ったのとほぼ同時にインターフォンが鳴った。時計に目をやる。時間どおりだ。

「わたくし、薫子さんのお家に来るの、初めてです」

左手に端末を持ち、右手にケーキ店の紙袋を提げている。冬夏は扉を開けた私に笑顔を向けた。端末から音声が出力される。

「外は暑いよ。冬夏から伝わってくる。うんざりだ」

マリアの声に同調するように冬夏は首を縦に振った。私の後ろから千世が顔を覗かせ、「いらっしゃい」と言う。

ケーキと冬夏さんが来た、とはしゃぐ千世に、「非生物を主体とするのは不自然だ」とマリアが応える。冬夏は、「ねえ、マリア。あなた、少しずつ薫子さんに似てきているわよ」と、心配そうに端末の画面を見た。

「冬夏、君はチョコレートケーキを食べるべきだ。あれがいちばん美味しい」

間を開けずにマリアは返答した。

「いくら自分が食べたいからって、私が食べるものくらい自分で決めさせてちょうだい。そもそも薫子さんに選んでもらうのが先でしょう」

キッチンで紅茶を淹れる間、千世はパスタの残りを片付け、冬夏とマリアは話し相手をしている。ケーキを皿に移し、チョコレートケーキを冬夏の、フルーツタルトを千世の前に置いた。残りのチーズケーキを持って席につく。冬夏は不満をこぼすわけでもなく、チョコレートケーキを食べて紅茶を飲んだ。「セミ、鳴いてるね」と千世が言った。

『まちカドかがく』文庫化記念

『いんよう！』鼎談

市原真
サンキュータツオ
牧野曜

＊二〇二一年三月に行ったチャット上でのやりとりを掲載しています。この本の若干のネタバレを含みますので気になる方は最後にお読みください。

三人集合

サンキュータツオ　お待たせしました！

牧野曜　タツオさんおつかれさまです。

市原真（病理医ヤンデル）おっ、美しいタイル（のアイコン）が入室。おつかれさまです。

タツオ　会議室の入室に手間取りました。近くのコンビニに鍵があるというはじめてのタイプだった！

牧野　コンビニの活動範囲すごい。

市原　近くのコンビニに鍵がある。コナン君の中盤みたいなセリフですね。

牧野　三人集まりましたので始めましょうか。

市原　よろしくお願いします。

タツオ　コナンでは佐藤刑事が好きです、あ、始めましょう。

牧野　最初に申し上げたいのは、文庫版になったのは同人誌を買ってくれた人と浅生鴨さんのお陰です、ありがとうございます!!

市原　ありがとうございます！　佐藤刑事はデレる回数が多いのがちょっと。

タツオ　そうですね！　これはありがたいことです。これを読んでる人はもう一冊買ってください。

市原 ここからは何冊買うかというレースですからね。

タツオ そうですね。十冊買ってくれた人から握手券配布します。

市原 マジすか……。

牧野 二十冊でチェキが撮れます。

市原 よう先輩が文字でこうしてボケを乗せてくるのはすごいレアですね。

牧野 お二人はテキスト上でも早口なので緊張してテンションがちょっとおかしいです。

市原 誰より早くキータッチしとるやないか。

タツオ 三十冊で多目的トイレ……

牧野 タツオさん、それは載せられません！

タツオ に、勝手に入ってってください。

牧野 ということでまずヤンデル先生の『ＦＦＰＥ』ですが、僕はヤンデル先生の書く私小説風の文章が好きです。

タツオ うん。小説書けるじゃん！

市原 今回こうして、同人誌だけのために書いたはずの文章がＩＳＢＮに巻き込まれて、しかも縦書きになり、なんだか本格的にブンガクの香りを発することになり困惑しております。横書きと縦書きが変わるだけでだいぶ変わりますね……。

タツオ 次に出版するときは斜めにしなきゃいけない雰囲気出てきたよね。

牧野　いっそ、螺旋にでもしますか？

市原　斜めといえば叙述トリックだなとおもいました。字面的に。

タツオ　改めてどうでしょうか、自分の書いたものを読んでみて。

市原　そうですね……影響を受けた哲学的なものが浮き出ている文章なんですよね。しかも「これを書いたときに読んでいたもの」がにじんでいる気がします。

牧野　ヤンデル先生はその時のキーワードが文章に出てくるタイプだよね。

タツオ　そういうのあるよね。書いてた当時のことを思い出すようなね。

市原　わかります。あとで自分で読むためにそのときの最新をねじ込んでいます。

牧野　最近発売された『病理医の日常』はそれをあえてやっていたし。

市原　清流出版のやつ（『病理医の日常』）は同時に執筆していた本と書き分けるためにけっこういろいろやりました。

タツオ　なんだろう、説明の仕方と、叙述の仕方って意識してる？

市原　説明の仕方と、叙述の仕方……。

タツオ　自分が考えたこと、感じたことを、人にそのまま説明する方法と……

牧野　新刊を読んでいても思うけれど、ヤンデル先生は書く時に自分と対話している。今回はそういうのあった？

市原　叙述については、自分の思考がぶれている部分をあえて整理しすぎないようにしていますので、「当時迷っていたところ」はあとで読み返すと文章がきちんとぶれています。

タツオ あー、なるほど！　叙述のほうが生煮えなんだね。

牧野 説明と叙述ってどう違うんですか？

タツオ 叙述は、再現に主があって、説明は後のような気がする。風景とか心理の描写がそれにあたる。

市原 なるほど、風景とか心理の描写。タツオさんが途中まで書いたのを読んでわかったのですが、ぼくは「説明」のほうが論理的で、「叙述」のほうが未加工になっていますね。

タツオ そうだね。だから、叙述のほうは因果関係とかを完全に把握している必要はないというような。感覚的な話。

市原 ぼくの場合ですが、「説明」には構造がありますけれど、「叙述」は自分の見ている何かを相手に浸潤させるつもりでやっているところがあります。それこそ感覚的な話ですね。

牧野 浸潤っていう言葉がここで出てくるのおもしろい。

市原 このあいだ読んだ本の単語を入れておきました。

タツオ そうだね。とはいえ、描写の仕方にもいろいろある。風景描写でも、どこから描写するかで説明的かどうか、因果ではなく空間の把握は必要なところあるしね。

市原　あーおもしろいですね……ぼくは元来、細部の描写が「足りないほう」の人間だなと思うことはあります。

タツオ　そうなのか。でも今回のはそれがテーマだよね。細部の描写をしないとこぼれ落ちてなかったことになるかもしれないという。

市原　「小説の神髄は細部にこそ宿る」からこそ、「細部を書けないぼくは小説が書けない」と思って、この論理を脱臼させてみたら、ああいう小説になったのです。「ストーリーを追えない男」というあらすじだけを書き切る、みたいな。

タツオ　おもしろい！

牧野　あらすじを追えない人間のあらすじ。

市原　「細部」の話は最近もタツオさんが話されていたので、乗っかってみました。言語化したのは書き終わってからですよ。叙述の段階ではそこまで考えてませんでしたが、今こうして、鼎談で『説明』しようと思ったら、論理的にこうなりました。

牧野　細部が見えないことと関係あるかわからないけどヤンデル先生の文章の好きなところは、作者と主人公や世界に距離があるところ。作中で主人公は頭がグルグルしたり、頭がバーっと回ったりして慌ただしくても、文章から受ける印象は静かで、主人公と書き手の距離感みたいなのがちょうど良いなと思いました。

市原　細部を隠すと世界が交わらなくなるんで、それが「距離」になるのかもしれません。おかげさまで今日こうして自分の書いたものを振り返ることができて、面白いものです。

タツオ　なるほどなあ。俺なんか虚実皮膜というか、いっちー（市原）の本物にまだ会ったことないから、ドキュメントして読んだふしある。それくらいリアルに感じた！

市原　おお……そうですか、そう言っていただけると光栄です。

タツオ　つくづくこの本、どうかしているよね。病理医と生命科学研究者が書いた小説と、芸人が書く芸人論って、わけわかんないよね。

市原　恐縮です。そろそろ「芸人が書く芸人論」のお話にうつっても？　戸田奈津子みたいな言い回しになってしまった。

牧野　字幕芸。

タツオ　うん。というか、そういう日々の肩書から自由になっているところが、面白いよね。これ読む人、俺らのことひとつも知らずに読んでればいいのに。

市原　ああそうか……ＩＳＢＮが付くことのメリットはそこにあるかもしれませんね。「同人誌の購入者」以外の人に多少は届くかもしれない。

牧野　タツオさんのことを何も知らない人が『ＰＯＩＳＯＮ ＧＩＲＬ ＢＡＮＤ研究』を読んだらびっくりしますね、なんというかこの熱はどこから来てるんだろう？　みたいな。

タツオ　そうなんだよ。どう受け止めるんだろうね。そこは興味ある。そもそも、浅生鴨さんは、ヤンデル先生のお知り合いだから、俺は知らない人に読んでもらいたいね。

市原　熱量も……そうですし、そうそう、おうかがいしたいことがありました。

タツオ　はい、なんでしょう？

市原　書店に並んでからが楽しいですね。はい、では質問を。

市原　「文体論」というのは文学解析の手法、という理解でいるのですが、今回タツオさんが書かれたものは、文学を解析した論考と銘打ちながらも、どこか「熱く展開していく」感覚があります。

タツオ　ふむふむ。時系列に追いかけている様をそのまま書いてみたからかな。

牧野　なるほど、そうか。

市原　雑に言うところの「理系の論文」にはめったにそういう「読み物的なエモさ」はないと思うのです。

タツオ　ほえー。そうか。たしかに。

市原　ただ、タツオさんの今回の文章は、論考しながら盛り上がっていく感覚があり、それが本当に興味深いなあと思いました。全力で取り組み、かつ、エンターテインメントにもなっている。

タツオ それは、書き方を意識したように記憶してる。論文の書き方というか、フォーマットに飽きてしまって。

市原 ほほお……。

タツオ たまに全然違うジャンルの論文読んで「おもしれ!!」ってなるもののなかに、文に人間が出てきているというか、そういうものがあったんだよね。

市原 文に人間が出てきている。ああ、よくわかります。今回の論考にはタツオさんがいらっしゃいます。

タツオ ありがとう。

牧野 タツオさん論文集めてますもんね。

タツオ 『ヘンな論文』で、しかも論文などではなかなかない「時系列に整理」でやってみると、多くの人が読めるのではないかと思ったんです。

タツオ 笑いの研究の本も書こうと思っていたけど、この手法でいこうと思って、ここで実験させてもらいました。

牧野 時系列っていうのはめちゃくちゃおもしろいです。論文は時系列が、因果関係の順番に改変されるのが普通ですから。

市原 なーるほどなあ……。そして、「笑いの研究の本」ですか。おおおお

タツオ　たとえば、自分の研究史でいうと……

市原　「自分の研究史でいうと」　↑言ってみてぇ～

タツオ　……意外性とか対立とかボケ・ツッコミで説明しようとすると、どうしても矛盾するサンプルが出てくる。普通ならそれはまあ捨て置け、ということになるんだけど、文系の人間の特性なのか自分の性なのか、どうしても気になって先に進めない。

市原　ふむ。

牧野　わかるー。

市原　わかるんだ。

タツオ　そして、修士のときにぶちあたったのが、「昭和のいるこいる問題」だったんだよね。

市原　おお、のいるこいる。問題？

牧野　技術としてのお笑いなら、矛盾があっても使えれば問題ない。

タツオ　ご存じの方少ないかもしれないですけど、片方がしゃべろうとすると、もう片方が「しょうがねえしょうがねえ」「あー、良かった良かった」って、ただ受け流すだけなんだよね。

市原　なるほど、喧嘩にならないんですね。

牧野　ボケでもないんですかね？　それは。

タツオ　隣接応答ペアの考え方で「対立」と無理やり説明してみることもできるんだけど、

この問題に決着をつけないと、前に進めないと思って、「意外性」「対立」「ボケツッコミ」という捉え方から離れてみたんだよ。

牧野 隣接応答ペア！

市原 おもしれえ専門用語だなあ。タツオさんの「時系列に沿った研究史」はそうやって進んでいくのか。もうおもしろい。

タツオ 隣接応答ペアは、「情報要求」と「情報提示」みたいな、発話単位のセットなんですけどね。それとか、「ヒロシ問題」。「ヒロシです。手から草の匂いがするとです」が、なにがボケなの。なにが意外なのっていうところ。

市原 うっわ実例がえぐいな。どう分類していいのかぜんぜんわからないヒロシ。

タツオ 謎のひとつひとつにぶつかっていって、どう解釈することにしたのかっていうのを、そのまま時系列に書いちゃうのが、一番面白いんではないか、という結論に至りました。大上段に、最初から体系図示して、「こうなってます」とか言っていくより、面白いじゃん。読んでもらえそうじゃん。

市原 それはタツオさんが興味を持ち「知りたい、面白い、どうなってるの」と思考を進めていったところをそのまま追体験できる面白さですねえ……。

タツオ そうそう。追体験なんだよね。論文って、読んでもらえないんだもん。だったら追体験してもらったほうがいいかなって思ってさ。それが今回ここに書いたものと

市原　なっているわけです。この話が聞けたのは文庫版の特典としてはかなりでかいですよ。

牧野　時系列順に書いてあるものって「苦労話」がけっこう多いと思うんです。大変な手間をかけて、とか、やっとできた、みたいな。でもタツオさんのは、それとは全然ちがうところに面白さがあると思います。

タツオ　これからは研究のプロセスの共有だよ。こないだも配信でいっていたけど、どういうアプローチで問題に迫るかっていうのが一番面白いじゃん。

市原　そしてよう先輩がおっしゃるように、「苦労話じゃない追体験」ってけっこう少ないですよね。「研究のプロセスの共有」かあ。言語化したことなかったな。

牧野　サイエンスコミュニケーションの形として面白いですね。

タツオ　ホントにすごい研究って、手法もデータも非常にシンプルに見えて、だれにもできそうに見えるんだけど、そうなるまでがすごいからさ。

市原　たしかに……。

牧野　そう、そうなんです！！！！！！！！！！！！！！！！　と、こういうふうに「苦労をわかってほしい」的な感情にかられますが、そうじゃない面白さを出していきたいです。

タツオ　そこは気を付けたいね。科学コミュニケーションと苦労話は違うからね。あの試行錯誤を共有すれば、無駄な戦いもせずに済むし、余計なアドバイスも浴びずに済むのかもと思う。

牧野　「余計なアドバイス」というパワーワード！

タツオ　「それもうやった」っていうやつ。そして、同人誌版は、POISON GIRL BANDの吉田さんに直接お渡しできました。ありがとうございます。

牧野　熱い!!　参加していただいて良かった！

市原　いいですねーすてきです。それが載った同じ紙面に参加させていただいてありがたいことです。

牧野　本当に、ありがとうございます。

タツオ　貴重な機会をありがとうございました。そして、よう先輩ですな！

牧野　あの、僕のはいいです……ごめんなさい。

市原　ですな。さて、先輩についてはどこから話を聞いてもいいんですが……やはりここは文庫版オリジナル、特典としての貴重な話をおうかがいしたいですね。

牧野　あ、えっと短い後日談を二つ書きました。

タツオ　そうだよそうだよ。言っちゃいなさいよ！　この小説書けたから仕事辞めました、とかさ。

市原　後日談ってまさか仕事やめたほうの話では……。

牧野 仕事を辞めた理由ではないのですが、小説を書いてみようと思ったのは、『熱量と文字数』（サンキュータツオ主宰のポッドキャスト番組）のブヒ部にメールを送っていたときです。

市原 ブヒ部って文章で目にするとインパクトすげぇな。どんなメールですの？

タツオ かなりインパクト残したからねー！　ブヒ部は『熱量と文字数』のバックナンバーで聴いてください。

市原 御意。

牧野 あ、あ、ありがとうございます。ブヒ部は二次元キャラクターと回収した妄想を書いて送るコーナーで、あの、なんというか、本当にくだらないことを書いてもいいコーナーなんですけど、書いてて、状況を短い言葉で描写するの好きだと思ったんです。それこそ説明ではなくて。

市原 おっここでまさかの「説明と叙述」の話に円環した。

牧野 だから必ずひとつは風景の描写をいれたりして、あとはいかに短い文章に詰め込めるか（読み上げてもらうので）、とか考えて書いてました。今回ＳＦ小説みたいなのを書きましたけれど、やってることは同じです。

タツオ あー、なるほどね！　くだらない妄想のなかに、いきなり詩的な景描写が入ることでさんざん笑わせてもらいました。あれは文体論でいうところの、文体落差という技法です。

牧野　はー、用語あるんだ！

市原　へええ。文体論おもしれぇなー。

タツオ　用語あるよ。文語のなかにいきなり口語入れるとか、その落差でなんらかの効果を狙う技法。

牧野　で、ですね、小説の後日談を二つ書きまして……

タツオ　後日談お願いします！

市原　後日談お願いします！　あ、載ってるんでしたっけ？　この文庫に。

牧野　載るよ！　もう鴨さんに渡しちゃったし。

市原　おおー

タツオ　あ、そうなのか！　鴨さんて実在する人だったんですね。

市原　実在と不在とをアウフヘーベンしていく存在です。

タツオ　止揚の仕様だったのか。

牧野　ひとつは、キャラクターの日常の一コマみたいなので、もうひとつは総説風の文章です。

市原　キャラクタの日常、はなんとなく想像つくんだけど、「総説風」がわからない。

タツオ　よう先輩、小説ってどうやって書くの？

市原　小説のきっかけを作った人からの「小説ってどうやって書くの？」の質問はエモいなあ。

牧野　えっと、ぼんやりとしたテーマと書きたいシーンが一つか二つあったので、その前後を埋める感じでした。

市原　そうか、書きたいシーンがあるんだ。

牧野　プロットは組んでみようと思ったけど、組めませんでした。

タツオ　へー、テーマから入るの⁉

牧野　そうですね。「家族」についてはずっと言いたいことがあったので。

市原　あーなるほど「家族」だなあ。

タツオ　そうか、なるほど。

牧野　もう少しいうと血縁ですかね。ちなみに書きたかったシーンは、出来上がった結果、ボツになりました！

市原　えっ……。

タツオ　え、なんで⁉

牧野　書いてるうちに別の方向に話が進んでいってしまって……あ、でも二つのうち一つは残ってます。

市原　いいですねそういう「別の方向に進んでいく」ってやつ。

タツオ おおおっ、そういう感じなのかああ。
牧野 十万字をコントロールして書いてるプロの小説家ってすごいなーと思います。
市原 タツオさん的には「珍しいパターン」なんですかね、よう先輩の書き方は。
タツオ いや、知らない。小説どうやって書いているのか小説家に訊いたことがない。
牧野 タツオさん、小説は書かれないんですか？
タツオ そうね、書かないね。これまでは書いてこなかった。
市原 文体論は「どうやって書くか」と小説家に聞き取ることはぜんぜん別だってことかー。
牧野 そうか、書いた結果できた文章を解析するのと、書く過程や技術を追うのは別なのか！
タツオ うん、文体論は、出力された文字列という証拠から言えることだから、作者の意図は別物という感じに捉えている。俺は。
市原 あーおもしろいです。
タツオ ただ、名文は、作者の意図と、出力された結果読者に届いているものが、だいたい一致している。
市原 うげ。
牧野 へー！
市原 振り返ると、三者三様に、「どうやって書いたか」を語る場になりましたね。

タツオ　そうだね！
牧野　さて、そろそろいい時間ですね。何か言い残したことがあるかたはどうぞ。
タツオ　喋ったらとんでもない文字数になっていただろうから、チャットっていう制限がちょうどいいね！　よう先輩の小説が読めるのは、『いんよう！』だけ！
市原　次回作にご期待ください！
タツオ　ワクチン小説を期待してます。
市原　このキータッチ爆速のぼくが手を止めるくらいのお題です。
タツオ　w
牧野　評判に関係なくまた小説書きます。そして僕はタツオさんの小説が読みたいです。特に短編。
タツオ　がんばってみまーす。
市原　言い残したことを好き勝手に書いて終わりました。いいですね。
牧野　ということでお開きです。お集まりいただいてありがとうございます。
市原　はい、お二人ともありがとうございました。
タツオ　ありがとうございます。お手にとってくださった皆様、ありがとうございます。そのうちおうちにお邪魔しますので。
市原　ではでは～。

牧野　これからまとめて鴨さんに渡します。ではー。

タツオ　よろしくー。ログアウトがわからない。

中継点

牧野　曜

この本を手にとっていただいた経緯は人それぞれだと思います。

普段、『いんよう！』というタイトルでＰｏｄｃａｓｔ番組を配信して、科学（自然科学も人文科学も）やらアニメやらの話をしています。そこで触れているのとはまた違った面が、この本では出ているかもしれません。しかし、通じているものがあるとすれば、好きなもの、興味のあることを表現しているところだと思います。

科学は自分にとっては、どうしようもなくつらく、どうしようもなく楽しいものです。その実感を伝えたくて、誰も頼んでいないのにＰｏｄｃａｓｔを始めました。もしかしたらとっつきにくいところが科学にはあるかもしれません。でも好きな人間からしたらアニメの話をするのも科学の話をするのも同じなのです。そういう言い訳をして、同じ番組内で両方の話をしています。

ヤンデル先生は、大学院のひとつ下の後輩で病理専門医です。突然、Ｐｏｄｃａｓｔをやろうと声をかけたにもかかわらず、二つ返事でＯＫしてくれました。今でもどうして受けてくれたのかよく分かっていませんが、ありがたいことです。Ｔｗｉｔｔｅｒを中心として、医療情報がどうしたらきちんと伝わるのか、日々、格闘していて、一般向けの新書も書いています。すごいです。

専門的な内容を、できるだけ興味を刺激されるように、言葉を選ばず書けば、「楽しく」伝えられるか砕身していて、尊敬しています。

途中から、何の酔狂かサンキュータツオさんが番組に参加してくれるようになりました。漫才師で日本語学の研究者、「渋谷らくご」という落語会のキュレーション（番組構成みたいなことですかね、たぶん）もされています。アニメやNBA、BLにも造詣が深くて、容易に全体像を捉えられない多面性を持っています。アカデミアでの研究だけでなく、広く「文化」に貢献することをライフワークとしているように見えて、その中のほんのひと粒として『いんよう！』にも参加してくれているのかもしれません。

いつもご迷惑ばかりおかけして、本当は深い穴の底から謝りたい気分です。ありがとうございます。

この文章を書いている時点で、番組は百十六回です。週一回の配信なので二年ちょっとたちました。いつまで続けられるか分かりませんが、なるべく楽しく、なるべく長くできたらいいなと思っています。

それでは後半をお楽しみください。

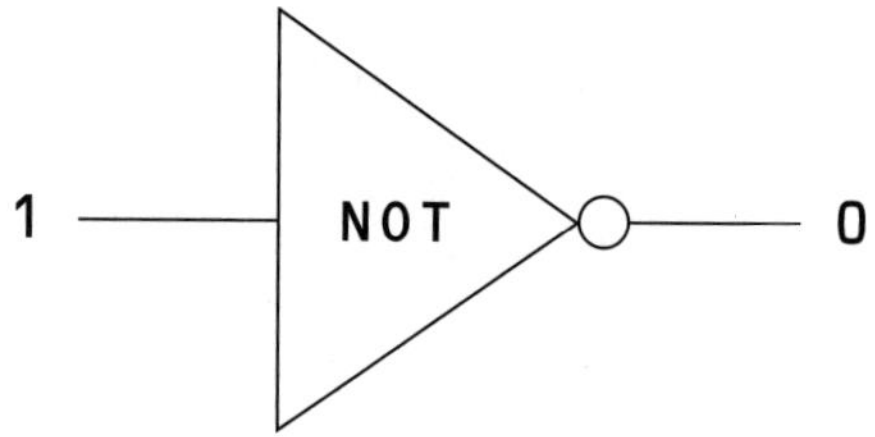
1
NOT
0

Fiction Fixed, Plot Embedded (FFPE)

市原　真

1．アルバムづくり

離れて暮らしている息子と旅に出たときの写真を整理していた。今は年に二度ほど会う。実家で一泊二日、ひたすらゲームをして終わることもあるが、二泊三日くらいでけっこうな距離を旅行することもある。列島の半分を縦断したのが一回、列島を縦断したのが一回。半年分の遊興費を注ぎ込むので、レシートの総額だけ見れば豪華な旅になる。ただし、道中の交通手段を事前にほとんど予約しない行き当たりばったりの旅のために、各種の運賃がバカ高くなっているだけで、宿は三流だし、食っているものもコンビニ飯ばかりだ。そもそも二泊三日で日本を縦断すると、沖縄にも京都にも二時間ぽっちもいられない。往年のテレビバラエティのような、目的地に愛着が湧きづらい、過程で興奮して未着のまま終わるような旅路。

移動中は二人並んでニンテンドー3DSをやっている。それぞれの3DSに片耳だけのイヤホンを挿し、もう片方の耳でお互いの声を聞く。モンハンやバスターズなどの通信プレイができるゲームに没頭しながら、脳以外が旅をする。体がどこかに着いたら脳を乗せて、電車を降り、写真を撮り、おやつを食べ、観光地を探し、写真を撮り、土産を買い、次の電車に乗り、脳をゲームの世界に戻す。

旅が終わるといつも、少し進んだゲームのセーブデータと、断片的な写真が残る。より正確には、年に二度しか進めないゲームのセーブデータと、写真を撮った時の記憶が残る。以上のことは一度もツイートしたことがない。何もかもがあると言われるインターネットの曼荼羅に、息子との思い出はない。だから私はインターネットに思い入れがない。

私は息子の写真を撮る。使っているカメラはソニーのαシリーズの中古品。単焦点のレンズをひとつ付けてある。もっと凝ったカメラも持っていたのだけれど、息子と遊んでいる最中にあまりカメラにかかずらうのもどうかと思い、スマホと同じような写真しか撮れない程度のカメラを持ち歩くことにした。

あまり気を使わずに撮る、適当に撮る、ただし大量に撮る。ピントがずれていたら捨てる。暗かったら捨てる。

そうこうしているうちに、外付けハードディスクにも、グーグルフォトにも、デジタルデータがそれなりに溜まってきた。もちろん息子以外の写真も多い、たとえば仕事で出張したときに、現場の風景や出会った人と写真を撮っているからだ。でもその大半は、一度フォルダとしてまとめてしまったらまず再び開くことはない。ストック量が人智を超えてしまっており、どこから見返していいか呆然とする。鍵の壊れた金庫と同じだ。「持っている」ということに安心しているだけだ。

ところで私は一度読んだ本を二度読まない。読んだら人にあげるか捨ててしまう。読みたくなったらもう一度買う。その方が作者もうれしかろう。何につけてもそうだ。広い部屋を借りるよりも、小さい部屋で小さく暮らすのが性に合っている。十年を超えてなお手元に残っている本がどれだけあるだろう？　二度ほど、本棚ごと捨ててしまった。そういう気質だから、写真を見返すこともあまりない。息子の写真も撮りっぱなし。昔撮った写真よりも、今どこかで息子が元気にしているという事実のほうが大切だ。

ところが。

先日、実家の、昔自分が使っていた部屋で寝ながら古いマンガを読んでいた。何かの拍子に、小さな本棚に挿しっぱなしにしてあった卒業アルバムの背が目に入った。そのとき、唐突に自分のポリシーが切り替わるのを感じた。昔の写真を見たい、と、自分の声を文字にしたプレートみたいなものがどこからか飛んできて、心にさくりと刺さった。そこから二秒で具体的なアイディアが広がった。

「デジタルデータに埋没してノイズになりかけている息子の写真を、紙のアルバムにして、仕事場のデスクの片隅に置こう。」

欲望が急速に気分を明るくした。

自分を明るくする欲望を信じた。

「二冊注文して、一冊は息子にも送ろう」、これでさらに明るくなった。

ハードディスク。どこから手を付けてよいものか途方にくれる。五年、十年、遡って、幼い息子の顔を見れば懐かしいと思うが、次、次、とクリックをしているうちに、どれも同じような写真ばかりなので笑ってしまった。写真を見てしばらく考えても、それがいつ、なんのときに、どうやって撮られた写真なのかが思い出せない。たとえばここに当時の私が何かを文章で書き込んでいれば思い出せたのかもしれない。しかし、所詮は素人カメラマンの悲しさ、撮ったときの意図を写真に込められているものはほとんどなかった。構図はいつも単調で、息子のいい笑顔ばかりが毎回ほとんど同じ角度で写っており、背景にもストーリーのヒントとなるような何かが見いだせない。「似たり寄ったりのいい写真」ばかりだ。古いものについてはピックアップするのを早々にあきらめた。

ここ数年の写真、まだ私がかろうじて「どこに行って何をしたのか」を覚えている写真から整理を進める。二年ほど前の記憶がそろそろあぶない。来年には思い出せなくなるだろう。危ないところだった。いや、実際、もうとっくに忘れてきたことばかりなのだけれど。

三年前の息子、二年前の息子、そして今年の息子の写真を、しまうまプリントのウェブサイト上でそれぞれアルバムにまとめた。Ａ５スクエア24ページで、一冊二九八円。二年前の旅行は写真が多かったので、奮発して、Ａ５（フル）、48ページ、五九八円。

2. 記憶障害

私は元々「止め絵以外のモノ」を覚えるのが苦手である。「動き」を覚えていられない。釣り船から見た景色、運動会の息子、高円寺の小ホールで見た友人の演劇。いずれも断片的な風景、スナップショット的な一枚絵のかたちでは記憶にあるが、動いているものが思い出せない。

動作に限らない。「誰がどう動いたか」という、いわゆる展開みたいなものも忘れるし、「会話の流れ」なども猛スピードで色あせていく。人の顔は止め絵なので忘れないが、その人とどこでどう出会ったかといった文脈が、日を追うごとに褪色する。声もてきめんにわからなくなる。

私は写真を撮るか文章を残すかしないかぎり、人生を忘れる。そして、写真を撮っても見返さず、文章を書いても読み返さないから、たいていのことは忘れていく。

以上の「告白」は、これまでどこにも〝書いた〟記憶がない――

これも、より正確に述べるならば、「自分が書いた文章（止め絵）を眺めた記憶がない」である。私は書くという動作の記憶をできないので、「書いた記憶」なんてものは基本的に持ち得ない。書いた記憶、ではなく、書いたものを見た記憶、だということ。この二つは個人的にはまるで別のものだと思う。

でも、細かいニュアンスを日常で使い分けながら説明するのは面倒なので、普段は「〇〇を書いた記憶がないな」とか、「△△と話したことがあってさ」とか、「□□でご飯を食べたときにね」などと近似して話す。本当は、「〇〇を書いたときにモニタに残った文字を眺めた記憶」であり、「△△と話したときの光景を脳内で断片的に撮影した記憶」であり、「□□でご飯を食べたときの食材の色合い、皿の形、店の雰囲気のスナップショット」を覚えているにすぎないのだが。

私がはじめて自分の記憶能力に疑問をもったのはいつだったろうか?

大学生のころ、ホームページ・ビルダーというソフトを使って、せこせこホームページを作成していた。文字ばかりのウェブサイトではつまらないので、トップページには画像を用意した、それは巷で「トプ絵」などと呼ばれているものだった。トプ絵は自分で描いた。何のソフトを使ったのかは思い出せない。ブラシツールのようなものはあったと思う。レイヤーを分けた記憶がない。Photoshop を知る前の話だ。絵の素質がなく、いつもオリジナリティの弱いキャラクタが立ってこちらを向いているだけの絵、あとは色の順番が間違っている虹、タモリがいいと言っていた三叉路の風景などをマウスで線描し、適当に色を重ねた。

ロゴもよく作った。違うか、ロゴじゃないな、バナーだ。当時は個人ホームページ同士が相互リンクを貼るのが流行っていたが、リンクを単に文章で処理するのではなく、自作のオリジナルバナーを用いるのがお作法だった。２００×５０ピクセルくらいの画像を定期的に作った。

ホームページのコーナーにはそれぞれタイトルをつけた。メインのエッセイコーナーを「Highway XXX revisited」とした。ボブ・ディランを聴いていたのだろう。「Good Impression, Rusty Lover」という日記コーナーも作った。略すとGIRLだ。ＡＳＫＡのソロアルバムを聴いていたのだろう。Today's bookmarkという名前の書評もやったがこちらはおそらく元ネタはないはずだ、アルバムジャケットが思い浮かばない。ほかにも、いくつかコーナーがあったが、脳内写真のピントがずれはじめていてよく思い出せない。

ホームページに私は毎日文章を残した。

十年ほど経って、つまり自分が三十歳くらいになったとき、ふと気づいた。

「ホームページの文章以外の記憶」を、思い出せなくなっている、ということに。

大学時代に、よくカネサビルという場所で酒を飲んでいた。ある日、ホームページに、「カネサビル何度目かの陽光」というタイトルで、その日出会った全学剣道部の先輩と、ビルの前の歩道に座ってあれこれ話した、ということを書いた。それは確かに大事な思い出だった。しかし、三十歳になった私は、その日のできごとを自分の入力したテキスト以外まるで思い出せなかった。

これが猛烈にショックだった。このあたりで私は自分の記憶ポテンシャルを疑いはじめる。

かなり上の学年の先輩が、「やりたいこととか、あるか」と聞いたシーン。自分で文字にした部分。これは覚えている。ありありと思い出せる。しかし、文字として拾わなかった周辺情報をまるで思い出せない。誰と飲みに行ったのか。何に悩んでいて自分が何の話をしたのか。そもそもその先輩とは誰だったのか。

「やりたいこととか、あるか」

これは、疑問形である。先輩が、会話のはじめに私に向かってたずねたセリフ。そのあと彼は、私のリアクションを踏まえて、とてもいいことを言った、はずだ。はたちそこそこの私が感動して、ホームページに書き残しておきたいと熱望するようなことを言ったのだ。しかしその、肝心の、「先輩が教えてくれたことば」を、どうしても思い出せない。

愕然とした。自分で書き残した文字の「やりたいこととか、あるか」だけ覚えているということに。記憶を要約して文章にし、脳に上書き保存したら、もともとの私の情動を揺るがしたニュアンスが失われた。文字による圧縮で情報を取りこぼしてしまった。

ほかの記事も読んでみた。どの記事にも元となった思い出があるはずなのだが、ひとつも思い出せない。正確には、「記事の文字列は覚えているのだが元ネタが脳の中でそれ以上に動いてくれない」。文章が言語化しなかった記憶を芋づる式に引っ張ってきてくれない。

　私はかつてホームページの中に小説を残していた。西日の当たる部屋、というタイトルで二千字ちょっとの短いものだ。トイレのドアノブについているタイプの押し込み式のカギで施錠するような、格安の木造アパートの二階に暮らす貧乏な大学生が主人公。彼は、朝出かける前にカーテンを開け放しておく。すると夜中に部屋に戻ったときに、日中の余熱で部屋が少しポカポカしていて、それがなんだか幸せなのだ。でもある日、たまたま忘れ物をとりに夕方部屋に帰ってみると、そこには見知らぬ中年男性が上がり込んで、勝手にテレビを見ながらカップラーメンを食っていて、こちらを振り向いた中年男性の背後から、強い西日が差し込んでいた、という話。

　この小説のことはよく覚えているが、出来は決して良くなくて、はっきり言って駄作だ。でも、今言いたいのは物語の評価ではない。

　小説を書くにあたり、自分が住んだことのない「強烈な西日が差し込む木造アパート」をイメージした。ところが、あらためて読み返してみると、そのアパートに私は実際に住んだ記憶がある。大学時代に住んでいた南向きの木造アパートに西日が差し込んだ記憶を持っている。しばらく考えていて、急に怖くなった。小説に書くために頭で作り上げた「止め絵」が、現実の記憶を侵食している。もしかすると中年に勝手に部屋へ上がられたこともあったのかもしれない、とすら思えてくる。今となっては検証のしようがない。ほんとうにあった怖い話を基に書いた迫真のノンフィクションでないとは言い切れない。フィクションだったはずのことをありありと思い出せる。

頭を抱えた（行動を覚えていないが私はたぶんそういうことをした）。

何かの間違いではないかと思った（行動を覚えていないが今の私でもそう思う）。そうやって昔自分が書いた記事をひとつひとつ読み返し、自分は何を忘れて何を覚えているのかと照らしあわせを進めていった。すると、事態はなかなか深刻であった。私は、かつて文章にしなかった／できなかった細部のニュアンスを失っているし、もっと言えば、「出来事のストーリーそのものを忘却している」ということがあきらかになった。

私の脳には「ストーリー記憶能力」がない。

止め絵を連続で映写して、秒速八コマを超えれば動画に見え始める。一秒に24コマとか

36コマを映せばそれはもうほとんど動画そのものだ。しかし、フィルムを止めるとそれはあくまで静止画であって、ものの動きが直接フィルムに描かれているわけではない。

さしずめ私の脳はこれだ。直近のエピソードについては撮影枚数も映写枚数も保たれているから「動画」で思い出せるけれど、時間が経つごとにフィルムが歯抜けになって、それが一秒当たり八枚を下回るとあとはもうセル画でしかなくなる。

自分の記憶能力が、通常の人間のそれに近似したものではあるが、似て非なるものだと気づいて、いろいろ納得することがあった。

かつて日記を付けていた。その日の出来事を基に、詩情をはたらかせながら、少し婉曲に、それっぽいイメージの単語だけを書き記すのがかっこいいなと思った。

「ドレッシングを半分に」「膝掛け」「色かぶり」

他人が見ればなんのことかわからなくても、「本人が見ればなんのことかわかるような」フレーズ、一種の暗号日記だ。

ところが、自分で書いたはずの「自分専用匂わせ日記」を後から読んでも、元ネタとなった大事な出来事を一切思い出せなかった。自分のための暗号が通用しないのである。なんかうまくいかないな、と思ってそのうち日記を書かなくなった。今になって思うとあれもやはりストーリー記憶障害の一表現型だったのだろう。

また別の日の話。私は小説を読んだ。感動しながら読み進め、最後まで読み終わった。本を閉じて一週間経つともう、ストーリーを思い出せない。……そこまではいい。よくあることだ。「私にもそういう経験があるよ」などとなぐさめてくれる人も世の中にはいるだろうと思う。しかし話はもう少し深刻だった。

私はそのとき、小説を読んだあとに、ホームページに書評を残した。自分がどこにどう感動したのかを、ネタバレを回避しながらそれなりに具体的に書いた。「読み終わった人が見ればフフッと笑えるような、まったくその通りだと唸ってくれるような、読んでいない人にとっては本が読みたくなるような文章」を書くように心がけた。

ところが、書評を書き終えてふと顔を上げたら、元は豊潤だった小説のイメージが、「自作の書評」に塗り替えられてしまった。感想に取り上げたフレーズしか記憶に残っていない。中盤あたりの心情描写が良かった、と書いたせいで、「止め絵の記憶」が上書きされてしまって、そのシーンの前後に広がっていた繊細で印象的な情景が浮かんでこない。読み終えてわずか一週間。海馬の先が途絶しているのではないかと、自分が心配になった。

なにもかもそういう調子であった。ひとたび「刻印」するとその文字が真実になり、背景に広がっていた何もかもが脱落する。

小学校の時の思い出は、文集に書いた文章と、それを思い出してあるときホームページに書いた文章でほとんどすべて。映像よりも文字の記憶のほうがより強い。祖父や祖母が死んだ時のことも、うっかりホームページに書いてしまったために、自分の文章に残した分の記憶しか残っていない。これまでに付き合ってきた幾人かの女性のことも、もらったメールに返信した自分のメールの文面を覚えているくらいで、どういうしゃべり方をした人だったか、どういう笑い方をした人だったかなど、まるで思い出せない。

受験の記憶。

剣道で大会に出たときのこと。

仕事のあれこれ。

ひとたび文章にしたが最後、あとは自分の生み出した文字で、脳が埋め尽くされる。大学の映画サークルが予算を使い切ったときに用いられる、黒地に白ゴチックのやたらと長いエピローグみたいな記憶がいっぱいある。

3．対策

しばしば仕事でも支障を来した。

誰かの話を聞く。盛り上がり、聴き入り、意気投合する。身振り手振りも含めて濃厚なやりとりとなる。あまり下を向いていられない。どうしても、断片的なメモだけを取ることになる。すると、その後しばらく経ってからメモを見ても、メモに書いた単語どうしがうまくつながらない。メモの取り方が悪いのかと思っていろいろ試してみたのだが、結局、「相手が何をしゃべったかをまるごと文章にしてメモ」しないと、後日会話の内容はまず思い出せない。ＩＣレコーダが手放せなくなった。

講演のプレゼンスライドがあると安堵する。それは「止め絵」なので覚えていられるからだ。すると、他人から見ている分には、講演をよく理解して自分のものにしているように思えるらしい。「あなたは記憶力が良くていいですね」とうらやましがられることもある。苦笑するほかない。

スライドだけ見ていれば勉強になるというなら、こんなに楽なことはないのだ。そもそも講演の意義がないだろう。止め絵だけだと記憶にニュアンスが乗ってこない。ストーリーを欠く。

たとえば演者のテンションが高まって、その日限りのアディショナルトークを二、三繰り出したとする。往々にして、生の講演では、スライドに書かれている文字を超えて、演者の口からキラーフレーズが飛び出す。それに聴衆が感動して拍手し、私も一緒にスタンディングオベーションに加わる。

「なんて素晴らしい講演を聞けたんだ、よかった」

こうして、うっかり、メモを取り忘れる。後日になってそのときのことを振り返ると、「聴衆が立ち上がって拍手して、そこにステージの光が当たってできた、多数の頭の影絵」しか覚えていないということになる。講演の一番いいところ、会場が一番盛り上がったシーンが絵画のように脳内に飾られる。空虚である。現場で、ナマの声で受け取ったはずの大事な何かを拾い損ねる。

手帖を役立てることができないかと悪あがきもした。「手帖術」のようなハウツーものの本を買い込んで、いろいろと試した。断片的なアイディアが思い浮かんだときにサササッと手軽に書き留めて、あとでそれを見返して「あーこのキーワードはおもしろいなあ」と感じて想像を膨らませるということができたらかっこいいなと思った。でも、日記でだめだったのに、手帖が使いこなせるわけもないのだ。

尊敬する小説家やライターなどが、風呂の中やバスの乗車中に思い付いたことをメモに書き留め、後に読み返してアイディアの種とするのだと書いていた。私もそれをやりたかった。電車で移動中に窓の外を見ながらふと思い浮かんだ心象のテクスチャを小さな手帖に書き留めた。文字になった瞬間から細部が砕け散っていた。「自分がメモに残した文字列」以上のものが引っ張れなくなった。

「バス停でバイクを持ち上げる男」と書いてあったメモが何を意味していたのかわからない。

「守破離の前に」と書いてやめた自分が憎い。前に、何なのだ。

クリエイティブな人がこぞって推す、「手帖にランダムに発想を書き留めておく」というスタイルを、私はとうとう真似できなかった。

最終的に私が考えた対策は、「ストーリーごと記録する」。断片的な単語でメモなんかするから細部を無くしてしまうのだ。自分がその日遭遇した出来事を、周囲のニュアンスごと散文的に記録してしまえばいい。ラジオの野球実況のように。

「さあ七回裏バンパーズの攻撃、二番の長谷川は気合い十分でバッターボックスに向かいます。一アウト、ランナー二、三塁、風はライトからレフト方向、スコアボードの上では旗がやや強くたなびいていますので上空はもう少し強い風が吹いているかもしれません。レフトスタンドをちらりと見た長谷川、しかし次に控える三番の神田の調子もよく、ここはフルスイングしてくるかわからないといったところ。ダウンタウンズの米盛監督もしきりに目を左右に配っていますがサインはまだ送りません。ピッチャー香坂、いったん帽子をとって額をぬぐいます。スタンドでは青と白のユニフォームが激しく上下に揺れ出しました。あっ、米盛監督うなずきます、ブロックサインが短めに送られました、しかしキャッチャーは座ったまま。ここはあからさまな敬遠ではなく、勝負か。憮然とした長谷川、ホームベースにバットをちょんちょんと付けて、構えました。香坂ノーワインドアップから一球目」

これだ。逐一語るように書き留めればいいのだ。目に映るものをすべて言葉にして、視聴者に現場の雰囲気を伝えていく感じ。

自分が出席したイベントや講演会、研究会などで、実況方式のメモをとってみることにした。自分以外の誰かが立ち上がって発言したら、場を見回して、本人の顔色を見て、話しかけられている相手の立ち居振る舞いも見逃さないようにして、すべてをその場でノートPCに打ち込んでいく。タタタタ、と鳴ると周りの邪魔になるから、なるべく音がしないように、ボタンの表面だけをなぞるようにキータッチをする。半年も訓練すると私のキーボードはロロロロロと鳴るようになった。

「講演の四番目は基礎研究者の小菅。気合い十分で演台に向かう。アシスタント一名、おそらく国内で雇っている秘書。客席の入りは九五％。外資系製薬会社ビルの三十七階のワンフロアで外には皇居が見える。進行役をちらりと見た小菅、ただし時差ボケかややつらそうにもしているので今日はお得意の漫談は控える模様。会場の灯りがいったん暗くなり、しかし暗すぎると眠くなると判断されたのか四割くらいの光量に戻された。さあスライドの一枚目、アニメーション一閃、登場したのはアフリカの難民キャンプの風景とかつてのスパコン京の外観であった」

ここまで書けば、さすがに後から読んでもいろいろと思い出すことができる。多少めんどうだができないことではなかった。しかし、半年で私はひどい腱鞘炎になった。手首も痛いが、一番厳しいのは繊細なバランスでキータッチを続ける指の根元の腱。人差し指、中指、薬指までがやられ、一番ひどかったときは親指と小指でキーを回さないと車のエンジンがかけられなくなった。一年ちょっとでこの実況スタイルもやめてしまった。今ではあたりさわりのないメモを取っている。しかしそのメモを見返すことはない。数日経てばそれは呪文でありお経になってしまう。みっしり書き込んだところで意味を再構築できない。メモ帳が埋まると捨ててしまう。書くことがどれだけ役に立っているのかはわからない。ほとんど意味がないようにも思う。人に熱心だねと言われるためだけにメモを取っているのかもしれない。

情報をどう扱えば自分の脳にとって一番便利なのかまだわからない、と武藤先輩に話したら、「なんだか、フレーム問題をアナログで体感しているみたいだね」と言われた。

「そうやって情報を有限化するのは脳が勝手にやることであって、意識してやることじゃないと思うよ」、とも。

「人工知能開発じゃないんだから、もっと自分の脳のやりたいままにしたらいいよ」

私はいつものように会話を録音して、あとで文字おこしした。このまま覚えていられればいいのに、と思った。

4．プロファイリング

武藤先輩とＺｏｏｍ飲み会をすることになった。と言っても飲むのは武藤先輩だけだ。

私は相手を正面視しなければいけないウェブ会議の類いがすべて苦手で、ノートＰＣのカメラにまっすぐ写りたくないので、右横にもうひとつＰＣを用意してそちらのモニタを見ながら、ヘッドセットでやりとりする。こうすると相手からは、私がハスに構えて見える。

このやり方でいいよと言ってくれたのが武藤先輩だけなので、私は先輩以外の人とＺｏｏｍを繋ぐ機会が減った。カメラをオフにして顔を出さなければいいじゃないか、と言った人との連絡は電話になった。「実際に会わないとだめな仕事ってあるよね」と言った人はさほど仕事が得意ではないのでＺｏｏｍを繋ぐこともない。

私は「目線を合わさないＺｏｏｍ」が好きだった。このことは言ってもなかなか理解されない。武藤先輩はわかったと言った。というか、元々武藤先輩もそういう接続を選ぶタイプの人であった。

Ｚｏｏｍの最中、私はいつも仕事をしている。ウェブサイトのアクセス解析をしたり、依頼原稿のゲラに手を入れたり。ほんとうは今やらなくてもいい、でもやっておくと後でラクになる、そんなちょっと気の重いタスクを、先輩とのＺｏｏｍ中に終わらせる。

最初、仕事しながらでいいですよね、と尋ねたら、先輩は口に入っていたものを飲み込んでから首だけこちらに向けて少しうなずいた（咀嚼音がマイクに入るのが耐えられない、と言って先輩はヘッドセットを付けようとしなかったし、私から見て右側にあるサイドテーブルのようなものに缶や小皿を載せて、画面の中の彼女は基本的にそちらに体を向けていた）。

「昔あったなー、サギョイプ」

「なんですかそれは」

「マンガ描く人とかが、作業しながらSkypeで会話もするってやつ。作業プラススカイプで、サギョイプ」

「『ながら』ですね。ラジオ聴きながら原稿書くみたいなもんですよね」

「そう、ただし自分もしゃべる。しゃべりたいときに」

「しゃべんない時間が長そうですね」

「日による、人による、頻度による」

「その価値観をよしとする人が三人揃わないとできないですよね、そういうの」

「そうだね、でも三人？　三人なの？　ふたりでもいいじゃん」

「いや……ええと、繊細な距離感を理解してくれる人が、世の中にひとりしかいなかったら、それって緊張しませんか？」

「あはは！　あはははは！」

「交換不可能な関係って息苦しくないですか」

「あはははは」

彼女は是とも否とも言わない。そういうクセがあるかもしれない。


一度、ウェブの友人に勧められて、Ｚｏｏｍ秘書というのを雇ったことがある。パートで雇うよりさらにお得だ、と言われて、そんなもんかなと思った。オリジナルな思考を必要としない事務作業が増えてきた矢先。メールの仕分け、学会の申し込みなど、人に任せたらもう少し楽になるだろうか、と期待した。しかし、初回の面談でスーツを着てこちらを見据える先方の姿を見て、これは私には無理だと感じた。彼我を連結する回路を覆うミエリン鞘が長すぎる。絶縁部分の多い跳躍伝導では速く伝わりすぎるのが嫌だ。ステロイドホルモンくらいの伝達速度が一番無理がない。

私は液性の伝達を好んだ。

武藤先輩は流体の扱いに長けていて、私は彼女とのコミュニケーションが一番心地よかった。ただし、ほとんどの時間、彼女はダムのようにしていた。流すことはできるが、たたえている時間の方が多かった。そのことを本人に言うと少し怒られた。

「人をダムに喩えるな、この先、年取って失禁したときに笑いが止まらなくなるだろう」

先輩がパーカーを好んで着ることについては、本人が説明してくれたことがある。

「モニタ仕事で相手がパーカーだと、勝手に部屋着だと判断するバカが多くて、その瞬間からこっちが有利になる」

「有利とは」

「わたしみたいなタイプが部屋着で仕事をしていると、その組み合わせで勝手に萌えるやつがいる。そういう人間は、能力や性格がだいたいこの範囲におさまる、と経験でわかる。そういう人間に簡単な仕事は頼まないいし、難しい仕事も渡さない」

「ああ、プロファイリングの小道具ってことですか」

「そうだよ。ただしパーカーはなるべく高いやつにする」

「高額だ、と画面越しに気づけるやつは観察力があって優秀だ、みたいなことですか」

「Ｚｏｏｍの解像度じゃそれは無理だよ。そうじゃなくて、仕事のときにきちんと金を払って用意した服を着ると、自分のテンションが少し上がるだろ」

「ああ、そっちは自分のためか。スーツ効果をパーカーでやるってことですね」

「スーツ効果っていう単語は知らないけどそういうこと」

「……今のはぼくの造語なんですけど、よく気づきましたね」

「あなたはそういうことをよくやるよね。世の中にありそうで実はない単語をぼそっとつぶやいて、相手が安易に『そうそう』って乗ってくるかどうかを無意識に見ている」

「先輩は乗らないですよね」

「それもプロファイリングの小道具だなってわかるからね」

「そうか、言語化するんじゃなかった」

「そうだよ、言葉にするとそっちが意味になるからね」

先輩は昔からそういうことを言う。


録音ファイルの入ったフォルダを開く。WorkFlowy にまとめたアブストラクトと照らし合わせる。アウトライナーアプリに音声のタイミングとキーワードを記録しておけば、断片的なキーワードを検索するだけで該当の音源箇所にすぐたどり着ける。文字おこしを読み返すより早いので、最近はもっぱらこのやり方をしている。

言葉にするとそっちが本質になる……みたいな話を先輩が言ったときに、私がインデックス用に使うキーワードは……「言霊」だったはずだ。

「言霊」で検索すると、六週間前のZｏｏｍ飲み会のファイルが引っかかった。あとはこれを再生すれば、六週間前の武藤さんが画面に出てくるのだけれど、今は今で、リアルタイムに先輩と飲み会の最中なわけで、声が混線してわかりにくくなるかもしれない。

一瞬、私の動作が止まったのを彼女は見逃さなかった。

「今なんか動画流そうとしてたでしょ」

「はい」

「なんの動画」

「武藤さんです」

「いつのわたし」

「六週間前です」

「ならいいよ。あんまり前だと声のトーンが違って、不協和音みたいになるかもしれないし」

「よっぽど同じタイミングで同じ単語を発音しない限りそんなことあり得ないですよ」

「わかんないじゃん」

「あり得ないですよ」

「それを言うならさー」

そこで彼女は腰を上げて新しいビールを取りに行った。すぐ戻ってきた。

「それを言うならさー、Ｚｏｏｍ会議中に相手のしゃべってる過去動画を再生して話題を蒸し返すっての、そもそも不協和音だとは思わんの」

「でもそういうの好きでしょう」

「ええ、わりとはい」

私は過去動画の音声が今の武藤先輩にも聞こえるように、ヘッドセットのBluetoothを切断して、ＰＣ内蔵のイヤホンとマイクに切り替えた。

「じゃ、流しますよ」

「あいよ」

イヤホンをしている武藤先輩は、新しいビールに体を向けている。いつも画面上で同じ方向を向いている。録画データの中でも、私たちは同じように、右側を見ている。

２×２の私たちが、みな同じ方向を向いて、違うものを見ている。

5．ハモり

過去の武藤先輩がしゃべりはじめた。過去の私と今の私と今の武藤先輩がそれを聴く。

「写真的記憶がメインで、動画的理解がサブだってのは、別にあなたに限った話じゃないと思うよ」

「そうですか。でも周りと比べるとどうもぼくは」

「んー脳は優劣決められるほど単純じゃないよ。ただ、まあ、あなたが周囲と調和することを願う上で、動画的記憶をもっと使いたいという欲があるってところはわかった」

「そうですか」

「あと、文章にすると現実が文章に引っ張られるってのも、あなたに限った話じゃない。現象を記号に変換すると、記号が前景化して本来の意味がぼやけて……いや、本来の意味、みたいなことを言い出すから話が面倒になる。わたしたちはどこまでも、誰かが記号化したものを、自分の中であらためて別の記号に置換する、ってのをくり返すだけだから」

「哲学の話はよくわかりません」

「私だって、偉い哲学者の使った言葉を逐一理解なんてしてないよ。でも哲学ってのはもともと、自分に見えているものを解釈するための記号を探す作業だよ。哲学していない人間なんていない」

　ここでふと、今の先輩がつぶやいた。

「わたしよくしゃべるなー」

　今の私が答える。

「いつも通りですが」

　するとすかさずツッコまれた。

「あー、今の珍しいね。いかにも『人』が使いそうな語彙で普通に会話したね。油断したんでしょ」

「違いますが」

「いや、絶対油断したね。『普段通りによくしゃべるわたし』が、過去の自分を見て、『わたしよくしゃべるなー』と、定型文で茶々を入れたのを、紋切り型表現で返して会話の意味を全部打ち消したでしょう。反射だけでやりとりを終えたな」

「しました」

「雑ー」

「すみません」

「許す」

「はい」

過去の先輩に、過去の私が続けて問う。

「記号に置き換えた瞬間に失われるものが惜しいんですが、となると、言葉を尽くして描写を深めるしかないってことで、いいんですよね」

「普通はそれ、無理だね。自然界を近似せずに描写する能力を人間が持っていたら、脳は仮想世界を構築する能力をここまで育て上げなかったと思う」

「書いても書いても絶対にとりこぼすだろうな、ということはわかってましたが」

「だから普通は、細部を自分の想像で補って、五感が手に入れた情報を基に、もっと複雑で言語化できていない部分まで含めて、脳内で時空間ひっくるめたイメージを各人が作り上げて、想像の世界でそれを再生したり逆再生したり、俯瞰したり接写したりすることで、なんとか世界を観測し切ろうと粘るんだよ」

「でもぼくはそれがうまくできないんですよ。ストーリーを覚えていられない」

「あなたは脳内で作る仮想世界が油絵なんだよね」

今の先輩がつぶやいた。

「……油絵だよね。絵の中でも、特に油絵。わたしはやっぱりよくわかってる」

それに今の私と昔の私が反応した。

「上書き保存のイメージですか——描くのに時間がかかるってことですかね」

過去と今の私が、違うことを言った。すると、今の武藤先輩が、こっちを向いた。

「あなたは本当に、脳の中に流れがないんだね。だから、同じ文脈で二度語られた内容に、違うリアクションを返した。わたしはそうじゃない、このコンテキストなら次に自分はこう言うだろう、みたいなことがかなり決定されているから、昔の自分とハモることができる。でも、あなたは過去の自分とハモれない」

こちらを見ながらビールを飲んだ。言葉もなかった。

6．仮説形成法

　私は動画の再生を止めた。先輩は珍しく少し考えこんで、話を続けた。

「このことはたぶんはじめて言語化するんだけど、あなたは昔から、出来事を自分なりのストーリーで繫ごうとしていない気がする。あるものをそのまま尊重して、機械的に理解したいと思っているのかもしれない。そして、本来、あらゆる人間の脳は、写真を撮るようにしか記憶を保存できない。動画でそのまま保存できればいいんだろうけれど、容量的にはそれが不可能だ。だから、写真に日付を振って時系列に並べることで、仮想的に時間軸情報を保存しようとする……」

「つまり、ぼくはその、『仮想的に時間軸情報を保存する』のがうまくできないってことですよね。動物みたいだな」

「いや、違う、ちょっと違う。もう少し聞いて」

　いつになく。

「考えた事のないことを言うから、リアクションせずに聞いて欲しいんだけど」

知らない人が聞いたらなかなかダメージを受けそうなことを言う。

「あのね、わたしたちはそもそも誰もが、時間情報込みの記憶なんてできないのよ。本当はみんな、写真でしか記憶できてないの。でも、それをできているかのように錯覚する小技を、無意識のうちに用いる。それは……つまり……見たものを……各自があらかじめ持っている『プロット』に、はめ込むの」

各自が持っているプロット。黙ってメモをした。

後から見てもわからないだろうと思ったが、リアクションをするなと言われたから、メモしかすることがなかった。

「世界は、そのとき限りの、二度と再現できない、一期一会の、必然でも蓋然でもない偶然の、不可逆なできごとで満ちているんだけど、脳がそれを全部解釈するとパンクするから、出来事を自分の中にあるプロット、設定、物語といったん照らし合わせて、記憶を簡略化して、そこからはみ出たり足りなかったりした差分だけを別個に保存するのよ。でも、あなたはきっと、知覚したものをストーリーと照らし合わせないようにしている。

わたしたちは知覚したものを、時間情報を持つストーリーに近似して解釈することで、世界を必要な分だけ把握する。それは、脳のキャパシティを有効に使うため。でもあなたは出来事をプロットにあずけない。だから写真だけが溜まっていく」

そして見返しもしない。

「……わたしたちは、夢で荒野を駆け巡ることができる、でも、その荒野は本当はどこにも存在しない。何とも似ていない。その荒野って何？　それはね、脳にはあらかじめ、プロットがあるんだよ。わたしは実際に荒野に行ったことがなくても、脳が用意したデフォルトのプロットを通じて、荒野を歩くわたしを夢に見ることができる。でも、いったんわたしが本当の荒野を目にしたら、そのプロットに実際の風景がはめこまれて、『荒野を歩いたわたし』というストーリーがあっという間にできあがる。そこからはもう、夢には、あるとき本当に歩いた荒野を元にした光景が登場するようになって、元のテンプレ荒野は出てこなくなる」

先輩はまだこちらを向いていた。私は、私も、そちらに向き合うべきなのかを、少し考えた。そして結局、そちらを向いた。

久しぶりに先輩の顔を、盗み見るのではなく見た。

「実際に荒野を歩いたときに経験したものは、プロットに埋め込まれる過程でそぎ落とされる。でもそれで普通は事足りる。荒野に生えている植物ひとつひとつを脳に入力する必要なんてないからだよ。そういうことが無意識に起こったあとで、わたしは『荒野を歩いたときの記憶』を新しく手にした気になる。そういうことを、誰もが無自覚にやっている」

誰もがやっている。

「じゃあなぜあなただけが、ストーリーを記憶できない、なんて言って悩むかって、それは、」

「ぼくは、本当はストーリー記憶障害なんかじゃなくて、ストーリー導入障害、ってことですよね」

「……」

武藤先輩の口が動いたが声は出なかった。開いて、閉じて、だまった。Ｚｏｏｍのノイズキャンセラによって、直近の私の声にかきけされただけかもしれない。

7. Plot Embedded

武藤先輩の画面の向こうでドアが開いた。吉野が帰ってきた。リュックを置いて手を洗い始めた。画面には映っていないタイミングであいさつを投げかけてきた。

「金谷ー、そっちもう寒いー？」

大声を出して答えるほどの質問でもないので、少し待つことにする。彼はカーディガン風の上着をどこかに脱いで、ビールを持って画面の片隅に映り込むように座った。この家には人数分の椅子がない。「自分ちではなるべく立体的に空間を使いたい」と言ったのは吉野だ。いつかのＺｏｏｍで彼はそう言っていた(のを文字おこしした)。武藤先輩は元々フロアに直座りの生活だったので、どちらでもいいよ、と言った（のを文字おこしした)。それからというもの、吉野と武藤先輩の家には椅子が二個しかない。

「あれ、吉野、子どもたちは一緒じゃないの？」

「今、ばあばの家でメシ食ってるよ。風呂まで入ってから帰りたいって言ってる」

「もう、夜更かしがどうとか言う年齢でもないのか」

武藤先輩はしばらく右を向いてビールを飲んでいたが、吉野にも私にも聞こえるぎりぎりの声でつぶやいた。

「金谷はさー、みんなが脳内で自作の物語を使いこなしてるのがしっくり来なかったんだよ、だからいっぺん脳のやり方をリセットして、世界を写真で取り込む段階を、丁寧にやってるんだよ。でき合いのプロットに頼らずにさ。わたし、それ、今日ようやくわかった」

吉野は黙っていたが、かなり遅れて、何度かうなずいた。一度はノドに何かつかえたのかもしれない。しかし後半はおそらく首肯だった。


「それ、俺、途中からだとよくわかんないけど、金谷の記憶の話だろ」

「すげーな、わかんのかよ」

「わかる……というか、そうだな……俺の中では金谷はこうだろうっていうストーリーがあって、そこに今はめてみたら、はまった」

「あー」

「あー」

「それな」

「そういう話、そうそう、そういう話。合ってる合ってる」

「むしろ香奈はそれ、知ってたろ。ずっと」

「今日気づいたよ」

「まじかよ」

「先輩は、吉野が帰ってくる直前まで、長セリフで解決編をやってたんだよ」

「ついさっきじゃん。ていうかさ、そうだな、たとえばさ、金谷が香奈と別れたときに、香奈が言ったってやつ……『金谷香奈じゃカナカナじゃん、ださくていやなんだよね』ってセリフ」

「あったあった」

「あったあった」

「それ聞いて、金谷、どう思った」

「いや特に……どうとかは……そうなのかって」

「俺は、こう思ったよ。武藤カナじゃなくて、武藤カヤナとかだったら、カナヤカヤナでもっとおもしろかったのになー、って」

「そういうボケを重ねる技術はぼくにはないんだよ」

「それだよ、ボケとかツッコミとか、そもそも金谷ってそういう話術、全般やらないじゃん。事象をストーリーに当てはめないからだよ、お前」

「あー」

「あー！」

武藤先輩の声が少し大きくなってきた気がする。

「ボケもツッコミも、流れの中で衝突を起こす技術だから、参加する人や聞いてる人、全員がなんらかの物語を共有していないと、そもそも機能しないじゃん」

「あー」

「あ？　おー」

「そういうとこもさ、今にして思えばさ、金谷は外界からの入力をあんまり物語にあてはめようとしてないタイプだってことで説明付くよ。フィクションめいた展開が苦手、みたいな」


武藤先輩がうしろを向いた。こちらからはパーカーのフードが見える。フードには逆さになった英文が書いてある。Mindjive。知らないブランドだった。そういう光景ばかりが記憶に蓄積される。


「えっじゃあさー、それってさー、世界を物語で把握してないってこと？」

「いやそれはどうだろう……人間ってそこまでゼロイチじゃないから傾向の話だとは思う

けど……金谷自身が、日頃暮らしてて、他人と比べてストーリー記憶であきらかに困ってるっていうならさ……」

「ぼくは今聞いてて、なんか、ぼくって他の人よりも『さらに一段無宗教』なんだな、って思った」

「あー！」

「あー。お前あれだよな、オハライとかエンギカツグとかもあんまり気にしないもんな」

「えーでも最近の若い人なんてみんなそうじゃない？　無宗教じゃない？」

「や、それは価値観が多様化しすぎて、旧来の宗教と呼ばれるストーリーよりももっと高精細度に自分を語る物語を、みんなが個人で持てるようになったってことだろ。でも金谷の場合はそもそも物語を作ってないんだよ。最近の若者はみんな自分教の教祖で、自分のなかにカミサマがいるんだよ。でも、金谷の場合は、自分すら教祖様じゃないし、カミサマもいない」

8. Fiction Fixed

「なーんか金谷のことがまた少しわかった気がする」

「ぼくもだいぶわかった。わりとしっくりくる」

吉野は二本目のビールを取りに行った。やけにガチャリガチャガチャと音がするなと思ったら、吉野ではなく、子ども達二人が帰宅したところだった。

「おかえり」

「おかえり」

「おかえりなさい。ばあばにちゃんとお礼言った？」

「あっ、おとうちゃんじゃん」

息子が画面に向かって走ってきた。私の血の繋がっているほうの息子。

「やあー元気そうだね。でもでかい」

画面に顔がいっぱいになるので武藤先輩が後ろからフードをひっぱった。息子もパーカーを着ている。

「おとうちゃんはＳｗｉｔｃｈをまだネットにつないでないの」

「いや、つないでるけど、やる時間はだいぶずれてるから、一緒にはなかなかできないよ」

「そうかー、スペルブレイク一緒にやんないの」

「あれって二人同時にできるの？」

「あれ、できないの？　ならいいや」

後ろから吉野が声をかけた。「先に手を洗ってきたら？」

息子が答える。「ばあばんちでもう風呂まで入ったからきれいだよ」

吉野が言う。「そういうことじゃなくて、帰りだって車に乗ったろう。家に入ったら手洗いだろ」

「はいよ」

モニタの前から去ろうとする息子に声をかける。

「今日はもう遅いから、おとうちゃんもＺｏｏｍそろそろ切るよ。じゃあな息子」

「えーわたしに挨拶は」

「じゃあまた、武藤先輩」

「えー俺に挨拶は」

「そのうちお宅に遊びにいくわ」

「椅子いる？」

「酒買っといて」

「じゃおとうちゃんばいばい」

息子はいつものように、画面の前で、ポーズを取る。私はそれを、スクショしてから、スマホで撮影する。音が出る。写真を確かに撮ったということが伝わる。

息子は画面の向こうに去っていった。吉野と武藤先輩と、彼らの子どもが手を振っている。私はもう一枚写真を撮って、Ｚｏｏｍを切断する。

POISON GIRL BAND研究
～サンキュータツオのお笑い文体論～

サンキュータツオ

1．お笑い自然主義からお笑い新感覚派へ

POISON GIRL BAND（ポイズンガールバンド）は、吉本クリエイティブエージェンシーに所属する漫才コンビである。吉田大吾と阿部智則の二人からなる。みなさん、ご存じだろうか。M－1グランプリ第一期に三度決勝に進出したコンビだが、二〇〇四年六位、二〇〇六年、二〇〇七年には九位という結果を残した。お茶の間的には爆笑とまではいかなかったが、不思議な空気を残したコンビとして記憶している方もいるかもしれない。

私は同業者でありながら彼らの漫才を、二〇〇〇年代から現在に至るまで、誰はばかることなく「いま絶対に観るべきコンビ」と言い続けてきたし、いまもそう思っている。そしてこれからも、彼らになんらかのターニングポイントがくるまでは、思い続けるだろう。

このコンビに私がこだわりつづけるのには理由がある。

それは彼らを語り、彼らの漫才をつぶさに見ていくことが、現在のお笑い全体を語ることと直結しているからであり、またお笑いブームの終焉を迎えた観客のお笑いの見方そのものを考えることにも、もちろんお笑いとメディアの問題にも直結しているからでもある。

それは特に「ネタ」に関して、彼らが到達してきていることの確認を通して明らかになる。POISON GIRL BANDとはなんだったのか。中川家や笑い飯やアンタッチャブル、サンドウィッチマンといった「制した側の歴史」ではなく、歴史のなかに確実に存在した彼らの存在を考えることで見えてくるものがある。

最初に言っておくが、現在のPOISON GIRL BANDに対する、そしてこれまでの彼らに対する評価が、不当に低いと私は思っている。本稿の狙いは、その不当な評価を、少しでも押し上げることにある。

ただし、これも事前に言っておかなければならないのだが、決して彼らをアーティストだというつもりもないし、難解でありがたいものだと言うつもりもない。彼らの漫才は、だれが観ても容易に楽しめるものであるし、またそうでなければならない。非常に大衆的である。しかし、現在のお笑いを観る人たちの中途半端な「頭でっかち」な感じであったり（中途半端な、というところが大事である）、あるいは「わかるものだけが楽しい」といったある種の「わかりやすい病」であったり、あるいは「ネタとはこういうものであるべきである」といった凝り固まった先入観、などをもって見てしまうと、途端に彼らの魅力と面白さは、その人から遠ざかってしまう。

お笑いに限らず、自分のわかるものだけを良しとし、その他のものは即刻つまらないというラベルを貼るような、文化的吝嗇（吝嗇とはケチのこと、貧乏性といってもいい）は、原理主義に陥り、ジャンルを閉塞させ、やがて滅ぼす。
　こういった危機感を持つからこそ、私はPOISON GIRL BANDについて語りたいのだ。

　そしてこの文章は、「お笑い」を語っているようで、どのジャンルにも起こる普遍的なことについて語るつもりであり、誹りを承知で風呂敷を広げて言うなれば、文学論であり文化論であり「私と彼ら」を巡る小説としても読めるようなものにするつもりでいる。つまり、読者のみなさんが想像するような、お笑いを巡る言説とは、およそ似ても似つかない文体をもって彼らを語るので、抵抗があるかもしれないが、同人誌という媒体ゆえ許していただきたい。

【1】

吉田　でも終わってみればね、セ・リーグのほうね、中日がちょっと強かった
阿部　ああ確かに
吉田　パ・リーグは西武とダイエーがちょっと競ってたけど、セ・リーグはもう中日がダントツで強かった

阿部　強かったねえ
吉田　今年はね
阿部　だって帽子が似合ってたもんね
吉田　似合ってた
あのー、今年の中日はね、確かに帽子が似合ってた、うん
阿部　もうさー、選手一人ひとりが帽子が似合ってたんだもんな
吉田　そう　みんな似合ってんだもん、やんなっちゃうよね
阿部　うーん、しかもさあ、サイズがあってんのな
吉田　あってる、あってる、帽子のサイズね
阿部　そうそう
吉田　お前がいうサイズは帽子のサイズのこと
阿部　そうだよ
吉田　中日そういうチームだから
阿部　うん
吉田　帽子のサイズは合わせていこうぜっていうね、球団創設以来決まってんのこれ

多くの人がPOISON GIRL BANDの存在を知ることになった、二〇〇四年のM-1グランプリでの「中日」のネタだ。
まず、「中日」をネタの題材にすること自体が、「モテたい」とか「将来〇〇になりたい」

といった類の、ある種の「定型」とはちがう。素材選びに類例がない。

また、いわゆる「フリ」「オチ」を楽しむ類のネタでもなかった。「中日がダントツで強かった」から、「だって帽子が似合ってた」への連接が、従来の「大喜利」的な「変項と配列」による笑いとは別の軸を示している。仮に、「中日がダントツで強かった理由」で大喜利的な「理由の変項」で笑いをとる方法であれば、「帽子が似合ってた」は即座に「なんでだよ」とツッコまれ修正されるべき発言だろう。しかし吉田は決してツッコまない。

また、漫才コント（コント漫才ともいう、漫才のなかでコント的設定に入る二重構造性を備えた形式）ではなく「しゃべくり」（いわゆる素しゃべりに近い、設定に入らないネタ）であることにも注目したい。二〇〇四年のM－1グランプリは、二〇〇八年のそれと並んで、二〇〇〇年代のお笑い史のなかでも重要な回なのであるが、二〇〇〇年代のツッコミの進化という観点でいえば、南海キャンディーズであり、トータルテンボスであり、東京ダイナマイトなどが初出した大会でもある。つまり、ツッコミの一行目に「なんでだよ」を選択しない人たちが選ばれた大会であった。ツッコミはついに「観客の心の代弁者」であり「常識的」なものから、「面白い指摘をする人」あるいは「ボケ同等の変人」に進化し、笑いに積極的に関与することになった。

笑いが進化を求め、「ツッコミの進化」、つまり「ボケ役の相手の変容」による笑いを求めはじめた画期的な年であった。

このネタで、笑いまではしないものの、こんなことを考えている人たちがいるのか、と興味を持ったお笑いファンも多いだろうが、反面、まったく理解できない、なにが面白いのかもわからない、といった人たちも多いと思う。

彼らは、二〇〇一年に惨敗したおぎやはぎが提示した「お笑い自然主義」（変なことを言う人に強い語調でツッコまないスタイル）を継承しつつ、さらなる変化を求めて、文芸的用語でいうなれば「新感覚派」のようなものに至った存在であったがために、やはりその独特すぎるスタイルが大衆には即座に理解をされたわけではなかったのは事実である。

お笑いにもロマン主義があり、自然主義があり、新感覚派があり無頼派がいる。

いま、世間はロマン主義に毒されている。

二〇〇九年頃に、お笑いや漫才に関する著作企画が私のもとに数多く寄せられたが、私がどうしてもPOISON GIRL BANDについて一章、いやそれ以上の分量を割きたいと言うと、その企画はすべて頓挫した。出版社は、だれでもがわかるお笑いの解剖を求めるのだが、そんなことは私のような現役の漫才師に求めるのではなく、ブロガーにでも発注すればよい。

私が夢想するのは、立川談志の生涯をかけた「イリュージョン」的なものへの志向であり、文芸的にいえば、フランスヌーボーロマンの作家たちの志向した、「アンチロマン」の世界観を、たとえばお笑いでいえばＰＯＩＳＯＮ ＧＩＲＬ ＢＡＮＤという存在を通して、一人でも多くの人と共有することである。

2. 二〇一〇年代の活動

二〇一四年三月八日、土曜日。

私は東京のルミネtheよしもとの客席にいた。

オフィス北野の芸人が、まずこの空間に足を踏み入れることがあまりないばかりか、しかも舞台に出る側ではなく完全に客として観劇に来るということが、どれだけ恥ずかしいことかおわかりだろうか。


しかし私はその日その場所にいた。

それは、POISON GIRL BAND単独ライブ「あの頃の漫才2000〜2013と新作60分漫才」があったからだ。

この頃のPOISON GIRL BANDは、M-1は一段落したあとにもかかわらず、活動が活発化していた。いや、世間一般のメディア的にはほぼ露出はなく、それでも吉田さん（以下、吉田）がTOKYO FMの毎日の帯放送のレギュラーが決まったのはそのタレント性の一端を証明してはいるものの、阿部さん（以下、阿部）の表現力や身体性、吉田のセンスなどが余すところなく紹介されたかというと、それはゼロに近い。

ここでいう「活発」というのはライブ活動のことである。ライブ活動についても芸人によってとらえ方はさまざまある。すでにタレントとしても売れてしまった場合だと定期的にネタライブを打つのはスケジュール的にも労力的にも、そしてリスクを負う必要もないところでリスクを背負う意味で、とても難しくなる。幸か不幸か、彼らがまだタレント化していないことで、まだ劇場で新ネタをかけ続けていたのである。

私が彼らを追いかけ続ける理由、それは彼らが「進化」し続けているからだ。近年、どの芸人の口からも「フォーマット」という言葉をきく。これは「ハード」と言い換えてもいいし「スタイル」といってもいい。自分たち独自の「形」という意味である。お笑い芸人たちは、ほかの芸人にはない自分たちならではの「フォーマット」を開発し、そのフォーマットでどういったネタを量産するか、そこにかけている節がある。それはまるで、プログラミングをし続けるプログラマーが、自身のプログラムの堅牢性と汎用性を証明するかのように、このコンビといったらこの形、というものを見つけては、おなじパターンで量産し、完成度を高めていくという作業である。

ナイツなら言い間違い、オードリーなら「ズレ漫才」などと称されるスタイルを見つけ、そのスタイルで量産を続けている。私が「文体論」としてお笑いを研究しているのも、英語ではstylisticsというが、これもstyleからきている、すなわちスタイルの研究であるから、スタイルが強固であればあるほどコピーしやすい。〇〇っぽい漫才、というのがイメージできればできるほど、コピーしやすいのだ。

しかし、POISON GIRL BANDはひとつのスタイルが完成を見ると、また別のスタイルを構築していく。しかし、笑いの志向性は相変わらず、「変項と配列」で構成される大喜利的なものとはちがい、まだ着手されきっていない質のものを志向しているのである。

ここがほかのコンビと圧倒的にちがう彼らの魅力であり、さらにいうと、好き嫌いを問わず、「いま見るべき」人たちであるゆえんである。

二〇一〇年代のライブ活動は、主なところでいうと、二〇一二年から、吉田が「POISON吉田が5人と漫才」シリーズを開始している。これは、ツッコミの吉田が、相方とはちがう、別のコンビの芸人と一時的に組んで漫才を披露するというもの。これを一つのライブで、五人と組み、ネタもすべて新ネタというシリーズである。吉田のツッコミの技術と、さらには相手によってはボケにまわることもできるタレント性と自在性、さらにネタを生み出す才能が如何なく発揮されるライブで、初回こそシアターブラッツで開催されたものの、人気ライブとなりその後はルミネで三カ月に一度のペースで行われた。

初回の五人は、麒麟川島、ニブンノゴ!・宮地、ブロードキャスト房野、タモンズ安部、カナリアボン溝黒といった面々。キャラクターのあるものから技術のある者、そして普段はツッコミのものがボケたりと、吉田の魅力だけではく、相方となる芸人たちの別の才能も垣間見られる、ワクワクできるライブだ。

継続して一年も経たない二〇一三年二月には、博多華丸、東京ダイナマイト松田、LLR福田、エリートヤンキー橘、アンタッチャブル柴田といった五人を揃え、この企画ではじめてルミネが満席になった。私も可能な限り毎回ルミネに足を運んでいる。ちなみに、東京ダイナマイト松田との漫才「ぶっこみ」に関しては、談志円鏡の歌謡合戦をモチーフにしていることから、彼の笑いに対する問題意識がうかがえる興味深いネタでもあったが、ひとまずここでは詳細は控える。

また、これと並行して、自らのコンビでも「60分漫才」を開始している。「POISON GIRL BANDの60分漫才」である。これは、六十分で一本のネタをやるのであるが、毎回新ネタで、数分のネタの繋ぎ合わせでやるのではなく六十分で表現しうる漫才の形を模索しつづけているシリーズだ。POISON GIRL BANDがその時どういう境地にいるのかを観に行くにはこのライブが一番いい。

ただ、このライブはルミネで開催されつつも、いまだ満席になったことがなかった。日本で一番見るべき漫才が、ルミネを埋めていないのである。

ただ、この三月八日だけはちがった。コンビ結成の二〇〇〇年代から、一時期はおなじネタをかけないとまで言われていたPOISON GIRL BANDが、『M-1グランプリ』や『お笑い登龍門』、『笑いの金メダル』、『水10!』といったネタ番組に出ていた「あの頃」の漫才を再演する、のと同時に、現在の「60分漫才」を披露するという、非常にカロリーの高いイベントを組んだのだ。

お笑いファンというのはそういったことに敏感であるようで、このイベントのチケットは当日をまたずに完売した。

「POISON吉田が5人と漫才」シリーズと「60分漫才」シリーズの両輪を転がしつつ、この日、「過去」と「現在」を両輪にしたこの興行を打ったことは、ひとつこれまでの漫才の総決算の意味合いと、これから向かう道を示したことの意味において大きかった。

優秀な興行勘があるか、あるいは興行師がいたればこそのイベントだ。玄人好みの芸人が陥りがちの「内向き」なライブを、どうにか外へ外へ発信しようという意図が、この頃には感じられた。

さらに当時、神保町花月で開催していたPOISONのライブについても触れておきたい。これは定期的に開催されているトークライブのようなもの。現在は新ネタとトーク、という軸のライブが主流となっているが、これと毎回入れ替えるようにして「テレビ吉田トーク」シリーズというのがあった。これは、吉田がMCとなって、『徹子の部屋』のように、ゲストを呼んで話を聞くのであるが、そのゲストというのが、阿部と各回ゲストの芸人で、「ある職業の人」に扮する。

たとえば、「東京スカイツリーを作った人たち」に扮して三人が出て来て、吉田はその職業がどんなものか、そしていままでの苦労話であったりエピソードなどを聞いていく、というもの。他愛のない、企画もののトークライブのように思うかもしれないが、実はこのトークライブの形式も、たまに吉田が口にする「SF漫才」という形式に昇華されていく前の形、あるいは別の形で出力しているものとして見ると、その笑いの生成過程における思考回路が見えてくる。非常に興味深いトークライブとなっている。

まとめると、コンビの縦軸での活動が、トークライブから「60分漫才」へ、そして横軸でいうと吉田が「POISON吉田が5人と漫才」シリーズと並行し「60分漫才」へ、という流れが見えてくる。

いずれにしても「60分漫才」は、現在の、若手芸人のネタ一分～四分尺という見世物市的なものとは逆行した劇場向きのものとして制作され、なおかつ長尺でしか表現しえないものへと独自進化していることだけはおさえておきたい。

さて、そこへきて「あの頃の漫才２０００～２０１３と新作60分漫才」があったものだから、昔のネタをフックとして「60分漫才」という新たなスタイルを商品として陳列しはじめている二〇一〇年代の活動を見逃すわけにはいかない。

ライブという一回性のもので終わってしまう、お笑いの潔さとコストパフォーマンスの低さに、あえて挑戦して常に自身の最高到達点に挑んでいるM-1のファイナリストが何組いるだろうか。

高いところへ連れていってくれる――。

私が彼らに期待して毎回ライブに足を運んでいるのは、まさにそういった現在の活動形態から見えてくる、まだ見ぬものへの挑戦を感じ取っているからである。

3．お笑いの法則に毒されていませんか？

さて、詳細にうつる。ＰＯＩＳＯＮ ＧＩＲＬ ＢＡＮＤ単独ライブ「あの頃の漫才２０００〜２０１３と新作60分漫才」は、前半を過去のネタ、休憩をはさんで後半を「60分漫才」という構成だった。

なかでも前半を、三部に分けていたのが興味深かった。すなわち、「２０００〜２００３」「２００４〜２００８」「２００９〜２０１３」という区分けである。

これだけでも、ＰＯＩＳＯＮ ＧＩＲＬ ＢＡＮＤが、ひとつのフォーマット（スタイル、ハード、形、芸風、文体）に縛られず、進化し続けてきていることがわかる。

この区分けは捉え方次第であるのだが、「２００４〜２００８」というのが、ＰＯＩＳＯＮ ＧＩＲＬ ＢＡＮＤがＭ－１グランプリに出場していた頃であり、ここを中心としてその前後で区分けした、と捉えることができる。正確にいうと、ＰＯＩＳＯＮ ＧＩＲＬ ＢＡＮＤがＭ－１に出場したのは二〇〇四年（中日のネタ）、二〇〇六年（島根と鳥取のネタ）、二〇〇七年（洋服のネタ）の三回であるので、二〇〇八年を三期に入れてもいいのかもしれない。だが、Ｍ－１を軸に活動しているように見えるものの、彼らのなかではそれだけがすべてではないだろう。なにかスタイルの転換点となるようなことが、二〇〇四年、二〇〇九年にそれぞれあったのかもしれない。あるいは、結成当初のコンビ名「POIZON GIRL BAND」の「POIZON」が「POISON」に変更されたのが二〇〇三年から二〇〇四年にかけてだったからであろうか。

年数で区切った区分けとは別に、個人的には、POISON GIRL BANDを全四期に分類している。

①「長いツッコミ期」：量の公理違反型
②「ツッコまない期」：ツッコミ巻き込まれ型
③「反復期」：同型節反復型
④「SF期」：妄想／イリュージョン模索型

このうち、「長いツッコミ期」が、確認できるところだと二〇〇五年頃まで現われる、前期のスタイルである。また、「ツッコまない期」はこれと並行して二〇〇四年頃から二〇〇八年頃。「反復期」が二〇〇六年頃から二〇一〇年頃まで。「SF期」は、厳密にいうと全キャリアにたまに顔を出すのであるが、正面からやりだしたのは二〇一〇年代である。

さて、ここで二〇〇五年の彼らのネタを見てみたい。

【2】

吉田　みなさんも、電車乗る人とか多いと思うんですけど。俺もこないだ電車乗ってたら、迷惑な人がいた
阿部　おー、どういう奴だよ？
吉田　もー、若者なんだけど、もうすっごい大きい声でね、携帯でしゃべってる奴がいた
阿部　あー、すっぽんぽんで？
吉田　いや、すっぽんぽんではなかった
阿部　すっぽんぽんじゃない？
吉田　もしそいつがすっぽんぽんだったら、俺、
　「この前電車乗ったときに、すっぽんぽんの奴がいてね」っていう話に変える
阿部　そうしたほうがいい
吉田　で、ほかの乗客もいるなかで、すっごいおっきい声でしゃべってるわけ。
阿部　そういうときに、その人に対してね、ちょっとうるさいですよってさ、
吉田　あの、マナー違反ですよって注意できるようになりたいなって思って

（二〇〇五年九月一六日「電車内でパイ」『笑いの金メダル』Ｏ．Ａ．）

たとえばこのようなネタの場合、「すっぽんぽん」は序盤のノイズとして置いておくとして、「その人に対してね、ちょっとうるさいですよってさ、あの、マナー違反ですよって注意できるようになりたいなって思って」というスジフリ（プロットの進行を示すタイプのフリ）を受けたら、多くの人は、続くネタが、「じゃあ俺が電車で電話しているから、お前注意してみろよ」などのパターンになることを予測するかもしれない。

あえて言う。その予測を立てる人は敏感ではあるかもしれないが、完全に毒されている。そのような予測はお笑いを楽しむのにまるで必要ない。ばかりか、その、予測した展開とちがうものに対する違和感を覚えてしまう時点で、お笑いの見方を狭めてしまっている。

このネタの続きはこうなる。

【2－2】

阿部　いやいやでもさー、もしそういう奴いたら、注意とかじゃなくて、顔面にパイをぶつけてやればいいんだよ

吉田　うん。いや、もうその気持ちはね、ものすごいよくわかるんだよ俺

阿部　わかる？

吉田　わかるんだけど、あのー、パイがねーの

阿部　え？

吉田　パイがね、俺そんときＪＲの電車乗ってたんだけど、ＪＲの車内にね、パイがないの
阿部　ちゃんと探したの？
吉田　俺はもう、車内をくまなく探した
阿部　網棚の上見たの？
吉田　見た　網棚の上ちゃんと見たよ
阿部　いや、お前はどうせ進行方向向かって右側しか見てねーよ
吉田　いやいやいやいや。進行方向右の網棚見たよ、左の網棚見たよ、もういっかい右の網棚見たよ、でまあ、一回左見ようかなと思ったけど、やめたよ もう首疲れたからやめた
阿部　じゃあお前、連結部分見たかよ
吉田　見た連結部分
阿部　見た？
吉田　言っちゃうと、俺、網棚見る前に実は連結部分探しにいってんだよ

（同「電車内でパイ」）

私の分類によると、①「長いツッコミ期」から②「ツッコまない期」への移行期にあたるこのネタは、「顔面にパイをぶつけてやればいい」という阿部の提案から、それを無碍

にせずに「パイがないからできない」と受ける点、そして「ちゃんと探したの？」と続き、どうやって探したか、が会話の論点になるという「展開の妙」がある。

しかし、この「展開の妙」は、「じゃあ俺が電車で電話しているから、お前注意してみろよ」パターンに慣れきってしまっている人には、違和感でしかない。その違和感を笑うことができれば良いのだが、触れたことのない会話の流れにただただ立ちすくんでしまう人が多い。

しかし、よく考えてほしい。自然な会話とは、実際にはこのような会話のことのほうが圧倒的に多いのである。

仲良くしゃべっている学生風の男たち。喫茶店で盛り上がるおばさんたち。会話をしている当事者たちが、問題にしているポイントがおなじであれば、それはちゃんと会話として成り立っているのである。そして、第三者として観察してみると不可思議なその会話を、私たちは日常的に耳にしているはずなのに、このようにネタとして目の前に出されるとビックリしてしまう人が多いのだ。それはなぜならば、知っている「お笑いのルール」に則していないからだ。

しかし、これほどにスリリングで面白味にあふれた会話があるだろうか。日常の延長にあるからこそ、自然におかしみがこみあげてくる。

彼らのネタには、すでに存在する多くのパターンへの倦怠と批評というメッセージと、会話とはこういうもの、漫才とはこういうものだというメッセージが同居している。

4. オーソドックスな展開とは

ここで、二〇〇〇年代に席捲した漫才ネタのオーソドックス型というのを示しておこう。

■導入部

なんの話をするかのフリ　ツカミがある場合もある。

「最近……」とか「ちょっと相談があるんだけど……」とかの切り出し

↓「こうしたほうがいい」とか「これやってみたい」とか、「あれなんとかならないか」などのネタへの呼び水に

■ネタ

導入を受けて、「話題」か「シチュエーション」が確定する。

↓本来こうなるはず、という「話題」や「シチュエーション」の流れも確定する。

↓本来こうなるはず、をズラす＝ボケ

↓本来こうなるはず、を明言し修正する＝ツッコミ

およそお笑いスクールなどでお笑いを学んだりすると、まずはこういった基本形にたど

り着く。
たとえば、こんなネタをやるコンビがいたとする。

【3】（※作例）

A「ちょっと相談があるんだけど」
B「なに」
A「じゃあ、あとで乗って」
B「いましろよ」
A「そう？　俺、今度ファミレスでアルバイトしようかなと思うんだけど、うまくできるか不安で……」
B「そんなの実習があるだろう」
A「実習がうまくできるか不安で……」
B「よくいままで生きてこれたな。わかった、じゃあ俺が客やってやるから、ちょっと練習してみな」
A「えー、悪いよォ」
B「じゃあなんなんだよこの時間！　遠慮するな　じゃいくぞ、ウィーン（自動ドアを開ける）」

A「『どうもはじめまして、このたび貴社にアルバイトの応募をしましたのは……』」
B「面接の練習じゃねえよ！　接客の練習だよ」
A「いいの？　『いらっしゃいませ。ご注文は肉ですか魚ですか？』」
B「はやいよ！　まだ席にも案内されてないし！　肉か魚って飛行機じゃないんだから」
A「あのー、こちら飛行機ではありませんが……」
B「わかってるよ！　なんでこっちが悪いみたいになってんだよ。最初は、『御一人様ですか？』とか『おタバコはお吸いになりますか？』とか聞くだろ」
A「あ、『ご旅行ですか？』」
B「食事です！　なんで入国検査になってんだよ」

これを、先のオーソドックスな型にあてはめると、
冒頭から、B「わかった、じゃあ俺が客やってやるから、ちょっと練習してみな」までが「導入」ということになる。
Aが「ファミレスのアルバイトの練習」をするんだという話の流れが組みあがる。
「ネタ」部分は、この導入を受けて「ファミレスの接客」という流れも確定する。つまり、接客の流れ、具体的には「御一人様ですか」「おタバコはお吸いになりますか？」「ご注文はお決まりですか」「ただいまお冷をお持ちします」などの流れがあり、注文、食事、会計、

などの「行動・発言」の流れが確定する。

これは、ある程度の社会経験を積んだものであれば即座に思いつく「常識的な流れ」である。これを認知言語学や心理学の領域では「フレーム」とか「スキーマ」とか呼んだりするが、単純な笑いを追求するのであれば、この「フレーム」が仕上がればそこをズラせばよい。

『いらっしゃいませ。ご注文は肉ですか魚ですか？』がボケとして成立するのであれば、それは「本来の流れ」に反している、ということを即座に理解できるからであり、その証拠にツッコミは「はやいよ！」と返している。「注文をするのは、席に案内してからだ」ということを主張するのである。

「ご注文はお決まりですか？」の形を「ご注文は肉ですか魚ですか？」とするところは一工夫入れたところで、ここでもうひとつ意味が乗っかる。「飛行機じゃないんだから」とツッコまれているところである。別の文脈で使われるべき「会話の流れ」が唐突に引用されたのである。

「最初は、『御一人様ですか？』とか『おタバコはお吸いになりますか？』とか聞くだろ」というセリフは、「本来こうあるべき」という「会話の流れ」を修正するものであり、やり直しを要求する行為でもある。

ここでAには選択肢がいくつかある。「御一人様ですか？」をズラす選択肢と、そもそもBの要求にこたえないという選択肢である。前者を「変項のバリエーション」とし、後者を「会話のバリエーション」と呼ぼう。

いわゆる「大喜利」というのは前者をさすが、漫才は会話なので後者の「大喜利」も含む。早い話が、パターンをどれだけ出せるか、ということなのである。

ここでAは後者を選択したとする。Bの「～ですか？」「～ますか？」という形式に合わせて「ご旅行ですか？」と返す。「〇〇ですか？」の〇〇の部分になにを入れるかは、これも「変項のバリエーション」ということになるのだが、先に「飛行機」というキーワードが出ているので、縁語である「空港」や「入国審査」を想起させるものを入れたい。しかし「観光ですか？」は「ファミレスの接客」という文脈ではあまりにも遠い。まだ「ご旅行ですか？」のほうがギリギリありそうだ。ということでAは「ご旅行ですか？」を選択した。演者のリズム感や息のあったところ、そして表現力が試される部分である。「～ですか？」「～ますか？」とか聞くだろ、という「修正の指示」に対して、「疑問」で返すのが、会話の型からズレている。ゆえに「会話のバリエーション」ということになる。

ところで、「ボケ」はズラすことと同義だと誤解されてもおかしくない書き方をしてきたが、一面でズレすぎてはいけないという側面がある。「ギリギリあるかもしれない」というところのほうが実は大事なのである。二つの解釈が可能なセリフやシグサをしなければ、あとから納得ができないからである。

こうして、芸人はネタを板（舞台）にかけ、もし反応がよくない部分があれば、そこを微調整する。「ご旅行ですか？」の反応がイマイチであれば、そこは会話のバリエーションではなく「変項のバリエーション」を選択し、「御一人様ですか、おタバコはお吸いですか、お金はお持ちですか？」「失礼だろ」みたいな形にしてみるのもいいかもしれない。反応が良かったものを残していき、さまざまなバリエーションを用意して観客を飽きさせない。ネタは完成度を増していくわけである。

ただ、ここで紹介した従来の漫才のパターンは正直もう飽きた！
内容がどんなに優れていようが、どんなに表現力が高かろうが、こうした構造自体が「型」にハマっているようなものに、心底飽きた！　そんなお笑いファンがいるかもしれない。私はそうである。

ただ、一方でこの「完成度の高さ」を味わうお笑いファンも無数に存在するのだ。いや、ほとんどがそういう人だと言っていい。なぜなら「飽きた！」と言っている人が多かったなら、ＰＯＩＳＯＮ ＧＩＲＬ ＢＡＮＤの評価はもっともっと高いはずだからである。

【2－2】

吉田　で、ほかの乗客もいるなかで、すっごいおっきい声でしゃべってるわけ。そういうときに、その人に対してね、ちょっとうるさいですよってさ、あの、マナー違反ですよって注意できるようになりたいなって思って
阿部　いやいやでもさー、もしそういう奴いたら、注意とかじゃなくて、顔面にパイをぶつけてやればいいんだよ
吉田　うん。いや、もうその気持ちはね、ものすごいよくわかるんだよ俺わかる？
阿部　わかるんだけど、あのー、パイがねーの
吉田　え？
阿部　パイがね、俺そんときＪＲの電車乗ってたんだけど、ＪＲの車内にね、パイがないの
吉田　ちゃんと探したの？
阿部　俺はもう、車内をくまなく探した
吉田　網棚の上見たの？
阿部　見た　網棚の上ちゃんと見たよ
吉田　いや、お前はどうせ進行方向向かって右側しか見てねーよ
阿部　いやいやいや。進行方向右の網棚見たよ、左の網棚見たよ、もういっかい右の網棚

見たよ、でまあ、一回左見ようかなと思ったけど、やめたよ
もう首疲れたからやめた
阿部　じゃあお前、連結部分見たかよ
吉田　見た連結部分

（後略）

ふたたび【2-2】のネタを紹介した。従来の漫才の枠組みのなかでの「構成」や「表現力」といった「完成度の高さ」でお笑いを観ている人たちの多くは、「わかるから面白い」と主張する人たちであり、いままで見たこともない「わからない」ものを「面白い」と評価できるだろうか？

新しさとは、そういう意味で「面白い」＝「売れること」と意外にも相性が悪いものなのである。これはどのジャンルにも言える。「新しさ」だって、「理解できる範囲の新しさ」でないと人は安心できない。

POISON GIRL BANDのネタからは、「こういうのもあってもいいんじゃない？」という、既存のネタに対する提案、つまり批評精神すら感じるのだ。

彼らのネタが「完成度が低い」と言いたいわけではないのだ。みなが口をそろえて言う「完成度」とは、ほとんどの場合「わかりやすさ」と同義だ。

しかし「完成度」と「わかりやすさ」と「面白さ」はすべて分けて考えなければならない。そうではないと、お笑いはこのままずっと「新しさ」を面白がれない。

また、「目新しさ」と「新しさ」は別物だ。「よくわかんないけど、なんだか面白い」という精神状態を許容しないことには、お笑いは、漫才は、次のステージには進めないのである。

彼らはいたって「理解できる範囲の新しさ」を貫いてくれている。「新しさ」なんてことも意識したかどうかはわからないが、少なくともそれは、独自色を出そうと必死に考え抜いた揚句に出てきたものであることは確かだ。ここではその独自性、唯一性、まだ観たことのないスタイルのものを「新しさ」としよう。

5．吉田戦車『ぷりぷり県』とSF的おかしみ

『ぷりぷり県』をご存じだろうか。POISON GIRL BANDの魅力はなにかと聞かれたら、私は『ぷりぷり県』の人たちの会話っぽいバカバカしさが、その魅力のひとつだ、と答える。

『ぷりぷり県』は、吉田戦車によるマンガで、一九九五年から一九九八年まで「週刊ビッグコミック スピリッツ」で連載された。日本には、四十七都道府県があるが、このマンガの世界観では、都道府県が四十八あり、そのひとつに「ぷりぷり県」という県がある、というものだ。主人公の「つとむ」はぷりぷり県から上京し、東京で働きはじめた青年で、郷土愛に溢れ、いつも県民意識を炸裂させて、ほかの地方出身者と張り合ったりしている。

もちろん『秘密のケンミンSHOW』がはじまる前だし、それほど地方愛が叫ばれていた時代のものではないから、郷土愛自体を炸裂させている人たちがたくさん出ていること自体、不思議な味わいのマンガだったが、『ケンミンSHOW』を経過した現在だと、また違った味わいがある。自分の出身地ではない場所で「常識」とされていることの面白さを、みなさんも感じたことはないだろうか？

『ケンミンSHOW』の笑い的観点から見た面白さは、たとえば、モチが丸い地域と四角い地域があるとか、そばの出汁が透明な関西と、真っ黒な関東などといったメジャーな地域差から、香川県では雑煮に大福を入れるとか、加賀には「げんすけだいこん」という大根があるとか、熊本には「一文字グルグル」と呼ばれる料理があるとか、ピンポイントな地域差まで。食べ物の例ひとつとっても、「地域」から「地方」だけの慣習や常識になっていけばいくほど、最初に知ったときの驚きや新鮮味、ひいては「面白さ」が強くなっていく。まずこの「知らない世界の常識」の面白さがある。

さらに世界を広げたならば、韓国ではどんぶりを持たずに口で食べ物を迎えにいくために箸を長くしているとか、中国ではビールを冷やさないとか、バヌアツでは成人の儀式で高いところから飛び降りるとか、地域でなくても病院では患者のことをクランケというとか、寄席の世界では「三」をヤマというとか、警察の世界では拳銃をチャカといい犯人をホシというとか、特定のジャンルでも「知らない世界の常識」はある。さらにある年齢より上の人はハンガーをエモンカケと呼びバナナをありがたがるとか、十代は「ま?」「り」で会話が可能だとか、四〜五十代だけWINKという二人組の曲を歌えるとか、年代で区切ることもできる。この延長線上に、イカの形をした美少女がいる世界ではその子の発言の語尾は「ゲソ」だったり、火星では地球の三倍の時間寝る、とか妄想に近い「その世界の常識」があるかもしれない。

これらすべてをSF的面白さといってもいい。

また、その知らない世界がどう成り立っているのかというディテールやロジックが面白い場合もある。たとえば石川県には有名な餃子店「ダイナナ」という店がある。これは「第七餃子店」の略であり、ダイナナのオーナーが弟子入りしたのは「第二餃子店」だという。創始者が最初にいくつか店を作ったのかと思ったらそうではなくて、系列店の創始者が作った店は「第一餃子店」だという（弟子もいない時に「第一」と後続ができることを前提とした名前をつけていた！）。ダイナナのオーナーは、もう老体であった第一餃子店ではなく、若い夫婦が経営していた弟子の「第二餃子店」で働きはじめ、その後系列店が増えていっており、自分が店を出すときは「第七」だったという。これも「SF的面白さ」といってしまえばそれまでだが、前のSF的常識とわけて、「知らない世界のディテールやロジック」の面白さだともいえる。

こういった「SF的常識」「SF的ディテールやロジック」の面白さにいち早く目をつけ、それをマンガ作品化したのが『ぷりぷり県』である。

さきほどの雑煮の例だと、「あんな奴うちにいたか？　の巻」では、各県の雑煮自慢がテーマになっている。正月明けに雑煮で十キロ太った主人公のつとむは、社員に「郷里の雑煮で太るのは、郷土愛の何よりのあかしですからね」と言ってはばからない。

するとそこに、福岡県出身の社長秘書、フク子が二十キロ太った姿でやってきて、「焼きアゴ（とびうお）でだしをとった博多雑煮の勝ちね。ぷりぷり県の雑煮なんてきっとたいしたことないんだわ」と自慢する。するとさらにそこに、香川県出身のサヌ男という社員（普段はうどんのようにひょろひょろした痩せ型で、ネクタイに「うどん」という文字が書いてある背広姿）が30キロ太った姿でやってきて、「三十キロ増えたよ、故郷高松のあんモチ雑煮でね」「ぼくが三十キロモチ太りしたのが何よりの証拠！　あんモチ雑煮が日本一だ！」と勝ち誇るのだ。

つとむはうなだれる。「……ぷ、ぷりぷりのトコロテン雑煮が他県の雑煮に負けるなんて……」。ぷりぷりのトコロテン雑煮とは、丸モチをこんがり焼き、その上に、キーンと冷やしたトコロテンをかけ、からしと青ノリを添える。香ばしいモチと冷たいトコロテンが身も心もさっぱりツルツルさせてくれる、と説明される。もはや雑煮の体裁すらとっていない新種の料理である。「うわーげてもの！」とフク子さん。「げてものとはなんだ！あんないいお雑煮のことを！」とつとむが言う。

ぷりぷり県は外国ではない。あくまで日本である。「雑煮」という文化があり、「モチを食う」という文化は、日本人ならだれもが乗っかれる「慣習」である。ここが大事で、これは外国人にとっては自明のことではないから、もし日本すら相対化したら、日本はまさに西洋諸国にとっては「ぷりぷり県」ばりの、不思議な慣習がたくさんある国にうつるにちがいない。

そして、その自明な「慣習」のなかに「ぷりぷり県」という「異質」な県が入ってくる。そのことで、他県すら相対化され面白くぅつってくる、というぅ構造がある。「郷里の雑煮で太るのは、郷土愛の何よりのあかし」という部分までは、少しだけ愛の強い人の逸脱的発言かなというところで理解できるが、これとてSF的常識の世界の話で、実際は十キロも二十キロも太ってくる人はいない。ここらへんはマンガ的誇張表現をとっていて可笑しい。身体性の笑いに似て、絵で見て面白い強さをもっている。

「博多雑煮」が、とびうおで出汁をとっていたり、「あんモチ雑煮」があんこ入りのモチを雑煮に入れる、というディテールで、はじめてそれを聞いた人は信じられない思いだろう。しかし実際にある。そこが面白い。日常の延長にSF的世界とディテールが転がっている。そしてとどめは、ぷりぷり県の雑煮である。丸モチの上に、冷やしたトコロテンて。「身も心もツルツルさせてくれる」というのはコメントの妙、つまり言語表現の面白さなので別としても、「トコロテン雑煮」の絵の面白さ（身体性的マンガ表現）、に加えて、ここに「丸モチをこんがり焼き、その上に、キーンと冷やしたトコロテンをかけ、からしと青ノリを添える」というディテールの面白さがある。からしと青のり!?という。

ぷりぷり県には、ほかにも「しぼり汁」という飲み物があり、それは「ジャガ芋、里芋、ニンニク、大根、リンゴ、ハンバーグなどをどろどろに擦って搾ったスタミナ汁だ。※県東部では、ちくわを加えるところもある」とされている。大根まではよしとして「りんご」のところで果物かよ、と思い、「ハンバーグ」ってすでに加工物じゃねえかよと思い、「どろどろに擦って」って、わざとどろどろといったおいしくなさそうな表現を用いて、さらに「※」でディテールを掘り下げる。「ディテールを掘り下げることの面白さ」もここにはある。

食べ物以外でも、たとえばぷりぷり県には「紫信号」というものがあり、「とまれ」「歩け」のほかに「笑え」という信号がある。「東京にはがっかりしたの巻」で紹介されている参考資料『ぷりぷり県 交通安全のしおり』によると、「赤の時に笑うと、注意力が散漫になり危険です。笑いは、紫になってからにしましょう。青になったら真剣に渡る。青になっても笑っている人はいませんか。」と書かれている。「知らない世界の常識」「知らない世界のディテール」「絵を想像したときの面白さ」がここにある。もちろん、これらを支えているのは「発想の面白さ」だ。

吉田戦車のマンガの魅力は、「不条理」と紹介されることが多いが、不条理なものでは決してない。どころか、このような紹介の仕方が、笑いには「条理」なものと「不条理」なものがあり、「わかる」ものと「わからない」ものがあるという階層性（ヒエラルキー）を想起させてしまうミスリードになっているとすら私は思う。もちろんナンセンスでもない。日常の延長線上にある、ＳＦ的笑いなのである。これは、「知っている世界」への倦怠もあるし、「知っている世界を相対化する方法」であって、不条理ではない。談志のいう「イリュージョン」よりもはるかにわかりやすい質のものである。

あくまでも我々の世界の延長線上にあるかもしれない世界のなかで「常識」とされているものの面白さや、見たこともない世界のディテールをはじめて知ったときの感動や面白さ。「ある／ある」でも「ない／ある」でもない、「あるかもしれない／ある」の世界。「ある／ある」（通例「あるある」といわれるネタの表記をこのように改めてみた）という言葉の定義を、「状況の可能性／知識と行動の可能性」と定義するならば、前者は日常の延長線上であるが日常でもないというさじ加減。つまり、「日本の中央、東京」ではなく、「日本の一地方」（＝ぷりぷり県）が「あるかもしれない」世界であり、そこで「常識」とされているもの（ある＝最大多数の人の知識と行動）が「あるかもしれない／ある」という世界だろう。外国や宇宙まで行ってしまうと、どんどん「ない」寄りの世界に行ってしまう。

ＰＯＩＳＯＮ ＧＩＲＬ ＢＡＮＤの「60分漫才」は、「だれしもがわかっていることでボケる」という方法をキッカケとし（たとえば彼らが自分たちのキャリアを振り返るくだりで「昭和三〇年代からやってますけれども」というくだりがあり、二人ともそれを否定せずにふくらませていく）、だれもが「常識」としてもっている明確な答えがあるなかで、それではない「ボケ」を提示→正論でツッコまずそのボケを肯定した世界（ｉｆ＝帽子を取ったらあたりとハズレがある世界のような）の情報を掘り下げて聞く、という手法を取り、これを基本軸としてここで紹介した『ぷりぷり県』的な「世界の広がり」を提示してくれた。「知らない世界の常識」「知らない世界のディテール」「絵を想像したときの面白さ」である。ＳＦ的笑いの模索である。

「だれもが知ってるもの」が、「知らない世界」への扉になっている。「昭和三〇年代にＰＯＩＳＯＮ ＧＩＲＬ ＢＡＮＤが漫才で売れていた世界」があったり、「大物芸能人がいた昭和五〇年代」とか、日常の延長としての「知っている世界」を徐々に「知らない世界」にしていく。世間的には現代のお客さんが出会ったのは最近かもしれないけど、僕らは二〇二〇年の東京オリンピックの開会式までつとめまして……と続く。

六十分の漫才で、まず過去から現在、そして未来を「過去のこと」として語る阿部。無限にボケ放題で自由度が高いぶん、大変難しいネタだが自由度が高ければ高いで彼らはそこを逆手にとって、非常に小さい問題にスライドさせていく。これらのことが、一切難解ではない会話で続けられていくのだ。

落語の「弥次郎」（「嘘つき弥次郎」とも言う）という噺にも似て、すべてがウソなのだが、ウソをつくとわかっていて聞くウソには独特のむずかしさと味わいがある。たとえば北海道を旅したときに、便所に金づちが置いてある、と弥次郎がいいだす。用を足そうとすると出したそばから尿が凍る、それを金づちでたたいて折らないといけないから、便所には金づちが置いてある、というロジックだ。このロジックをそのまま順にしゃべってしまうと、面白さは半減する。最初に「便所に金づちが置いてある」という結論から入っていて、そこをウソでどう説得力を持たせていくか、というところが「ウソとわかっていて聞くウソ」の味わい方である。

こういうことにここ数年、彼らはずっとチャレンジしている。

たとえば、POISON GIRL BANDが売れたのは戦後すぐ、だとネタがはじまる。「竹やり漫才で売れましてね」と、どうやって売れたのか、という部分でまず笑いをとる。竹やり漫才をきっかけにコンビで売れて、「たけやり御殿」と言われる家まで出来た。当時は「巨人、大鵬、POISON、たまご焼き」なんて子どもには言われていた。あるいは「3T」なんて言われて、「竹やり、タッパー、たくあん」だったと(当然、当時はタッパーなんかなかっただろう、とツッコミが入る)。そのときにグッズで販売した竹やりがまた飛ぶように売れた。いまでも、その竹やりを、さお竹変わりに使っている家庭もあり、たまに見かける。いままで見たことがなかった人は、POISONのグッズの竹やりは、先のほうに「○のなかに『ポ』」と書いてあるからわかりますよ、といった具合に続くのだ。

完全に与太話である。

こうした与太話を一定のペースで展開できる阿部の表現力も高いのだが、難しいのはこうしたボケに対応する側の吉田のさばき方だ。「うるさいよ」「ウソつけ」などはほとんどない。否定もしなければ、肯定もないまま、「聞く」という行為に徹して、合いの手を入れつつ、終盤になだれ込んでいく。これは生でも観ていただきたいさりげない表現力が生きるところだ。

さて、たとえばこの「戦後すぐ」のくだりだけでも、「巨人、大鵬、卵焼き」だったり、「うなずき御殿」であったり、一度は耳にしたことがあるようなフレーズが元ネタになっているものもあれば、「3T」は「3K」を想起させるような造語として設定されていたり、グッズの竹やりにいたっては「その知らない世界（POISON GIRL BANDが売れていた世界）がどう成り立っているのかというディテール」の面白さを表現する小道具として登場したりもしている。

さまざまな要素の詰まったネタになっているが、なかでも「先のほうに「〇のなかに『ポ』と書いてあるからわかります」というくだりは、絵を想像したときの面白さもあるうえに、その世界（戦後売れていた世界）を肯定したとき、妙にリアリティがあるくだりでもあるのがおかしさに寄与しているといってもいいだろう。〇のなかに「ポ」と書いてあるのは、ポイズンガールバンドのグッズであるからであり、〇のなかに屋号の一文字を入れる文化も日本的で、とくに多くを語らなくてもこのくだりは全員に伝わる。

ここまで詳細にこの竹やりのボケを説明するのは、これが完全に彼らによって創造された世界のなかで説得力をもつ「架空のリアリティ」であり、いわゆるルーティン化されている大喜利の笑い的なものとは一線を画すものであるからである。

「あるかもしれない／ある」の笑いは、「ない」に行きそうな川岸で踏ん張っている。だからこそ理解ができる。「ない」側の世界に行きたくなるのを、でも我慢するのだ。

ブロックごとにその「あるかもしれない」の程度が、「八：ある／二：ない」から「二：ある／八：ない」くらいまでバランスの幅があるので、後者は当然お客さんをモヤモヤさせるのだが、演者論理としては当然後者のほうにいきたくなる。見たことのない風景、やってみたらどうなるかという好奇心、そういったものをくすぐるからだ。

そして時として、その「ない」岸へ飛んでみることもあるのがPOISON GIRL BANDの面白いところなのだが、この「あるかもしれない／あるかもしれない」とでも言うべき笑いの世界の探求に向かうまでに、彼らなりにいろんなルートでこの笑いの「山」への登頂ルートを模索する試行錯誤もあったようだ。スタイルの変遷がそれを物語っているようにも思える。

これまでの彼らのスタイルの変遷をひもといてみよう。

6. 長いツッコミ期

POISON GIRL BANDの漫才を大きく四期に分けてみたところこうなった。

①「長いツッコミ期」：量の公理違反型
②「ツッコまない期」：ツッコミ巻き込まれ型
③「反復期」：同型節反復型
④「SF期」：妄想／イリュージョン模索型

①の「長いツッコミ期」は、厳密に言うと、長いツッコミの場合もあれば、そもそもそこは普通ツッコみもしない、というボケに対しても、ちゃんとツッコむという、「巻き込まれ型」の要素も入っているので、①と②は連続的である。
相手の言ったことにツッコむ形でコメントをしていたのが、ツッコまずにコメントをするのが②なのであるが、今回はそもそも「長いツッコミ」がどういう場合に出てくるのかを考えておきたい。

たとえば、日常の場面で、あなたがだれかに「机の上にりんごがあった」という報告をしたとする。
二人の人間のやりとりを、AとBのやりとりだとしよう。

【4】

A「机の上にりんごがあったよ」

これに対してBはなんと返すか。へえ、とか、そうなんだ、とか、あるいはBがお腹を空かしているのを見かねてAがそう言ったのであれば、「ありがとう、さっそく食べる！」とかの返しになるだろう。
これが、日常の場面での会話だとして、お笑いの文法だとどうなるか。

【5】

A「机の上にりんごがあったよ」
B「昨日吉永小百合の映画を見たよ」
A「聞いてねーよ」

【6】

A「机の上にりんごがあったよ」
B「うるせえよ！」
A「なんでだよ！」

【7】

A「机の上にりんごがあったよ」
B「石の上にも三年だよ」
A「素材の上になんかあんのかよ」

などだろうか。

これは、言語学的な説明をすると、会話の「ペア」の形を崩している形だと言える。

「隣接応答ペア」（略して「隣接ペア」）と呼ばれる会話のセットがあると思って頂きたい。

たとえば質問や疑問などの「情報要求」に対して、それに答える「情報提示」がある。

これはセットである。

また、なにかの情報を相手に示す「情報提示」に対しては、返礼であったり確認だったり「承認」、これがセットである。

日常の会話は、これらの「隣接ペア」という概念で構成されている。
【5】の例は、「情報提示」(りんごがあった)に対して「情報提示」(吉永小百合の映画を見た)で返すという形なので、ペアとして不適切である。だからおかしさが生まれている。
【6】の例は、「情報提示」に対して、怒り(うるせえよ!)という「指摘、修正」が入る。これも不適切だ。
【7】の例は、「情報提示」に対して、「情報提示」(石の上にも三年だよ)で返しているうえに、「○の上に△△」という形式を踏襲している点がおかしさを生み、増幅させる。

Aの「聞いてねーよ」「なんでだよ!」「素材の上になんかあんのかよ」はいずれもツッコミと呼ばれるものにあたる。ペアとしておかしい会話について、そのズレを指摘している。

ちなみに、ここに紹介したのは「ペアの提示の仕方で笑いになっている例」であり、「隣接ペアを守ると笑いにならない」というわけではない。むしろ、ペアは守っているが、内容で笑いを取る、というパターンのほうが圧倒的に多い。

では、POISON GIRL BANDはどうか。

【8】（※作例）

A「机の上にりんごがあったよ」
B「みかんじゃなくて？」
A「うん、みかんではなく。りんご」
B「ドラゴンフルーツでもなく？」
A「うん、ドラゴンフルーツはそもそも、そんなにないから。普通のりんごだから」
B「普通のりんごって言ったってお前、いろいろあるだろう、品種とか」
A「品種とかまではわからないけど、ふじ、とか、紅玉、とか、つがる、とかじゃない？」
B「お前、適当なこと言うなよ、もしかしたらモンゴルかもしれないだろ」
A「モンゴルではないと思うよ。たぶん、モンゴルっていう品種ないと思うよ」
B「なんで津軽があってモンゴルがないんだよ。津軽は地方だぞ、モンゴルは国だぞ！」

たとえばまず、阿部のボケの傾向として「常識的に確認しなくてもいいことを確認する」「文脈的に確認しなくてもいいことを確認する」「だれもが知っている当たり前のことを覆す」を言う傾向がある。

「情報提示」に対して「質問」や「確認」をする形で、会話が進んでいくのだ。形だけなら、大きく逸脱はしていないが、パターンとしては少ない、というペアである。お笑いの文法からはやや逸脱していて、自然会話らしい。が、どこか滑稽な会話なのである。
先に紹介した、二〇〇五年九月一六日オンエアの『笑いの金メダル』で披露された「電車内でパイ」のネタはこの形をそのまま踏襲している。

【2】

吉田　みなさんも、電車乗る人とか多いと思うんですけど。俺もこないだ電車乗ってたら、迷惑な人がいた
阿部　おー、どういう奴だよ？
吉田　もー、若者なんだけど、もうすっごい大きい声でね、携帯でしゃべってる奴がいた
阿部　あー、すっぽんぽんで？
吉田　いや、すっぽんぽんではなかった
阿部　すっぽんぽんじゃない？
吉田　もしそいつがすっぽんぽんだったら、俺「この前電車乗ったときに、すっぽんぽんの奴がいてね」っていう話に変える
阿部　そうしたほうがいい

吉田　で、ほかの乗客もいるなかで、すっごいおっきい声でしゃべってるわけ。
阿部　そういうときに、その人に対してね、ちょっとうるさいですよってさ、あの、マナー違反ですよって注意できるようになりたいなって思って
吉田　いやいやでもさー、もしそういう奴いたら、注意とかじゃなくて、顔面にパイをぶつけてやればいいんだよ
阿部　うん。いや、もうその気持ちはね、ものすごいよくわかるんだよ俺
吉田　わかる？
阿部　わかるんだけど、あのー、パイがねーの
吉田　え？
阿部　パイがね、俺そんときＪＲの電車乗ってたんだけど、ＪＲの車内にね、パイがないの
吉田　ちゃんと探したの？
阿部　俺はもう、車内をくまなく探した
吉田　網棚の上見たの？
阿部　見た　網棚の上ちゃんと見たよ

（後略）

おわかりだろうか。
「すっぽんぽんで？」「パイをぶつけてやればいいんだよ」「網棚の上見たの？」などが、

これらのパターンであり、確認しなくてもいいこと、電車内には明らかにないものを話題に挙げること、そういったもののオンパレードである。
隣接ペアという観点から、このようなボケの基本形が浮かび上がってきたところで、次に吉田のツッコミの形について考察したい。
まずは、フジテレビ『お笑い登龍門』二〇〇五年三月一四日放送の「ペットはスフィンクス」（ネタ時間四分十九秒）のネタの一部をご覧いただきたい。

【9】

吉田　まあみなさん、それぞれね、一度行ってみたいところあると思うんですけどね
阿部　ありますよね
吉田　あのね、オレが一度行ってみたいのはね、エジプトね
阿部　おー、エジプト
吉田　あのね、ピラミッドを死ぬまでに一回見ておきたいなと思ってね
阿部　おお、そうなんだ
吉田　もうね、生でみるとそうとうデカイらしいからね
阿部　おお、なるほどねー
吉田　ピラミッドっていうのはね

阿部　そういえばさ、お前ピラミッド好きだよな
吉田　オレああいうね、遺跡とかね、神秘的なもの好きなんだよ
阿部　だってさ、お前のデビュー曲「ピラミッドに口づけ」だもんな
吉田　うん、それ違うよ？
阿部　違うの？
吉田　あのゥ、いろんな意味で違うよ
阿部　そうなの？
吉田　オレまず歌でデビューしてねえから
阿部　ほお、そうだっけ？
吉田　ま、単純にピラミッド一回見ておきたいっていうことで、ちょっと好きなの
阿部　ああ、はいはい、なるほどね
　　　オレもピラミッドいいと思うんだけどね、
　　　オレはね、その横にいるスフィンクス、あっちのほうにより惹かれるね
吉田　なるほど
　　　ピラミッドの守り神とされているスフィンクスにより惹かれると
阿部　うんうん
　　　ほら、オレってさ、犬好きじゃん
吉田　うん、うん、犬好きだよ？
阿部　だからァ、スフィンクスを、一度でいいから、散歩に連れてきたいの

吉田　なるほど、スフィンクスを、一度散歩に連れていきたい、と
阿部　うん
吉田　ま、あの、そう言うのはね、全然自由
阿部　うん
吉田　あの、いまね、お前の立ってる、ここ？
　ここね、日本［ニホン］ていうの。ニッポンともいうんだけど
阿部　うん、知ってるよ
吉田　日本にはね、言論の自由っていうのがあるから
　もしくは思想の自由ってのがあるから
阿部　ああ、習ったそれ
吉田　おまえが「スフィンクスを散歩に連れていきたい」って言うのは全然オッケー
　お咎めなし。お咎めなしなんだけど、オレなんかからすると
　「スフィンクス散歩」ってちょっとどうなの？　っていうさ
阿部　あー、はいはい
吉田　思っちゃうよね

いかがだろうか。阿部の、
①「だってさ、お前のデビュー曲『ピラミッドに口づけ』だもんな」
②「だからァ、スフィンクスを、一度でいいから、散歩に連れてきたいの」

ベルのボケだ。

というボケは、だれもが間違いだとわかる発言だ。正直凡百の芸人だと言うのが怖いレ

①のボケに対して、吉田はこう返す。

「うん、それ違うよ？」「あのゥ、いろんな意味で違うよ」「オレまず歌でデビューしてねえから」である。

阿部はひたすら「違うの？」「そうなの？」「そうだっけ？」とすっとぼける。

通常であれば「なんでだよ！デビューしてねーよ」で一刀両断だ。

しかし二人の会話の面白さ、POISON GIRL BANDらしさはまさにこのやりとりにも出ている。吉田は「なんでだよ！」という観客へ注意喚起するようなマーカーを安易には使わず、二人の慣れ合いやパワーバランスを印象づけたりはしない。

読者のみなさんは、ホントに頭のおかしい人が隣にいたら、その人が言った発言に対して、「なんでだよ！」とか「デビューしてねえよ！」とツッコむだろうか。そもそも常識を把握していない人間に、常識という刀で切りかかったところで、まったく効力を発揮しないことを我々は経験的に知っている。たとえそこにお客さんがいて、お客さんや友だちがいたとして、全員で彼を笑いものにすることは簡単だ。だが、それは「数の論理」であ

る。いじめとおなじ構造だ。圧倒的に自分が正しくて多数派にいるという、無根拠な自信がツッコミを支えている。

認知症の老人や精神耗弱者に、常識の正論をかざす人はいないだろう。むしろ気の毒に思ってやさしくなり、相手を傷つけないように、そうだねそうだね、とか、ちょっとちがうよ、とか、大まかな方向性の指摘に留めておくとか、語調をやわらげるとか、そういう方法を採択しないだろうか。

あるいは、隣にいる友人がオナラらしきものをした感じがしたとして、「お前いま屁こいただろ」と直球を投げられるだろうか。もちろん確信を持てないなかで、だれが犯人なのかという問題を顕在化させて安心させる笑いもある。ただ、確信がないなかだったら、黙っているとか、「なんか臭くない？」から入る距離感を保ちはしないだろうか。

この時期のＰＯＩＳＯＮ ＧＩＲＬ ＢＡＮＤの吉田のツッコミとは、まさにそういった「仲良いけど、時々気の毒になる人に対して、言いにくいことを伝えている」という距離感でのツッコミに設計されているといってもいい。あるいは、単純に、完全に上からではなく「ほぼ同目線」でどちらが正しいとかは決めずに、自分の確信を伝える、という「どちらも正しいと思っている場合、どちらが正しいかはわからない」という姿勢で自分の気持ちを吐露するように心がけているようにも見える。

「うん、違うよ？」というセリフには、「うん」と受け止め一回飲みこむ作業と、「違うよ」

としっかり否定しておかないと既成事実になってしまう危機感が見て取れる。それでも得心がいかない相手に「オレまず歌でデビューしてねえから」と、前提を説明することになる。こうして、「納得のいっていない相手に、どうしたら納得してもらえるかを模索する」ことが、ツッコミの長さにつながっていくのだ。

そのもっとも如実な例が、「スフィンクスを散歩」発言への吉田の指摘である。

阿部　だからァ、スフィンクスを、一度でいいから、散歩に連れてきたいの

吉田　なるほど、スフィンクスを、一度散歩に連れていきたい、と
ま、あの、そう言うのはね、全然自由
あの、いまね、お前の立ってる、ここ？　ここね、日本［ニホン］ていうの
ニッポンともいうんだけど　日本にはね、言論の自由っていうのがあるから
もしくは思想の自由ってのがあるから。おまえが「スフィンクスを散歩に
連れていきたい」って言うのは全然オッケー。お咎めなし
お咎めなしなんだけど、オレなんかからすると「スフィンクス散歩」って
ちょっとどうなの？　っていうさ、思っちゃうよね

「バカじゃねーの？」「なんでだよ」で処理されてもおかしくないこのファンタジーなボケに対して、これだけの言語量で返して笑いを3つ生んでいる（「全然自由」の後、「お咎

めなし」の後、「ちょっとどうなの？」の後）。この回りくどさ。そして「当たり前のことを言う」、つまり「ニホンていうの。ニッポンともいうんだけど」「言論の自由っていうのがあるから（法律的には）お咎めなし」などの「言わなくてもわかること」から相手に噛んで含めるように伝えているのは、彼らの真骨頂ともいえる。

つまり、「当たり前のことを言うボケ」に対して「当たり前のことを言うツッコミ」で返すことで、ツッコミが長くなっているのだ。見方によっては、頭の悪そうなボケの人に対して彼でもわかるように当たり前の言葉を使って説明しているともいえる。つまり「こちら側の土俵」で断罪するのではなく、「あちら側の土俵」で説得しようと、気づきをうながしている風でもある。

まずこの関係性が、従来の「ボケ」「ツッコミ」の神話が根強く残るコンビ芸のなかで非常に新鮮であったこと（これは同時に保守的な層や、思考停止している層からは意味不明なものにうつってしまう）、さらにいうと、あちら側の土俵に引きずられていく滑稽さや、回りくどさ、長さが相まって「面白いツッコミ」として成立していた。

M－1グランプリの二〇〇四年は、個人的には二〇〇八年と並んでもっとも刺激的な大会だったと思うのだが、というのもこの年はPOISON GIRL BAND以外にも、トータルテンボス、東京ダイナマイト、千鳥、南海キャンディーズ、タカアンドトシと、ツッコミに新たな可能性を模索したコンビが選ばれていることが大きい。もちろん優勝したアンタッチャブルの完成度であったり、笑い飯のシステムも完成期に入っていたこともあり、技術的にも高かった大会である。

そんなツッコミ新世代のなかでも、一風変わった言い回しであったり、おしゃれな言葉選びで笑いを誘うツッコミというよりは、言葉ではなく「長くする」こと自体から生まれる笑いや、コンビの関係性に面白みを発見し、模索していたのがPOISON GIRL BANDだった。

長いということそれ自体が笑いになり得る、ということは、なにかに詳しすぎる人が一気呵成にまくしたてるくだらなさや、落語「寿限無」における名前の長さで笑いがくるといった経験からもなんとなくわかっていることだと思うのだが、会話においてそれがおかしみにつながることを示唆したのは、ポール・グライスという言語学者である。

グライスは一九七五年に発表した論文のなかで「会話の公準」なるものを提唱した。これは、言語がちがうどの民族でも共通に支持されていると思われる、会話の「暗黙のルール」を公理として明文化したものであった。

会話の公準（会話の公理、会話の格率ともいわれる）には大きく分けて四種類あるとグライスは指摘した。

▼量（Quantity）の公準
求められているだけの情報を持つ発話をせよ。
求められている以上に情報を持つ発話をするな。

▼質（Quality）の公準
偽であると信じていることを言うな。
十分な証拠を欠いていることを言うな。

▼関連性（Relation）の公準
関連性を持て。

▼様態（Manner）の公準
曖昧な表現を避けよ。
多義的になることを避けよ。
簡潔たれ。
順序立てよ。

「庭に水まいてよ」「朝、雨降ったじゃん」という会話がなぜ成り立っているかという疑問について、言語学は一九七五年まで回答することができなかった。この会話が成立しているのは、グライスが提唱した上の四種の暗黙知を守っている前提でないと理解できない。つまり、お互いが関係ないことはいっていないし、失礼なこともいっていないし、質問に適切な量で答えていると仮定すると、「朝、雨が降った↓庭には水が行き渡っている↓水を撒く必要はない↓NO」という返答になっている、と、はじめて学術的な裏付けをもって説明できたのである。

会話は、まずはこの会話の公準（公理）を前提にしたうえで、先に述べた「隣接ペア」の適切なセットの積み重ねでしかない。

「庭に水まいてよ」「えー、でも朝、雨が降ったし、っていうことは庭には水が行き渡っているはずだから、水を撒く必要はないと思うので、答えはNOです」と答える人はいない。なぜならそれは「量」の公理に違反する。「朝、雨降ったじゃん」という情報だけで、聞き手は最短の推論でNOにたどり着けるからだ。これが人間の会話である。

もし、この頃の吉田が庭に水をまいてと頼まれた場合どうなるだろうか。

「まず、今日の朝、雨が降ったよね。雨ってわかる？　雲から落ちてくる液体だよ。あの雨が、降ったから、たぶん、ホントこれ素人考えで申し訳ないんだけどたぶん、庭には水が行き渡っていると思うんだよね。だから、ホント素人考えで申し訳ないんだけど、水を撒く必要はないんじゃないかなーと思うんだよ」

　くらいの長さになるのではないだろうか。


　グライスが会話の暗黙知にしているもののなかで、いわゆる「ボケ」はほとんどのものが「質の公準」違反と、「関係性の公準」違反である（関係性に関しては、その後用語の厳密な定義をめぐって活発な議論が展開され、不備を補完する形で「関連性理論」というものが打ち立てられることになる。現在の会話分析の礎はこの関連性理論にある）。フラットな状態でツッコむとして、いわゆる「なんでだよ（なんでやねん）」「関係ねえよ」「聞いてねえよ」などのツッコミで処理できるボケはほぼこれに当てはまる。

　会話の公準は、違反をすると笑いを生む可能性がある。多くの場合は「質」と「関係性」で笑いを取るが、ＰＯＩＳＯＮ ＧＩＲＬ ＢＡＮＤの二人はそういった笑いの取り方に倦怠感を覚えていたかどうかはわからないが、まったく別ルートの笑いの取り方を展開してみせたのである。それが「量の公準」違反だった。

　まず発想の核にあるのは、長いことそれ自体が可笑しさを生む、ということ。これが自然であるために、二人が「頭が悪いほうの土俵」で議論する関係性に設計されているということ。これが第一期ＰＯＩＳＯＮ ＧＩＲＬ ＢＡＮＤだ。

結果、紹介したような吉田の長いツッコミに代表されるような、いままで見たこともないほどのツッコミ（というかもはやツッコミとはいえないのかもしれないほどボケに近いボッコミみたいなもの）の形になったわけである。

ボケのパターンが大喜利の進化のなかで出尽くした感のあった時代に、ではツッコミで個性を際立たせ、しかも「当たり前のことを長く、噛んで含めるように言う」で笑いをとったのは、POISON GIRL BANDただ一組である。

ここで彼らはひとつのオリジナリティを確保している。しているのだが、そこに安住せずに、次に新たなステージ「第二期POISON GIRL BAND」に足を踏み入れるのだ。

ひとつのスタイルに満足せず、新たな形を求め続け進化していく。ここにこそ彼らの真骨頂があるのだ。

7．ツッコまない期

では、その次のスタイルである「ツッコまない期」（ツッコミ巻き込まれ型）について考えていく。

【10】

「POISON GIRL BAND　ペーパードライバー」

吉田　車運転する人いると思うんですけど、こないだ久しぶりに車運転することありまして
阿部　はいはい。
吉田　免許は何年も前に取ってたんだけど、ぼくペーパードライバーだったんですよ
阿部　あー、そか
吉田　こないだ友だちとドライブにいったんですけど、途中で「運転代わって」って言われて
阿部　ほー

吉田　その友だちずっと運転してくれてたんで、申し訳ないなと思って、代わったのはいいんですけど、数年ぶりだったんで、ものすごい緊張しましたねこれはね

阿部　おー、それはドキドキだったろ、うーん
で、ハンドルは丸かった？

吉田　ハンドル？　ハンドルは丸かったよ

阿部　ほー
想像以上に丸かった？

吉田　ハンドル？

阿部　うん

吉田　いやオレ車乗るときに、ハンドル丸いって想像しないで乗るから

阿部　あーそうなんだ

吉田　ただハンドルは想像以上に丸かった
そしてオレは緊張していた

阿部　あーなるほどねー
タイヤも丸かった？

吉田　タイヤも丸かった

阿部　……想像以上に丸かった？

吉田　タイヤ？
いやだからオレ車乗るときタイヤが丸いって想像しねえから

阿部　あそう
吉田　ただタイヤは想像以上に丸かった　そしてオレは終始緊張していた
　　　そういう話してんの
阿部　ふーん
　　　四つあった？
吉田　タイヤ？
　　　四つあったよ
　　　あのー、今回の運転でオレが一番助けられた部分ね、タイヤが四つってこと
阿部　なるほど
吉田　運転代わってってって言われた時、車見てタイヤ三つしかなかったらオレやだって
　　　言ったもん運転代わりませんって言うもん
阿部　あー　お前そのへんハッキリしてるもんなァ
　　　あのー、NOと言える日本人？
　　　そういうやつだもんな
吉田　だからね、タイヤは四つあった
阿部　ほーなるほど
吉田　そしてオレは緊張していた
阿部　ハンドルも四つ？
吉田　ハンドルは一個

阿部　ハンドルはオレが運転する一個しかないから
吉田　ハンドル四つあったらだれが運転していいかわかんないじゃん
阿部　ほー
吉田　そっか
阿部　ハンドルは一個で、タイヤは丸くて、そしてオレは緊張していた
吉田　ほー
　　　　ブレーキ踏んだ？
　　　　ブレーキ踏んだ
阿部　ブレーキはね、何回も踏んだ
吉田　お、けっこう踏んだな！
　　　　最終的にブレーキ踏んだからオレいまここにいるんだもん
　　　　じゃないとオレいまどっか走ってなきゃなんないから
阿部　おーなるほど
　　　　もしくは事故ってるな
吉田　事故ってる
　　　　道のどっかで煙だしてるから
阿部　ブレーキは何回か踏ましてもらいました
吉田　ドア開けた？
　　　　ドア開けた

阿部　あのー、一番最初聞いてくんねえかな
オレ車乗るときどっから乗ると思ってんだよ
吉田　……マフラー？
いやドアだよ！　どうもありがとうございました

注目したいのは、以下のような部分である。
久しぶりに車に乗ることになった吉田の話からはじまる。

吉田　その友だちずっと運転してくれてたんで、申し訳ないなと思って、代わったのは
いいんですけど、数年ぶりだったんで、ものすごい緊張しましたねこれはね
阿部　おー、それはドキドキだったろ、うーん
で、ハンドルは丸かった？

普通、このあとどう切り返すであろうか。
「は？　ハンドル？　丸いに決まってるじゃん、いまそういう話じゃないから黙って聞いてて」とか、「いまオレがしゃべってんだから邪魔するなよ」とか「当たり前のこと言ってんじゃねえよ、丸いよ」とか、お笑いの文法であれば、この阿部の「で、ハンドルは丸かった？」という「当たり前のことを聞く」パターンのボケに関して、無数の切り返しが

存在し、すぐに目先の笑いに飛びつくことはいくらでも可能だ。

しかし、吉田の選択はこうだった。

吉田　ハンドル？　ハンドルは丸かったよ

阿部　ほー

聞かれたことに答えるだけである。

変な質問をしてきたことに対しても言及せず、ボケ的なセリフに対する糾弾もない。笑いは起こらない。しかし、それをわかっていてあえてここで、「聞かれたことだけに答える」を選択したのはなぜか。

このあとのやりとりを見てみよう。

吉田　ハンドル？　ハンドルは丸かったよ

阿部　ほー
想像以上に丸かった？

吉田　ハンドル？

阿部　うん

吉田　いやオレ車乗るときに、ハンドル丸いって想像しないで乗るから

阿部　あーそうなんだ
吉田　ただハンドルは想像以上に丸かった
　　　そしてオレは緊張していた
阿部　あーなるほどねー

「想像以上に丸かった？」ともう一回「ハンドルの丸さ」について質問されても、「ハンドル？」と聞き返して確認するだけだ。自分は久しぶりに車を運転したという話をしているのに、聞いている側は、丸いかどうかを聞いてくる。いま話しているのは、ハンドルのこと？　と思わず確認してしまう。しかし、「どうでもいいよ」とか「邪魔するな」とは言っていない。

「うん」というセリフで確認が済むと、「いやオレ車乗るときに、ハンドル丸いって想像しないで乗るから」と述べる。ここにも注目したい。相手の質問を責めてはいない。もしかしたら相手にとっては、ハンドルが丸いかどうかということは重要かもしれないが、自分は想像しないで乗る側の人間である、という立場を表明しているのだ。相手に優しいとも受け止められるし、自然な会話だと考えることもできる。

たとえば、あなたが友だちと話をしているとする。あなたは昨日喫茶店でお茶をしたあと、外に出たら有名人に出くわした、という話をしたい。そこで、「喫茶店でパフェ食べてたんだよ」という話から切り出すと、相手は「おいしかった？」と聞いてくるとする。話したい内容はそこではないけれども、相手は話の着地点を知らない。そこが気になるのもしょうがない。だから仕方なく、「うん、おいしかった」と答える。こういう会話は日常的に繰り広げられている。

しかし、「うん、おいしかった、それでね、」と続けようとすると、「甘かった？」とさらに聞いてくる。この際、パフェの味のディテールはどうでもいい。しかし相手は話の着地点を知らない。話の重心が喫茶店ではなく、そこを出たところにあることを知らないから、相手が喫茶店のメニューに興味を持つのも無理はない。とはいえ、「おいしかった」を確認したうえに「甘かったかどうか」を聞くだろうか。ちょっとおかしいなと思いながらも、あなたは「う、うん、そりゃパフェだからそれなりに」といったように答える。自然である。相手に巻き込まれやすい人ならば、話し手は着地点を意識しながらも、あるいは忘れてしまって「おいしかった？」と聞かれて、思わずその味を思い出し、「そう、すっごいおいしかったの！ マジやばいよあれ！ イチゴの量とかもハンパなくて、でも中にサクサクしたのが入っててー」とか、思わず乗っかって盛り上がることもあるかもしれない。日常の会話のほうがよほど不自然だ。

おかしみを感じてしまう人はすでにこのブロックの「丸かった？」「想像以上に丸かった？」のくだりでクスリとしてしまうが、ここで目先の笑いを取りに行かないでＰＯＩＳ

ON GIRL BANDが手に入れたのは、「自然さ」と「関係性」である。会話の流れがむしろ自然であり、お笑いの文法に乗っかったときにむしろそれが「不自然」に映ってしまうのは、観客側があまりに「お笑いの文法」（ちょっとでもおかしいことに対して「なんでやん！」「なんでだよ」とツッコむ、お笑いロマン主義）に毒されているからではあるまいか。潔癖症とでもいうべきこの「なんでやねん」ロマン主義は、相手に一切の「ぶれた会話」を許さない。常識的で、無味乾燥で、だれもが納得できるロジックで会話を固めないといけなくなってしまう。ツッコまれない話というのは、そういうつまらなさにある。

しかし、ここで「少しズレたところに興味を持つ人」を許容したらどうだろうか。常識的な人よりも、少しおかしい人と、それを許容する人が話していたら、どうだろうか。いままでの「ロマン主義」ではははじかれていた笑いが構築できるのではないか。

このネタからはそんなメッセージが受け止められるのである。

その証拠に、次のブロックでは、

阿部　あーなるほどねー
タイヤも丸かった？

吉田　タイヤも丸かった
阿部　……想像以上に丸かった？
吉田　タイヤ？
　いやだからオレ車乗るときタイヤが丸いって想像しねえから、
阿部　あそう
吉田　ただタイヤは想像以上に丸かった　そしてオレは終始緊張していた
　そういう話してんの
阿部　ふーん
　四つあった？
吉田　タイヤ？
　四つあったよ

　と、タイヤの話題になっても、おなじやりとりが展開される。ここまでくると意図的であることは明白なので安心して笑えるのだろう。しかし、この手のおかしみは、ロマン主義では実現できなかった。おぎやはぎが着手した、仲良い二人の会話、という意味での「お笑い自然主義」とは、また異なる形での自然主義の形を提示した。

　吉田のツッコミが、矢作的「相方に優しい」馴れ合い的な対応よりも、よりシャープな対応をすることで、このコンビの型が明確になるのが、この後の吉田のセリフである。

吉田　タイヤ？
　四つあったよ
阿部　あのー、今回の運転でオレが一番助けられた部分ね、タイヤが四つってこと
　なるほど
吉田　運転代わってって言われた時、車見てタイヤ三つしかなかったらオレやだって
　言ったもん運転代わりませんって言うもん
阿部　あー　お前そのへんハッキリしてるもんなァ
　あのー、ＮＯと言える日本人？
吉田　そういうやつだもんな
　だからね、タイヤは四つあった
阿部　ほーなるほど
吉田　そしてオレは緊張していた

「今回の運転でオレが一番助けられた部分ね、タイヤが四つってこと」「運転代わってって言われた時、車見てタイヤ三つしかなかったらオレやだって言ったもん」、こういったセリフのはしばしに、「残念な友だち」に対して、怒るとか優しくするとかではなく、「噛んで含めるように、五歳児に教えるように伝える」という初期ＰＯＩＳＯＮの吉田らしいツッコミの形が見える。そして、観客が感じた阿部の発言への違和感は、このセリフによっ

て一気にガス抜き状態、カタルシスを得て爆笑へと繋がるのである。
世間がこの形の存在を知るのは、ちょうどこの第二期にあたるネタと考えられる「中日」のネタである。この文章の冒頭でも引用した、二〇〇四年のM－1グランプリで披露したネタだ。

【11】

吉田　パ・リーグは西武とダイエーがちょっと競ってたけど、セ・リーグはもう中日がダントツで強かった
阿部　強かったねえ
吉田　今年はね
阿部　だって帽子が似合ってたもんね
①**吉田**　似合ってた●
　あのー、今年の中日はね、確かに帽子が似合ってた、うん●
阿部　もうさー、選手一人ひとりが帽子が似合ってたんだもんな
吉田　そう●
　みんな似合ってんだもん、やんなっちゃうよね
阿部　うーん、しかもさあ、サイズがあってんのな●

吉田 あってる、あってる、帽子のサイズね
阿部 そうそう
吉田 お前がいうサイズは帽子のサイズのこと
阿部 そうだよ
②**吉田** 中日そういうチームだから
阿部 うん
③**吉田** 帽子のサイズは合わせていこうぜっていうね、球団創設以来決まってんのこれ
阿部 そうなの？
④**吉田** そのもとに集まった選手たちだから
阿部 うん
吉田 みんなね、帽子のサイズは合ってた、中日はね
阿部 ただ、あの帽子からはハトは出てこない
⑤**吉田** ハトは出てこない

●マークは、観客が笑った箇所である。

それぞれのセリフを、会話の流れを「普通」に戻すロマン主義の場合のツッコミと比較してみよう。

①吉田
お笑いロマン主義の場合「なんで帽子の話だよ」「強さと帽子関係ないだろ」
POISON GIRL BANDの場合「似合ってた　あのー、今年の中日はね、確かに帽子が似合ってた」
②〜④吉田
お笑いロマン主義の場合「帽子のサイズと、チームの強さは関係ねえから」「ちょっと黙っててもらっていい？」
POISON GIRL BANDの場合「中日そういうチームだから」「帽子のサイズは合わせていこうぜっていうね、球団創設以来決まってんのこれ」「そのもとに集まった選手たちだから」
⑤吉田
お笑いロマン主義の場合「なんでハトの話だよ！　いま手品の話してないでしょ！」
POISON GIRL BANDの場合「ハトは出てこない」
といったところだろうか。
ネタの冒頭のやりとりだが、①吉田あたりでは笑いの反応があった観客も、②〜⑤の吉田の受け答えには戸惑ったのか、まるで反応がない。観客がはじめて目にした種類の「ネタ」に不安にさせられていくのがよくわかる。しかしその「戸惑い」の感覚は重要だ。ただし、「戸惑い」＝「つまらない」と断じてはいけない。はじめてみたものを楽しむ視点も持ち合わせてほしい。彼らをM－1の決勝の舞台に送り込んだ審査員たちもおなじ気持ちだったろう。はじめてみたものへのトキメキを、「支離滅裂のアーティスト」と表現した番組側の意向も理解はできる。どうにもこうにも説明しにくいPOISON GIRL BANDのネタを、「アート」と言い切ってしまうことで、いわゆる「ベタ」ではないものと位置付けて紹介した。そうでもしないと安心して見ていられなかったのかもしれない。

二〇〇四年のこのネタは、「長いツッコミ期」を経て、ツッコミで笑いを取るのではなく、あくまで「会話のやりとり」で笑いを取ろうという目論見がある。その意味で、第一期と分別して「ツッコまない期」と位置付けたほうがいいだろう。

しかし、先に紹介した車の運転のネタとは、またさらに進化して、一線を越えている。つまり、吉田は、中日という球団の創設以来の決まりごととして帽子のサイズを合わせていこう、ということが決まっている、と断言してしまっているし、「そのもとに集まった選手たちだから」と、明らかに常識寄りではないことを言い出したのである。「確かに帽子が似合ってた」まではまだ主観の部分で発言していいものなので安心できたろう。しかし、②吉田以降は、急にお客さんを置いてきぼりにして、「こっち側」だと思っていた吉田が、「あっち側」にいってしまうのだ。ここに進化があった。その狙いはどこにあったのか。

【12】

吉田　みんなね、帽子のサイズは合ってた、中日はね
阿部　ただ、あの帽子からはハトは出てこない
吉田　ハトは出てこない
阿部　お前、あの、ハト知ってる？
吉田　オレはね、ハト知ってんだよ　●
阿部　あ、そうなの？
吉田　お前に言ってなかったけど、オレはね、ハト知ってる
阿部　あー、そうなの？　●
あのぅ、「ハ」に「ト」で「ハト」だよ
吉田　あの、そっちのハトでいいんだろ？　●
阿部　うん
吉田　そっちのハトでいいならオレは知ってるよ
阿部　まあ、いろんなハトいるけどね
吉田　いろんなハトいるね、確かにね
阿部　白いハト、黒いハト、あと灰色のハトね
吉田　一番メジャーなやつね、灰色のハトね
阿部　あとボッサボサのやついるな

吉田　うん●
阿部　たまーにいる。たまーに公園にそういうハトいる
吉田　あれなんだ？
阿部　あれかわいそうなんだ、たまーにいる
吉田　ボッサボサだよな
阿部　あんま言うなって、かわいそうなんだから
吉田　ほんとボッサボサなのな
阿部　あんま言うなって●
吉田　いるんだ、たまーにいるんだボッサボサの、かわいそうなんだあのハト
阿部　でも、どんなハトも中日の帽子からは出てこない
吉田　出てこない
　一匹も出てこないよ、中日の選手の帽子からは、ハトは
阿部　野球やってんだもん、だって
吉田　うん、中日の選手の帽子から出てくるのは、おっさんの頭だけなの●
阿部　そう、中日の選手の帽子取ったってね、おっさんの頭しか出てこないよ
吉田　そだよ
阿部　若干毛の生えたおっさんの頭しか出てこないよ●
吉田　その通り
阿部　でもたまーに白髪交じりの場合があんだけど

阿部　いるな
吉田　それコーチね？　●
阿部　うん、そそそ
吉田　白髪交じりの場合はそれコーチと思っていただいてまず大丈夫
たまーに白髪交じりのあるんだよ
阿部　で、立浪の頭が出てきたらこれ当たりだよ、これ
吉田　当たり？　●
阿部　うん、当たりだよお前
吉田　当たりとかあんの？
阿部　うん
吉田　まあ二千本ヒット打ってるからね
立浪の頭が出てきたら当たりなのソレ？
阿部　もう一回ひいていいの　●
吉田　もう一回ひいていいの？　帽子を？
阿部　うん
吉田　あ、まあ当たりだからね
あ、じゃあ帽子をもう一回ひいてさ、今度落合監督とか出てきたらどうなんの？
阿部　ああもう総取り
吉田　総取り？　●

阿部　親の総取りだね
吉田　ああ、オレが親だったら親の総取りになんの？
阿部　十二球団
吉田　十二球団もらえんの？
阿部　良かったじゃんお前
吉田　まあまあ落合の頭はね、十二球団全部もらえんだ
阿部　そうそう　良かったよ、お前
吉田　そういうゲームがあんの？
阿部　うん
吉田　選手たちはなに？　立ってるの？
阿部　そうそう
吉田　そうして帽子をバッと取られて（ビックリして）「おうおう」ってやられんの？ ●
阿部　うん

ハトを知っているかどうか、という「当たり前のことを言う」というパターンは初期から出ているパターンである。従来型も取り入れている。

中日が強かった、という話題から、帽子が似合っていた、という話題にスライドする。中日の選手の帽子が似合っていた、という話題から、ハトの話題にスライドする。そして

そのハトが、帽子からは出てこない、ということで、また帽子の話に戻る。

「帽子から出てくるのは、おっさんの頭だけ」というキーワードから、吉田が「若干毛の生えたおっさんの頭しか出てこないよ」と続けて、「たまーに白髪交じりの場合があんだけど、それコーチね？」と言う。ここまでくると、阿部にかぶせて笑いを取りに行っている。これは「共鳴」である。

「共鳴」も、実は二人でしかできないことなので、おぎやはぎ以降まだあまり掘り下げられていない漫才の手法のひとつだが、相手の言ったことに「そうそう」と肯定したうえで、さらに私見を乗っけるタイプである。

阿部「立浪の頭が出てきたらこれ当たりだよ」で話題はさらに展開する。「当たり」という言葉が出てくるからには「ハズレ」もある世界観が提示される。世界のディテールの話になる。突如として説明されるゲームのバカバカしさに戸惑うしかないが、こういう笑いを求めている人は必ずいる。これはナンセンスではない。「ハトが出てこない」という部分で残念なニュアンスを出している以上、それが「ハズレ」であることが言外にほのめかされているからだ。ハトというと、マジックで帽子から出てくるものというイメージがあるかもしれないが、「おっさんの頭」に話題が移った。そのなかで「当たり」を探すと、二千本安打を打った立浪だ。

感覚的な笑いになるが、この「なんとなくわかる」感じを出すのは非常に難しい。これは本来はゆっくりしたスピードでやるべき漫才だ。一言ずつその場で考えて出てきたもののようにしゃべることで笑いは精度を増す。

ネタは「ゲーム」のルールの話にいつの間にかスライドしており、「もう一回ひく」「落合が出たら総取り」「十二球団総取り」と続く。我慢しきれずに、吉田が「そういうゲームがあんの？」と聞く。実質のツッコミは、ここだろう。この瞬間に、吉田は観客側に戻ってくる。

通常の、相手の発言の不適切性を指摘したり、話題を修正したりする「ロマン主義的」なツッコミでは、こうした「話題のスライド」を扱えない。文脈上、ふとわいた残念感を「当たり」を出すことに利用するというような、語や発言のニュアンスを利用した笑いも生まれない。あえてツッコミ側が相手を肯定するか、「聞きだす」姿勢を取ることでしか表現できない笑いがある。そしてツッコミかと思っていたものが、最終的には「たまーに白髪交じりの場合があんだけど、それコーチね？」とか、先に触れた「中日そういうチームだから」「帽子のサイズは合わせていこうぜっていうね、球団創設以来決まってんのこれ」「そのもとに集まった選手たちだから」とかいう、非常識的な発言を貯金することで、ツッコミですらなくなる。これがリスクを承知で得た吉田のキャラクターであった。あくまで阿部の発言を自然に引き出すための手段なのだ。

話し手＝ボケと、聞き手＝ツッコミ、という構図から離れ、聞き手が「話し手」にまわる。こんな会話の主導権の交代は、日常茶飯事である。が、お笑いには少ない。

「お笑いの文法」がいかに不自然な共通了解か。よほどPOISON GIRL BANDのネタのほうが日常にひそむ会話と笑いに近い「自然主義」なのであるが、現在においてもこのことについて自覚的である人は少ない。

この「ツッコまない」という手法が、特定の文脈で「パターンを出す笑い」＝ボケという既成概念に疑問を投げかけたのはいうまでもない。半ば肯定したり、深追いすることで、いままでのパターンではないボケ、あるいは、二者間の会話でしか起こり得ない「話し手」「聞き手」の交代や混同、共鳴が起こる。そしてこの方法で回収する笑いがあることが実証された。

どちらが面白いかどうかはこの際問わない。ただ、ロマン主義が「安心感」に依拠した、手垢のついた手法であることは言うまでもない。それもよい。ただ、それだけだと先細ってしまうのは目に見えている。POISON GIRL BANDがこの頃着手した笑いは、時代の二歩ほど先を行っていたかもしれない。せめて吉田が「聞きだす」くらいの阿部の与太話、にとどめておけばよかったのかもしれないが、それは結果論だ。それは結局「安心」に依拠する笑いでしかないわけだし、彼らがこの中日のネタで、新たな地平を示してくれたことだけは確かである。

だが、世間は戸惑った。ロマン主義的なお笑いの文法にどっぷりつかったジャンキーたちほど戸惑った。

そして、彼らの進化は続くのである。

8. 反復期

次に彼らが本格的に着手したのは、反復である。第三期にあたる「反復期」の到来だ。長いツッコミ期には「ペットはスフィンクス」のネタ、ツッコまない期には「中日」のネタ、その中間にある「電車内でパイ」などのネタを見てきた。

阿部のボケの特徴として、

「常識的に確認しなくてもいいことを確認する」
「文脈的に確認しなくてもいいことを確認する」
「だれもが知っている当たり前のことを覆す」

という種類が多かったことを示した。

また、ツッコミの吉田の姿勢は、そういったボケに対して、暴力的に声を張る「常識」とはちがって、「残念な友だち」に対して、怒るとか優しくするとかではなく、「噛んで含めるように、五歳児に教えるように伝える」というものであったことを確認した。初期POISONの吉田らしいツッコミの形は、自分の常識で相手を断罪せず、相手の土俵に立ったうえで違和感を表明する、というものであった。この「関係性」が、のちに「ツッコミ巻き込まれ型」となり、従来の「ボケ（非常識）・ツッコミ（常識）」の対立ではない、新しい関係性を作り出し、漫才の可能性を拡張している、ということを述べてきた。

「反復期」は、こうした従来のＰＯＩＳＯＮらしさを、どうシンプルに伝えるかが模索された時期だと私は思っている。

こうした自分たちの試みを、話題までヒネったものにしてしまうと、余計に処理しなければならない情報が増える。野球を知らない人には壁を作ってしまうネタをやるよりも、万人がわかる題材で話題を展開し、「わかりやすく」しようという試みが見え始めるのが、第３期である。

たとえば、私が第３期と位置付けるネタに、二〇〇六年のＭ−１グランプリのネタがある。このネタは、ファッションを話題にし、だれもが履いている靴やズボンといった題材を扱っている。ネタ途中からはただ真剣にネタを見守る審査員の怖い顔、ただ理解できずに口をあける観衆のタレントたちが抜かれ、お客さんもリアクションに困っているサマが見ていて胃が痛くなるほどのネタだが、実はこのネタは将来的にＰＯＩＳＯＮ ＧＩＲＬ ＢＡＮＤらしさを盤石にし、万人にうけるようになるヒントにあふれている。

たとえば、冒頭こういうやりとりがある。吉田が、ファッションのこだわりがあるんだよね、という話から。このブロックは会場でも一番沸いた冒頭の部分である。

【13】

吉田　靴から説明すると、靴の底は、ペッタンコがいいの
阿部　ペッタンコがいい、と
吉田　あんまり靴の底がぶ厚いと、歩いててふわふわふわふわするから
阿部　なるほど
吉田　靴の底はペッタンコが一番
阿部　ペッタンコがいいんだ？
吉田　うん
阿部　じゃ、ピッタンコはダメなんだ？
吉田　ううん、サイズはピッタンコのほうがいいんだけど
　　　オレいま底の話をしてるから
阿部　あーなるほどね。ペッタンコでピッタンコのやつがいいんだ？
吉田　サイズもいうならね
阿部　じゃ、ピッタンコでペッタンコのやつはダメなんだ？
吉田　サイズ先に言うなら、ピッタンコでペッタンコのやつで全然大丈夫
阿部　ペッタンコ兼ピッタンコでもいいの？
吉田　「兼」とか使うならね？
阿部　ピッタンコ兼ペッタンコでもいいの？

吉田　もう靴いらね
阿部　靴いらないねうん
吉田　まどろっこしくてごめん

「ペッタンコ」というところから「ピッタンコ」をもってくる。そして「〇ッタンコ」という形を反復してわけがわからないようにする。〈言葉の「形」〉を反復することで笑わせようという目論見である。

〈言葉の「形」〉とわざわざ強調したのは、〈構造〉を反復する、という手法を後年好むようになるので、誤解を避ける意味からである。

このネタ、この〈言葉の「形」〉の反復で成功していながら、後半失速する。これは、いままでウケたはずの「当たり前のことを言う」というボケが、この〈言葉の「形」〉の反復を冒頭に挟むことによって、狙いがそれたからだと私は思っている。あまりに思い切りすぎたのである。M－1というのは決勝よりもそれまでの予選にお笑いジャンキーがつめかける。敏感な客席はPOISONのような他にないスタイルのネタは大歓迎で大うけする。しかしそのノリのまま決勝の全国中継の舞台に立つと大きな溝を感じさせてしまうことがよくあるのだ。

普通のコンビなら、この冒頭から、Tシャツは「ピッタリがいい」と言い出して「ペッタリはダメ?」と返してピッタリとペッタリをミックスして有耶無耶にするとか、「すっぽんぽん」みたいな言葉を出してきて「おっちょこちょい」みたいな似た言葉を引き合いにだし、「すっぽんぽんのおっちょこちょいじゃダメ?」みたいにつなげていくパターンを選択するだろう。

たとえば、この後、

【14】(※作例)

吉田 Tシャツはダボダボしているやつより、ピッタリのほうがいいね
阿部 ピッタリ? パッタリじゃダメなの?
吉田 ピッタリのTシャツでオレが消息絶っちゃった場合は、パッタリでいいけどいまオレここにいるから、ピッタリのTシャツでいいよ
阿部 パッタリしつつピッタリじゃダメ?
吉田 パッタリだったら冬になると寒いから、ピッタリしたコートも欲しいけどね
阿部 パッタリ兼ピッタリ?
吉田 兼とか使うならそうだけど、その場合使わないかもしれない
阿部 でもTシャツなかったら生きていけないだろ
吉田 すっぽんぽんのまま消息絶ちたくないからね

阿部　すっぽんぽん？　おっちょこちょこいじゃなくて？
吉田　すっぽんぽんの時点でそいつもうかなりのおっちょこちょいだと思うけど
　まずオレ全裸で外出ないから

のように展開していく、というわけである。ファッションのこだわりについての話がそれて、言葉にひっぱられる形のネタにしたほうが数倍わかりやすかっただろう。ただし、彼らは二〇〇六年時点でこの「わかりやすさ」を拒否したのだった。

しかし、この〈言葉の「形」〉の反復から、じょじょに〈構造の反復〉を獲得していくプロセスほど面白いものはない。どのお笑いコンビも、テンドンといわれる「言葉の反復」や、構造の「反復」をすることは少なからずある。が、このコンビの「構造の反復」は、オチもある程度読めるなかで、どれだけ枝葉で笑わせるか、そしてどれだけ大きく振りかぶるか、そういった「枝葉」のバリエーションにも富んでいるので、まずはひとつのネタをまるごと堪能していただきたい。

二〇一〇年のM-1リターンズというイベントでのネタである。

テーマは「歌詞」、「詩」である。発話（発言とほぼ同義）の冒頭に発話番号がふってあるが、気にしないでいただきたい。

【15】

01 **阿部** いやね、最近ちょっと趣味がないなと思ってェ
02 **吉田** 趣味はやっぱあったほうがいいですからね
03 **阿部** いろいろ考えたんですけどね、いっこ見つけたんですよ
04 **吉田** 趣味を？
05 **阿部** うん。詩をね、ひとりで書き溜めてるんです
06 **吉田** 詩？　ポエム！
07 **阿部** そそそ
08 **吉田** なかなかしぶい趣味ですね
09 **阿部** でもやっぱさ、この詩っていうのは、ひとりで考えててもつまんないのよ
10 **吉田** 家でひとりで詩書いててもね、あんま楽しくないかもしれないですね
11 **阿部** だからね、詩はいくつかあるから、いまここでお前が即興でね
その詩に曲をつけてくんねえか？
12 **吉田** あなたが作った詩にオレが曲を作る、と
13 **阿部** そうそうそう
14 **吉田** ま、鼻歌でいいんだったら全然やりますよ
15 **阿部** もうコンビでの合作ですよ
16 **吉田** なるほど、いっこの歌にすると。わかりました

17 **阿部** もういきなりいっちゃいますよ？
18 **吉田** ひとつめの歌詞？
19 **阿部** はい
20 **吉田** 聞きましょうこれ
21 **阿部** この詩はね、ま、最近作ったいい詩です
22 **吉田** 最近できた詩
23 **阿部** いきます
24 **吉田** 聞きましょう
25 **阿部** 「風に戸惑う　弱気な僕
26 **吉田** ちょっと止まろう。もう言わないほうがいいです
27 **阿部** え、どうして？
28 **吉田** あのー、もうね、あるからそれ
29 **阿部** え？　あるってどういうこと
30 **吉田** サザンオールスターズの「ＴＳＵＮＡＭＩ」って曲で、「♪風に戸惑う〜
31 **阿部** いい曲だね！
32 **吉田** いい曲だねじゃなくて。これ桑田さんが作ってんの
33 **阿部** 桑田が？
34 **吉田** 桑田さんが
35 **阿部** 佳祐のほう？

36 **吉田** 佳祐のほう
37 **阿部** 真澄じゃねえのか？
38 **吉田** 真澄じゃないよ。桑田真澄作曲能力ないから
39 **阿部** なるほどな
40 **吉田** その詩ちょっともうやめよう
41 **阿部** 岡田真澄でもねえのか？
42 **吉田** なんで真澄のほうチョイスすんの？
43 **阿部** あ、申し訳ねえ　あるのね？
44 **吉田** 桑田で出してくんねえと
45 **阿部** 申し訳ねえ

46 **吉田** ほかの詩いきましょう
47 **阿部** ほかいくか。あー、去年だわ
48 **吉田** 去年
49 **阿部** 去年ね、実はね、親父が倒れたんですよ
50 **吉田** 去年お父さんが倒れたと
51 **阿部** でもまあ、体調も戻って、仕事復帰してるから心配ないんだけど、
52 **吉田** いまはもう元気になってると
53 **阿部** そうそう。そんなね、親父の見舞いに行った、帰りにできた詩です

54 **吉田** なるほど去年お父さんが倒れてあわてて実家までお見舞いに行ってお父さん元気づけて、その帰りにできた詩、これ聞きましょう

55 **阿部** いきます。

56 **吉田** うん

57 **阿部** 「チュー、チューチュチュ。夏の、お嬢さん

58 **吉田** おかしい。おかしい

59 **阿部** 「ビキニがとっても似合う、

60 **吉田** 言うなってその先は

61 **阿部** 「しげき的さ

62 **吉田** しげき的さじゃないから。オレが止めたらもう言うなその先

63 **阿部** ん？　どしたよ

64 **吉田** お父さん倒れたんでしょ？　去年

65 **阿部** うん

66 **吉田** 心配で実家行ったんでしょ？

67 **阿部** そうだよ

68 **吉田** なんでその帰りに「チュー、チューチュチュ」て

69 **阿部** ……降りてきたんだもん

70 **吉田** 降りてきたって、バカになってんだよ感受性が

71 **阿部** マジで？

72 **吉田** もうあるもんその歌もう

73 **阿部** これもあるの⁉

74 **吉田** 郁恵ちゃんがもう歌ってるから

75 **阿部** 徹ちゃんの郁恵ちゃんが？

76 **吉田** 徹ちゃんの郁恵ちゃんが

77 **阿部** マジかー

78 **吉田** まさしく「夏のお嬢さん」って曲で

79 **阿部** うわオレ大損してんじゃん

80 **吉田** 大損してるから、もうほかの詩にしてください

81 **阿部** ほかの詩かー、うーん、あ、ついこないだだわ

82 **吉田** ついこないだ

83 **阿部** 仕事帰りね？　適当にラーメン屋さん寄って

84 **吉田** うん

85 **阿部** ま、適当に味噌ラーメン頼んだんですよ

86 **吉田** うん

87 **阿部** でま、味噌ラーメン来て、一口食べたらめちゃくちゃ旨かったの

88 **吉田** いいですねそれは

89 **阿部** そんなときにできた詩です

90 **吉田** なるほどおいしいもの食べてもそのインスパイアで歌詞は生まれると
91 **阿部** はい
92 **吉田** これ聞きましょう
93 **阿部** いきます 「Can You celebrate
94 **吉田** だから、だから
95 **阿部** 「Can you kiss me
96 **吉田** 言うなってその先は。全員知ってっから
97 **阿部** 「We will love
98 **吉田** We will love じゃないから
99 **阿部** なんで？
100 **吉田** どこの世界においしい味噌ラーメン食べて Can You celebrate って
思うやついるの？
101 **阿部** だって降りてきたんだもん
102 **吉田** 降りてきてないよ
103 **阿部** この詩は安室に歌わしたい！
104 **吉田** 安室が歌ってんだよもう 小室が安室に歌わしてんだよもう
105 **阿部** 小室が安室に？ 氷室どうした？
106 **吉田** 氷室ノータッチ
107 **阿部** 氷室ノータッチ？

108 **吉田** なんもしてない
109 **阿部** 氷室ノータッチ？（モノマネ風で）どうも、Don't no touch 氷室です
110 **吉田** ……「Don't no touch 氷室です」とは言ってない　ピン芸人じゃないんだから
111 **阿部** これあるの？
112 **吉田** あるからもう
113 **阿部** うわもうホント損してんな
114 **吉田** 結婚式の定番ソングになってるからもう

115 **阿部** あー、じゃああれあれあれ、あのー、去年！
116 **吉田** 去年
117 **阿部** 兄貴のとこにね、娘が生まれたんですよ
118 **吉田** あ、じゃああなたからしたら姪っ子になる、と
119 **阿部** うん。で、ついこないだはじめて会ったんだけどさ
120 **吉田** うん
121 **阿部** むちゃくちゃかわいかったの
122 **吉田** ま、身内の子どもはかわいいって言いますからね
123 **阿部** そんなね、彼女のために、作った詩です
124 **吉田** 素敵じゃないですかこれ　身内の子どものために作った歌詞
125 **阿部** うん

126 **吉田** これ聞きましょう
127 **阿部** いきます。「ＵＦＯ（ジェスチャーはあの『ＵＦＯ』のジェスチャー）デッデッ
128 **吉田** もう、だから。デッデッじゃねえ
129 **阿部** どしたの？
130 **吉田** 動いたよ、なんか出てきたじゃん（頭の後ろから手を出すＵＦＯのジェスチャー）
131 **阿部** （後ろを振り返り）あれ？
132 **吉田** いままでずっと「風に戸惑う」とか「チュー、チューチュチュ」とかだったけど、出てきたもん、なんか
133 **阿部** （後ろを振り返り）どうしたの？
134 **吉田** いや、後ろからじゃないよ。お前の後ろからだよ
135 **阿部** え？
136 **吉田** 「デッデッ、デデデ、デッデッデッ」歌詞じゃねえぞ、言っとくけど
137 **阿部** え？　なんだ
138 **吉田** 家でお前「デッデッデッ、デデデ、デッデッデッ」（書くシグサ）もう病院行ったほうがいいよ
139 **阿部** え？
140 **吉田** 歌詞じゃないもん。ＵＦＯまだわかるよ、デッデッデッ歌詞じゃないもん
141 **阿部** 降りてきたんだもんしょーがねーだろー！
142 **吉田** 降りてきてねえよ、後ろから出てきたしなんか

143 **阿部** あぁ!? これもカブってんのか!?
144 **吉田** カブってるから
145 **阿部** じゃあ、とっておきの出そうか？
146 **吉田** とっておきの
147 **阿部** あのー、ちっちゃいときに作った詩だわこれ
148 **吉田** あ、ちっちゃいときに作った詩がある、と
149 **阿部** この詩に関しては曲ついてるから
150 **吉田** あ、じゃあオレがやることはないのね
151 **阿部** いきなりオレが歌っちゃいます
152 **吉田** いっこの歌になってると。じゃそれ最後に聞いて終わりましょう
153 **阿部** いきます
154 **吉田** うん
155 **阿部** 「♪おっぱいが、いっぱい！
156 **吉田** どうもありがとうございました

全体を見通していただければわかるとおり、「構造の反復」が行われている。〈言葉の「形」〉の反復から〈構造の反復〉へ。

冒頭、阿部が趣味があったほうがいいと言って、詩を書きためている、という。それに吉田に曲をつけてもらって、コンビで合作しようと提案する。そして自作の詩を披露する

という流れだ。

【15−A】

17 **阿部** もういきなりいっちゃいますよ？
18 **吉田** ひとつめの歌詞？
19 **阿部** はい
20 **吉田** 聞きましょうこれ
21 **阿部** この詩はね、ま、最近作ったいい詩です
22 **吉田** 最近できた詩
23 **阿部** いきます
24 **吉田** 聞きましょう
25 **阿部** 「風に戸惑う　弱気な僕
26 **吉田** ちょっと止まろう。もう言わないほうがいいです
27 **阿部** え、どうして？
28 **吉田** あのー、もうね、あるからそれ
29 **阿部** え？　あるってどういうこと
30 **吉田** サザンオールスターズの「TSUNAMI」って曲で、「♪風に戸惑う～
31 **阿部** いい曲だね！
32 **吉田** いい曲だねじゃなくて。これ桑田さんが作ってんの

33 **阿部** 桑田が？
34 **吉田** 桑田さんが
35 **阿部** 佳祐のほう？
36 **吉田** 佳祐のほう
37 **阿部** 真澄じゃねえのか？
38 **吉田** 真澄じゃないよ。桑田真澄作曲能力ないから
39 **阿部** なるほどな
40 **吉田** その詩ちょっともうやめよう
41 **阿部** 岡田真澄でもねえのか？
42 **吉田** なんで真澄のほうチョイスすんの？
43 **阿部** あ、申し訳ねえ　あるのね？
44 **吉田** 桑田で出してくんねえと
45 **阿部** 申し訳ねえ

まず、最初の詩を披露するブロック。
これを構造的に捉えると、
1．どういうときに作った詩か
2．詩の披露↓実際にある有名な詩（ボケのカブセなどで笑いどころ増幅）
3．吉田による説明と、阿部の返し（返しをカブセて笑いどころ増幅）

という大きく3つの構造から成り立っている。

1.「最近作ったいい詩」

2.「風に戸惑う」からはじまる詩の披露↓ストップ&実例の紹介

3.「桑田」「佳祐のほう」「真澄じゃない」「岡田真澄でもない」というカブセ

といった具合だ。

次のブロック、46吉田以降を見てみよう。

【15―B】

46 **吉田** ほかの詩いきましょう
47 **阿部** ほかいくか。あー、去年だわ
48 **吉田** 去年
49 **阿部** 去年ね、実はね、親父が倒れたんですよ
50 **吉田** 去年お父さんが倒れたと
51 **阿部** でもまあ、体調も戻って、仕事復帰してるから心配ないんだけど、
52 **吉田** いまはもう元気になってると
53 **阿部** そうそう。そんなね、親父の見舞いに行った、帰りにできた詩です

54 **吉田** なるほど去年お父さんが倒れてあわてて実家までお見舞いに行ってお父さん元気づけて、その帰りにできた詩、これ聞きましょう
55 **阿部** いきます
56 **吉田** うん
57 **阿部** 「チュー、チューチュチュ。夏の、お嬢さん
58 **吉田** おかしい。おかしい
59 **阿部** 「ビキニがとっても似合う
60 **吉田** 言うなってその先は
61 **阿部** 「しげき的さ
62 **吉田** しげき的さじゃないから。オレが止めたらもう言うなその先
63 **阿部** ん？　どしたよ
64 **吉田** お父さん倒れたんでしょ？　去年
65 **阿部** うん
66 **吉田** 心配で実家行ったんでしょ？
67 **阿部** そうだよ
68 **吉田** なんでその帰りに「チュー、チューチュチュ」て
69 **阿部** ……降りてきたんだもん
70 **吉田** 降りてきたって、バカになってんだよ感受性が
71 **阿部** マジで？

72 **吉田** もうあるもんその歌もう
73 **阿部** これもあるの!?
74 **吉田** 郁恵ちゃんがもう歌ってるから
75 **阿部** 徹ちゃんの郁恵ちゃんが？
76 **吉田** 徹ちゃんの郁恵ちゃんが
77 **阿部** マジかー
78 **吉田** まさしく「夏のお嬢さん」って曲で
79 **阿部** うわオレ大損してんじゃん

これも構造はおなじである。

1．「去年」「実はね、親父が倒れたんですよ」「でもまあ、体調も戻って、仕事復帰してるから心配ないんだけど」「そんなね、親父の見舞いに行った、帰りにできた詩です」

2．「チュー、チューチュチュ」ではじまる詩の披露↓ストップ↓「ビキニがとっても似合うよ」「しげき的さ」＆存在の紹介

3．69阿部「降りてきたんだもん」「徹ちゃんの郁恵ちゃんが？」「うわオレ大損してんじゃん」

構造はおなじであるが、それぞれの要素のボリュームが増えているのがお分かりだろうか。

最初のブロックでは「基本形」を示し、次のブロックではその基本形でどこまで遊べるか、カブセ（同一の文脈で畳み掛けるボケ）を増やして、会話で笑わせることに重点を置きはじめる。58吉田で「おかしい。おかしい」とストップしているのにもかかわらず詩を紹介し続けたり、62吉田「オレが止めたらもう言うなその先」というセリフが出てきて二人の関係性の可笑しさを前面に出して来たりもする。ひとつのボケでできた笑いを、「二人の関係性の笑い」で増幅していくという形がここで示されている。

このパターンはやりすぎるとくどくなるが、あくまで構造のなかで許容される範囲のものとして展開しているのだろう。75阿部の「徹ちゃんの郁恵ちゃんが？」の部分は、さもアドリブっぽく言うことで、反射神経の良い笑いが期待できる。あくまで阿部は、79阿部「オレ大損してんじゃん」にあるように、最後まで原曲の存在は知らないという体で通す。

こう見てみると、シンプルななかに非常に多様な笑いの策略が張り巡らされていることがわかる。どういう時に作った曲か、ということと、実際の詩の内容のギャップ。実際にある詩の歌詞のおかしさ。それを知らない阿部という愚者の存在。止めろといってもきかない二人の関係性。反射神経のよい返しのセリフの面白さ。無駄がほとんどない。これだけのことをシンプルに表現することは実は非常に難しい。いままでのＰＯＩＳＯＮ ＧＩＲＬ ＢＡＮＤのネタを見てきたなかで、構造的には抜群に見やすいネタに仕上がっていてわかりやすいと私がいうのはこういうところだ。

阿部の「みんなが知っていることをわざわざいう」「知らないふりをする」というキャラクターもブレていない。阿部の良さを最大限引き出しつつ、62吉田「オレが止めたらもう言うなその先」、「お父さん倒れたんでしょ？　去年」「心配で実家行ったんでしょ？」「なんでその帰りに『チュー、チューチュチュ』て」という64〜68吉田、など、しっかりツッコミとしてニュートラルなものを押さえたうえで、70吉田「降りてきたって、バカになってんだよ感受性が」のように、さらにひと笑いとるようなキラーフレーズを用意してある。二人の良さが如何なく発揮されている。

二回、このパターンが続いたあと、次は展開もオチも読めているなかでどうするか。目線付けがされているなかでも笑いはさらに変容する。反復は実は一回ずつおかしみの質が変化するのだ。

【15－C】

80 **吉田** 大損してるから、もうほかの詩にしてください
81 **阿部** ほかの詩かー、うーん、あ、ついこないだだわ
82 **吉田** ついこないだ
83 **阿部** 仕事帰りね？　適当にラーメン屋さん寄って

84 **吉田** うん
85 **阿部** ま、適当に味噌ラーメン頼んだんですよ
86 **吉田** うん
87 **阿部** でま、味噌ラーメン来て、一口食べたらめちゃくちゃ旨かったの
88 **吉田** いいですねそれは
89 **阿部** そんなときにできた詩です
90 **吉田** なるほどおいしいもの食べてもそのインスパイアで歌詞は生まれると
91 **阿部** はい
92 **吉田** これ聞きましょう
93 **阿部** いきます 「Can You celebrate
94 **吉田** だから、だから
95 **阿部** 「Can you kiss me
96 **吉田** 言うなってその先は。全員知ってっから
97 **阿部** 「We will love
98 **吉田** We will loveじゃないから
99 **阿部** なんで？
100 **吉田** どこの世界においしい味噌ラーメン食べてCan You celebrateって思うやついるの？
101 **阿部** だって降りてきたんだもん

102 **吉田** 降りてきてないよ
103 **阿部** この詩は安室に歌わしたい！
104 **吉田** 安室が歌ってんだよもう　小室が安室に歌わしてんだよもう
105 **阿部** 小室が安室に？　氷室どうした？
106 **吉田** 氷室ノータッチ
107 **阿部** 氷室ノータッチ？
108 **吉田** なんもしてない
109 **阿部** 氷室ノータッチ？（モノマネ風で）どうも、Don't no touch 氷室です
110 **吉田** ……「Don't no touch 氷室です」とは言ってない　ピン芸人じゃないんだから
111 **阿部** これあるの？
112 **吉田** あるからもう
113 **阿部** うわもうホント損してんな
114 **吉田** 結婚式の定番ソングになってるからもう

なにが出てくるかわかったうえでの三回目は、この場所でボケる、ということがわかったうえで、プレゼントでいえば「箱」は見えているけど「中身」が見えていない状態。これは、多くの場合読まれたことでウケにくい状況だが、だからこそボケ役の力で押しきる突破力が問われる。そして、その押し切る個性と説得力のある表現を、阿部はできるのだ。声も面白いし。

1.「仕事帰りね？ 適当にラーメン屋さん寄って」「ま、適当に味噌ラーメン頼んだんですよ」「でま、味噌ラーメン来て、一口食べたらめちゃくちゃ旨かったの」「そんなときにできた詩です」

この段階に至って、本来歌詞との対応で笑いをとるフリであるはずの「1」の部分が、「そんなときにできた詩です」を後件として、前件と後件の組み合せで笑いが生まれるような策略も生まれている（一文を分割して前件、後件と呼んでいます）。フリを長くする、ということはつまりこういうことだ。

さらに、「2」の歌詞紹介の部分でも、二回目と同様、止められても歌詞を紹介し続けるくだりが三回ある。

101阿部「だって降りてきたんだもん」は、69阿部のテンドンだ。歌詞を「降りてきた」という理由で紹介する天才ぶったアーティストを笑いの対象にすらしてしまう批判精神もここにはある。「降りてきた」は思考停止ボタンだ。

103阿部「この詩は安室に歌わしたい！」は、ベタ中のベタをまっとうする説得力が必要だが、ちゃんと笑いをとっている。

されて、ここからがＰＯＩＳＯＮ ＧＩＲＬ ＢＡＮＤらしさが炸裂する。105阿部「小室が安室に？　氷室どうした？」「氷室ノータッチ」「氷室ノータッチ？　どうも、Don't no touch 氷室です」まで、「室」という言葉の引っ掛かりだけで、氷室をふくらませている。完全に「遊びの会話」である。無駄だと言われてもしょうがない部分、これまでついてきたお客さんをきょとんとさせてしまう部分、短尺だったらディレクターや作家に削られてしまうかもしれない部分、ここにこそ、POISON GIRL BANDらしさである「ひまつぶしの会話」ぽさが出ていると、私は思うのだがどうか。

結局、この「基本形」を五回繰り返す「構造の反復」がこのネタにはある。通常、反復は三回までというのが暗黙のルールだが、それは三回で飽きられてしまうという前提でできたルールだ。それ以降も展開できる自信があれば反復はいくらしても良い。ただし、毎回おかしみの「質」は変容する。四周目は、先にご紹介した通り、すでに歌詞という形態でもない、擬音語から入ったり、五周目はオチらしく一言でアレとわかる歌詞をもってきたりと、同型反復（文体論でのレトリック用語）からくるはずの飽きを回避している。だれもが怖がってできなかった反復を堂々とこなした一本である。

ちなみに、ネタ全般を通して、ツッコミ役の吉田の、相方のセリフをなぞる、合いの手、あるいは「オウム」（返し）の部分が非常に効果を発揮してリズムに貢献しているのはお気づきだろうか。ときに確認し、ときに相手の言っていることをまとめる、非常に古典的な手法だ。

50 **吉田** 去年お父さんが倒れたと
52 **吉田** いまはもう元気になってると
54 **吉田** なるほど去年お父さんが倒れてあわてて実家までお見舞いに行って
お父さん元気づけて、その帰りにできた詩、これ聞きましょう

といった部分のことである。

POISON GIRL BANDのネタでは吉田のこのオウムが、ボケまでの導線としての働きをしている。なにせこういった技術を使うのは、大きいボケの前なのである。ひとつのボケで最大限の効果を発揮するために、大きく振りかぶる。その振りかぶり方は、なにもボケだけの方法論ではなく、コンビの「合いの手」にも存在する。あまり指摘されず、一見無駄に思われている節もあるので、こういった合いの手が、出汁をとるようにいい仕事になっていることを指摘しておきたい。

9．SF期

ここからは④SF期を見ていくが、このことを語るにはいろいろな前提をお話しすることになるがお付き合いいただきたい。

この文章でも、何か所か「SF的」というネタに関して指摘してきた。

繰り返しになるが、たとえば「60分漫才」を例にとると、POISON GIRL BANDが世に出たのは戦後すぐ、だとネタがはじまる。「竹やり漫才で売れましてね」と、どうやって売れたのか、という部分でまず笑いをとる。竹やり漫才をきっかけにコンビで売れて、「たけやり御殿」と言われる家まで出来た。当時は「巨人、大鵬、POISON、たまご焼き」なんて子どもには言われていた。あるいは「3T」なんて言われて、「竹やり、タッパー、たくあん」だったと（当然、当時はタッパーなんかなかっただろう、とツッコミが入る）。そのときにグッズで販売した竹やりがまた飛ぶように売れた。いまでも、その竹やりを、さお竹変わりに使っている家庭もあり、たまに見かける。いままで見たことがなかった人は、POISONのグッズの竹やりは、先のほうに「○のなかに『ポ』」と書いてあるからわかりますよ、と言った具合に続く。

このネタは、「戦後すぐPOISON GIRL BANDが売れていた世界」というフィクションのなかでの話となっている。もちろん、POISON GIRL BANDの二人は当時三十代なので当然「戦後すぐ」の時代には生まれていないし、これは「ウソ=フィクション」と即座にわかる話であるが、とりあえずその世界があったと仮定した話に観客は乗っからざるを得ない。というのは、吉田が「そんなことはなかった」と一刀両断して現実世界の話をする選択肢を、放棄しているからだ。つまり、フィクションの世界の話を聞く、というスタイルを選択しているのである。

9-1　大喜利系

ここで、「大喜利系」について触れておきたい。

「大喜利」とは、古くから寄席に存在した、落語家の落語以外の出し物を指したが、現在のわれわれが知っているのは『笑点』で展開されているものである。立川談志が構成、完成させたもので、「お題」に対して「面白い回答」を出すというアレだ。「同一のテーマに対して、回答のバリエーションを出す」ということを、ここでは「大喜利系」と呼ぶことにする。

たとえば、「きのこの山」「たけのこの里」に続く、あらたなお菓子とは？　というお題があったとして、「大喜利系」での回答パターンの多くは、「○○の△」という形式を選択するであろう。これが基本軸のパターンにあって、そのパターンを崩していく回答も出る。これらの回答パターンを「大喜利系」と呼ぶメリットは、たとえばハライチの漫才は「○○の△」という形式を守ったうえで、回答パターンを出しそれを実演する、という記号的な処理をしているので、ネタ全体を「大喜利系」のネタということができる。

話が出たのでハライチを例にとれば、ペットを飼いたいというネタの導入から、どんなペットがほしいかと問われ、「おとなしいペット」という第一回答が用意され、以下、これを基本形として、形式のパターン化がされていく。

「おとなしい」＋「ペット」に分解し、「A」＋「B」の形に一般化していくのである。実際に出てきたボケの順でこのパターンの出し方を分析すると以下のようになる。

【16】

1．おとなしいペット　基本形　A「おとなしい」＋B「ペット」
2．よくなつくペット　A変形、B基本形：基本形からのマイナーチェンジ
3．空気読むペット　A変形、B基本形：1よりも擬人化したA

4. 抜け目ないペット　A変形、B基本形：3と同一スロット（変項）
5. 場なれしたペット　A変形、B基本形：3と同一スロット
6. 食べられるペット　A変形、B基本形：A受け身化
7. ふしだらなペット　A変形、B基本形：3と同一スロット
8. おんぼろなヨット　A変形、B変形
9. すかすかのニット　A変形、B変形：「の」が登場、「AのB」の形許容
10. 横顔のアップ　A変形、B変形
11. 安すぎるチップ　A変形、B変形
12. きのタッグ　A変形、B変形
13. 控えめなフック　A変形、B変形
14. 奪われた物資　A変形、B変形：Aを動詞化、受け身形
15. ボンゴレのロッソ　A変形、B変形：もともとひとつ続きの用語を分割
16. 見られてるずっと　A変形、B変形：副詞BにかかるA
17. 控えめなフック　A変形、B変形：カブセ
18. カモシカにベッド　A変形、B変形：AにBの形　また「ないもの」の志向
19. 水色のムック　A変形、B変形　「ないもの」の志向

形容詞＋名詞「○ッ○」が基本パターンで、次第に「形容動詞＋の＋名詞○ッ○」の形に変容し、名詞＋の＋名詞○ッ○、というように変容する。基本形が頭に入ってくると、「奪

われた物資」や「見られてるずっと」のような、基本形のズラシも許容できる。ボケだけは「大喜利系」である。ハライチのネタの面白みは、このボケそのものにあるのではなく、それを受けて乗っかる澤部の表現力にあるから強いのであるが、ひとまずボケだけを分析すると「大喜利系」であることはおわかりだろう。

「大喜利系」はなにも回答の言語形式を制限するものではない。

たとえば、『IPPONグランプリ』の例を見てみよう。

「ゴジラが街を壊すときに心がけている事とは？」という二〇一一年のお題で、回答一覧は左記の通り。

【17】

7　コンビニポプラは数が少ないのでできるだけ踏まないようにする
○　壊すのはマスコミのヘリが来てから
○　初めて街を壊したときの気持ちを忘れない
○　まず何より自分が楽しむ
○　地方でも手を抜かない
○　次にくるメカゴジラのためにちょっと残しておく

○ これから出てくる若手怪獣の見本になるように

8 野球場に近づいて、あれご本人登場？　ってならないようにする

○ 百個のビルより一個のタワー

○ 5こわし　4なき　1あるき

○ 謝罪は心のなかで

7 できるだけヒザを高くあげ消費カロリーをふやす

4 ゴジラらしさを失わない

○ もしあったらおっくうでも踏みに戻る

○ 花が添えられているガードレールは絶対に踏まない

6 土日はできるだけオフィス街を狙う

車の上に乗っちゃってツルンといかないようにする

雰囲気を壊さないようにしている

不燃はつぶして可燃は燃やす

東京ドームだけはハンバーグのホイル包みの要領で開ける

東宝は踏まない

メカゴジラとの打ち合わせメールは消しておく

「○」は一本に認定されたもの、数字は認定されなかったものの点数である。

これらを見てわかることだが、「大喜利系」は言語形式を制限するものではないが、なんとなく答えの内容を縛るルールは存在している、ということだろう。

つまり、「なんとなくこういうもの」は存在するのだ。具体的には指示しないが、形式か内容の大枠は指示する。

まったく自由に答えればいいのではなく（なかには、その自由っぷりで笑いをとる身体性とキャラクター性の高い芸人もいるが）、一応は、「問題」への答えになっていなければならない。ないようで、実はあるルール、そして形式。これを遵守したほうが好ましいものといっていいだろう。

大喜利系のパターン分析に関してはここでは控えておくが、ここでは「パターン出し」以外の笑いの核がある例を検討していきたいと思う。実際の漫才の笑いどころすべてを「大喜利だ」と主張する芸人もいるが、これはやや乱暴な議論である。

笑いを分類する基準はいくつかあるが、「コト」レベルの面白さと、「コトバ」レベルの面白さで、これを分類する方法を大学院時代に学んだ。

9-2 「コト」のおかしみ、「コトバ」のおかしみ

いまどきバナナの皮で足を滑らす人は皆無だと思うし、いたらむしろシュールなのだが、実際にあるかどうかは置いておいて、人の失敗であるとか、天然な人の行動（笑わせる意図がなく、受け手が面白がれるもの）などは、「コトバ」ではなく「コト」レベルの面白さがある。言い間違いは、「コト」レベルと「コトバ」レベルの中間点だが、実際には「間違えた」コトが先で、間違えた結果言い間違えた言葉の面白み、というのが副次的要素となる。

芸人のエピソードトークは見事に「コト」と「コトバ」が連動している例だが、とはいえ面白いと思った「コト」を、語り手が「コトバ」を整理して伝えたことにまちがいはない。で、「コト」レベルのものは、作為的にしろ（つまり、ボケ役が意図的に行うもの）であっても、無作為的に行うもの（天然）であっても、大喜利系とは若干雰囲気が異なる。いわば、直感的に笑わせる方法といってもいい。反対に、怖がらせる場合のことを考えれば早いのだが、「わっ！」と大きな声で怖がらせるのは「直感的」な恐怖である。それと同様に、人の失敗や言ってはいけないことを言うこと、モノマネ、こういった類のものは「コト」レベルの面白さだ。大喜利系ではない。「どういうコトをその場でやるかも、大喜利では ないの？」という人もいるかもしれない。議論を簡単にしよう。「コトバ」レベルの面白

さの純度を高めたものをここでは「大喜利系」と呼ぶ。「コトバ」が副次的な要素の場合は、あくまで主軸は「コト」だから大喜利系ではない。

明らかなウソをつく、自分の身分を不当に高く吹聴する、相手のことを評価しない、こういう「笑い」の現場で日常的に行われていることは、日常世界では「やってはいけないこと」に入っている。コミュニケーションの禁忌を侵す、いわば「ルールやぶり」の面白さだ。これらはすべて「コト」の位相のおかしみに分類される。

また、こうした「コト」レベルのものとは別に、コミュニケーションの禁忌はいくつかある。

「相手の話を聞かない」などがそうである。

9-3　のいるこいる問題

私が大学院で研究をはじめた頃、ゼミの笑い研究のグループで「のいるこいる問題」がよく話題になった。

寄席の爆笑王「昭和のいるこいる」というベテラン漫才師のネタの、なにが面白さの原因になっているのか、という議論を来る日も来る日もしていたのだ。なにかの話をしようとするのいる師匠に対して、「そうかそうか」「良かった良かった」「ま、しょうがないよね！」、で受け流すこいる師匠。怒られると「はいはいはいはい」と言葉だけを返す。こんな人が隣にいたら確実に腹が立つ、という掛け合いで流れる漫才。老若男女だれでもがウケるという鉄板パターンで、何度おなじやりとりを見ても笑ってしまうのだ。

【18】（※作例　こういう感じのネタです）

こいる　毎年、この時期になると花粉症が流行るね
のいる　あー、そうだね、良かった良かった
こいる　良かないよ　いつもマスクしてる人多くなるでしょ
のいる　そうだね、あれかっこいいね、マスク、マスク　便利だ、ね！　良かった良かった
こいる　そういう話をしてるんじゃないよ　それくらい苦しいのが、気の毒だって話だよ
のいる　あ、そうですか、すみませんすみません、はいはいはいはい
こいる　バカにしてんのかお前は　人の痛みがわかる人間になんなきゃダメだろ
のいる　……人の痛みはわからないよね？　その人じゃないから
　オレなんか酔っ払うと、自分の痛みもわかんなくなっちゃう
こいる　意味が違うんだよ！　花粉症つらいんだよ？　鼻水は出るし、くしゃみは出るし
　目やにには出るし
のいる　あははっ　出てばっかりだ！　オレなんか出て嬉しいのはパチンコの玉だけだ

こいる 喜んでんじゃないよ！　バカかお前は　アレルギーでつらいんだよ！
のいる ま、そりゃしょうがないよね！　それが人生だ　そういう時代なんだよね！
こいる 人の話を聞きなさいよお前は！

このネタの強度の問題と、そもそもこのネタがなぜウケるのか、ということについて、真剣に議論をする学者はいなかった。

しかし、少しでも考えればわかることなのだが、笑いが「ズレ」だの「優越感」だのと主張する人たちは、彼らのこの漫才がどう「ズレ」ていて、どこに「優越感」を感じるのか、説明できるのだろうか、という疑問がわいてくる。

たしかになにかがズレているような感じもする。だが、本来の「ズレ」というのは、「言うべき言葉」「取るべき行動」がわかっていて、そうではない言葉や行動が起こったから笑いが起こる、という場合に使われている言葉だ。ではなにが「ズレ」ているのか。「体調が悪い」という報告に対して、「しょうがねえしょうがねえ」のなにがズレているのか。

たしかに、気遣ったり心配したり病院に行くことを勧めるのは常識的な返しかもしれない。しかし、不可抗力という意味での「しょうがないよね」はそんなにズレた反応ではない。ならば、「しょうがねえしょうがねえ」と繰り返すことによる強調、「反復」のおかしみか？　それともただの非言語行動「言いっぷり」か？　それとも、相手の話を聞いていない、という「ディスコミュニケーション」なのか？　「相手の話を聞くべき」と「相手の話を聞いていない」というズレだとすると、なぜ「相手の話を聞くべき」なのか。自分が話したいことと、相手の話したいことがある場合、なぜ先にしゃべったほうが会話の主導権を握れるのか。それらは一切わかっていないのである。

私たちはこれを「のいるこいる問題」と呼ぶことにして、文脈上不適切なことを言ったりやったりする笑いとは別種のパターンであると位置づけ、その解析に力を注ぐことになる。

持ちだした理論は先に紹介したグライスの「会話の公準（公理）」というやつだ。つまり、「質の公準」「量の公準」「関係性の公準」「様態の公準」という四つから成り立っており、聞かれたことに答える、必要な分量で、適切な言葉遣いのもと、必ず関係あることを答えている、という前提である。

いわゆる「コトバ」レベルの大喜利系ではない種類の笑い、とりわけ「のいるこいる」系漫才には、このグライスの公準破りが多い。「ズレ」の笑いというよりは、「ルール破り」による笑いなのである。この理論を借りると、のいるこいるは質の公準と量の公準を破っていると説明できる。

ＰＯＩＳＯＮ ＧＩＲＬ ＢＡＮＤ吉田の初期の長いツッコミも「量の公準」破りである

ことは確認した。必要以上にまわりくどい。しかしそのことによってほかのコンビにない「関係性」を手に入れていた。

グライスのこの理論を使った笑いの分析は、学部生の卒業論文レベルでも必ず毎年一本か二本はあるものだが、これはこれで、すべての笑いをこの理論で説明しようとする人たちが多く、そこにどうしても無理が生じる。その笑いにおいて、なにが「主要素」なのか、を見極める眼力は一朝一夕に身につくものではないが、だからといって、ひとつの理論ですべてを説明しようとする試みも無謀である。こうして研究者たちはこの手の研究につまずいていく。

9－4　不思議系／ＳＦ的

さらに、「コト」レベルの笑いや、会話の公準破りの笑いのほかに、「不思議系」がある。これは、シュールとかナンセンスとか呼ばれるものの一群としておこう。いまはおおまかに「不思議系」と呼んでおこう。

さて、ここで落語立川流の気鋭の二つ目（二〇二〇年現在）立川吉笑の『現在落語論』（毎日新聞出版）という書籍から引用をしたい。

AとBが会話をしていて、二人がおなじひとつのものを欲しがっている、というところから抜粋する。

【19】

B「オレのほうがほしいと思ってるんだって！　それこそ喉から手が出るくらいほしいんだ！　頼むよ！」
A「おまえはしょせん、〝喉から手が出るくらい〟しかほしくないんだろ？」
B「えっ？」
A「オレはもうこれがほしすぎて、喉から手が出てきてんだよ！　ほら」
B「わっ！」
A「な。これがほしすぎて、喉から手が出てきたんだ！　だからオレにくれって！」
B「ダメだよ！」
A「なんで？」
B「いや、オレもほら、ほしすぎて、いま、喉から手が出てきた」
A「おまえも!?」
B「ちなみに、おまえの喉から出てるその手は、見たところ左手だな」
A「それどうした？」

B「オレは喉から右手が出てきたんだ。利き手だ。これがほしすぎて、喉から利き手が出てきてんだ。だからオレにゆずれ」
A「利き手か。ただよく見てろ。オレはあれだ。喉から両手が出てきてんだ。ほら！」
B「わっ！」

（立川吉笑『現在落語論』p19 - 20）

前節で笑いのパターンを「大喜利系」「非大喜利系」とわけたときの「非大喜利系」、とくにコミュニケーションのルール破りについて、「のいるこいる問題」を述べた。文章自体がすでに面白いものや、お題と回答のセット、そのバリエーションが面白いもの、さらにはコミュニケーションのルール破り。笑いをとる方法はたくさんある。

しかし、もうひとつ別の領域の笑いに、「不思議系」がある。

いまここに挙げた例は、「想像する非現実」の不思議系である。

立川吉笑の『現在落語論』は、立川談志『現代落語論』を経由して、ダウンタウンから二〇〇〇年代のお笑いを経過した現在を生きる若者が、落語を現在的なジャンルとして再整理した書籍だ。なかでも優れていると私が思った点は、落語がコントや漫才などよりも格段に「不条理な世界」を描くのに適したジャンルだということを指摘した点だ。

【20】

「おい、見てみろよ。赤鬼さんだ。あれ？　何だか体調がよくなさそうだぞ？」
「ほんとだ。顔が『紫ざめてる』。風邪かなぁ」
「おい、見てみろよ。青鬼さんだ。あれ？　何だかイライラしているみたいだぞ？」
「ほんとだ、顔を『まっ紫』にして怒ってる。どうしたんだろ」

（立川吉笑『現在落語論』p15）

赤鬼と青鬼が、普通に存在する世界で、赤鬼は青ざめて、紫いろになっている。あるいは、青鬼が怒って、通常であれば顔が赤くなるところ、紫になっている。こういう「想像して楽しませる」ことに落語は向いているというのだ。たしかにいかにコントで青鬼と赤鬼を表現しようにも、そこに具体的なものが「存在」してしまう時点で、ここで表現されているものの面白味は薄れてしまう。まだ漫才でしゃべったことを観客に想像してもらったほうが向いているかもしれない。

想像する行為は、観客ひとりひとりにイメージの誤差がある。４Ｋくらいの解像度で想像する人もいれば、ぼんやりと8ビットで想像する人もいるし、カメラの角度や、視点をどこに置いているかも人によってさまざまだとは思うが、それにしてもボンヤリと想像する、縦横の輪郭がハッキリした「画面」を持たない、「だいたい」想像することで見えた場面だ。しかし、だからこそ楽しいものである。

先の「喉から手が出る」が楽しいのは、その「だいたいの想像」の力を借りているからである。リアルに想像すると、恐怖でしかないこの場面を、楽しく聴けるのは「だいたいの想像」だからだ。映像にしてしまったら、とんだスプラッター映像である。BGMも変えたら世にも奇妙でしかない。リアルに想像して、せいぜい空也上人の像の延長線上くらいのものだが、それとて落語家がしゃべっているという時点で、BGMは明るく楽しいので、滑稽に思える（ここでいうBGMとは、やや専門的にいうと「ムード」である。もちろん言語学的な意味の「ムード」です）。

現実には起こり得ないような「非現実」が、だいたいの想像のなかで構築される。これが「想像の非現実」だ。

「想像」で笑わせるということで思い出すのは、チュートリアルの二〇〇六年M－1グランプリ。バーベキューにどの具を刺すか、というネタである。

【21】

徳井　（具材を刺すシグサをしながら）　じゅ、じゅ、順番どうする順番

福田　順番はだから適当でええやんけほら、
（空をさしながら）肉、ピーマン、タマネギ、肉、ピーマン、タマネギや

徳井　ださっ！

福田　なんで!? ■

徳井　古っ！

福田　古いも新しいもあらへんやろ

徳井　お前それ80年代やないかお前

福田　どこらへんがやねん ■

徳井　ディスコブームが到来しとるわお前

福田　なんのことやねんアホウお前 ■

徳井　違う、ものごとには流行があんねんから

福田　えっ？

徳井　いまの流行で言うたら、最初はピーマンからや

福田　いや聞いたことないけど

徳井　だから流行で言うたら、（空をさしながら）ピーマン、しいたけ、エリンギ、
タマネギ、ホタテと

※■＝観客の笑い声

しかし、これはおかしな具が出てくるネタではない。むしろこのネタの面白みの核は、刺す具の順番を「評価」する徳井の姿勢であり、あたかもそれは映画やお笑いや音楽を評するように、バーベキューにモードが存在し、それを評価するという評論家的一面だ。その評価に根拠がない。理由がないからこれは「ナンセンス」という部類に入る。

のりおよしおの「だれが千葉真一やねん」「だれが草刈正雄やねん」といった、「自分を高く見積もる」「相手の話を聞いていない」ことよりも、突然の「千葉真一」「草刈正雄」に笑う。これは、このタイミングで「千葉真一」や「草刈正雄」である必然性がどこにもない（強いていえば、いい男フォルダに入っている人の名を言うだけ）から、彼らはナンセンスギャグと言われた。ナンセンスには「理由がない」のだ。

しかし、赤鬼青鬼の例や、「喉から手が出る」の例は、理由はわかる。だからナンセンスではない。想像はできるが、ナンセンスではない、ここが重要だ。ナンセンス、シュール、だいたいの想像、これらをすべて混同してしまう人たちがあまりにも多いので、ここで分別しておく。

ナンセンスと比べて「シュール」の核は、「非現実感」だと私は考える。「あっち側の世界」を肯定してはじめてできあがるのがシュールの笑いである。シュールが「超現実」と訳されるように、センス（意味）の有無は別軸である。

吉笑が自らの落語を時として「シュール」と表現するのもそういうことだろう。吉笑の落語に、大店の番頭さんがゾーンに入ってなにを言っているのか聞き取れないほど早口になる、というものがあったり、一晩寝かせたはずのカレーが途中で起きてきて話しかけてくる、というのがあるのだが、これらも「非現実感」、「想像する非現実」による笑いなのである。

さらに付け加えておくと、「一晩寝かせたカレー」がしゃべるとき、そのカレーは人の形をしているのかどうか、声はどんなか、一切描写されない。赤鬼はどれくらいの大きさで、どういう顔をしているのか、イケメンなのかブサイクなのか、切れ長の目なのか団子っ鼻なのか、色以外の情報はまるで描写されていない。口から手が出ているとき、なぜ舌を動かし言葉をしゃべれるのか、どういう形になっているのか描写されていない。「だいたいの想像」の利点は、「笑いに必要のない想像はしなくても伝わる」ことであり、ひとたび絵にしたり映像にしたりした瞬間に面白さが薄れる。これは、「だいたいの想像」が、二次元でも三次元でもない存在だからである。

POISON GIRL BANDの一時期のネタが落語的だと評したのは、二人のキャラクタライズがあたかも落語の登場人物であるかのような掛け合いであるのと同時に、実はこの「だいたいの想像」を試みたネタであったからである。

マグロをさばいてズボンにする。
中日の選手の帽子を取ったらハトがでる。
スフィンクスを散歩させる。
島根と鳥取をポケットのなかに入れる。

漫才の「設定」とか「話題」とかいうレベルではなく、この「想像する非現実」に挑んだうえで、二人のキャラクターが、典型的なボケとツッコミではなかったものだから、想像する脳みそを普段あまり使っていない人にはこの面白さが理解できなかったのかもしれない。しかし、これが「ＳＦ期」である。

9－5　象さんのポット

ＰＯＩＳＯＮ ＧＩＲＬ ＢＡＮＤを語るとき、歴史上はずせないコンビである「象さんのポット」についても触れておきたい。

象さんのポットは『お笑いスター誕生!!』から出た「としゆき」と「ひとし」の漫才コンビで、お笑いに少し精通している人ならだれでも知っているコンビである。リアルな若者風の会話と、独特の間、関西漫才にはない、間をたっぷりとった落ち着いたやりとりにいまだ熱狂的なファンが絶えないコンビである。近年、映像作家となったとしゆきこと、時生今日人に、プロインタビュアーの吉田豪がインタビューしたことでも知られている。

【22】

としゆき　世の中いろんなことありますけど
ひとし　世の中いろんなことあるから楽しいんだね
としゆき　そうだね　この前なんてね、そのね、うちの近所の縁側で
ひとし　うん
としゆき　おじいさんがざぶとん座って日向ぼっこ
ひとし　ほう
としゆき　手には孫の手持って背中をかきながらね、太陽を見てるんだよね
ひとし　ほのぼのした光景だねぇ
としゆき　うん　よっぽど気持ち良かったんだろうね、おじいさんは、一時間も、二時間も、三時間も孫の手で背中かいてたんだよ
ひとし　そしたらさー、孫の手がお腹から出てきちゃった　■
としゆき　……そういうことってあるよな　■
ひとし　うちの近所のおじいちゃん

としゆき　ああ
ひとし　うちの近所のおじいちゃんもさ、こないだ孫の手で背中ポリポリポリポリ掻いてたんだよね。痒いとこまでもうちょっとのところで届かないからホッと孫の手やったらさー（伸ばすシグサ）、孫が骨折しちゃった
としゆき　専門的だね　■

※■＝観客の笑い声

象さんのポットの魅力と笑いの取り方はいくつもあるのだが、「返しの面白さ」と「想像する非現実」つまり、落語的シュールさがある（単なるシュールではない、落語的シュールさである）。前者はいわゆる「ひねったツッコミ」的なものだ。

【23】

としゆき　壁に耳あり、障子に目あり
ひとし　古くからの言い伝えだね　■
としゆき　でもー、そんなウチがあったら怖いね　■

ことわざを「古くからの言い伝え」というところ、これは「返しの面白さ」であり、「そ

んなウチがあったら怖い」は、壁に耳があって障子に目のある家を「だいたい」想像する面白さだ。

【24】

としゆき　……夫婦喧嘩は犬も食わぬって、言うだろ?
ひとし　古くからの言い伝えだね ■
としゆき　でもうちの犬ね、隣のウチの夫婦喧嘩、食べちゃったんだぜ? ■
ひとし　……ちゃんとエサあげたほうがいいね ■

「古くからの言い伝え」はテンドンになっている「返しの面白さ」だ。「隣のウチの夫婦喧嘩、食べちゃったんだぜ?」は、「非現実」である。「ちゃんとエサあげたほうがいいね」は「返しの面白さ」で、とりわけ秀逸なものだ。犬が腹を空かせたから隣のウチの夫婦喧嘩まで食べてしまう。だったらエサをあげれば食べないだろうというロジックである。まったく「ナンセンス」ではない。意味はちゃんと通じているのだ。

【25】

としゆき　この前ぼくね、東京駅から電車に乗ってね、熱海に向かったんです
遊びに行こうと思ってね。湘南電車。で窓を開けてね、席について
こうやって寝ちゃったんだよね
ひとし　うん
としゆき　で、「熱海ー、熱海ー」って言うアナウンスの声で
ハッと目が覚めたらね、腕がね、窓の外出ちゃってんだよ
こりゃ危ないなーと思って腕引っ込めたらさ、腕がないんだよね ■
困ったなー、どうしようかな
もう熱海着いちゃうしなーと思ったらさ、網棚にあったけどね ■
ひとし　……慌てもんだね ■

この「網棚にあったけどね」をどう解釈するかは人によってちがうけど、面白いことにちがいはない。理由なんかないけど、なにかあるとしたら網棚だなと「なんか納得する」のであれば「ナンセンス」、なにかにぶつかって腕が引きちぎられて飛んで、たまたま網棚に落ちていた、と解釈するならば、シュール、なかでもだいたいの想像という、落語的「想像する非現実」だ。ＳＦである。腕が痛いかどうかという問題が置き去りにされている以上、「笑いに必要のない描写は省く」というルールがここに厳然と働いているからだ。

ちなみに、吉田豪のインタビュー動画はまだYouTubeで観られるのだが、ここで時生今日人は、コント55号、ドリフやひょうきん族といった当時のお笑いシーンには一切触れてこず、自分のネタが影響を受けたものとして、筒井康隆やいがらしみきお、キカイダーやデビルマンを挙げている。つまりSFだ。

「これとこれがこうなっちゃったらどうなるかな」とか「ヒザから下が取れたら」といったことを考えていたらしい。出発点が「想像」だったのである。

立川談志は、ファンタジーとイリュージョンを使い分けて使用していたと、私の一橋大学の教え子の論文には書いてある（大学院で指導した修士の学生だ）。落語の想像は「だいたいの想像」であり、なにともズレておらず、非現実の想像という点で面白さが倍増しているということは先に述べたが、長い落語とは別に、小噺のレベルでそれを表現しているのが、五代目古今亭志ん生のこの小噺である。

【26】

「大きいナスの夢見たって言うけど、どれくれえ大きいんだ。この長屋くれえのナスか」
「もっと大きい」
「この町内くれえか」

「もっと大きい」
「どのくれえ大きいんでえ、一体」
「暗闇にヘタをつけたくれえ大きい」

大きい茄子を想像させて、暗闇にヘタをつけたほど大きいという見立て、そしてそのイメージで笑わせる有名な例だ。

【27】

「えー。寿司屋の茶碗というものはぁ、大変、この、大きなもんですなっ。
こないだなんか、茶碗の中ぃ　おっこっちゃった人がいたくらいなもんで」

これも強調表現だが、茶碗のなかに人が落っこちる大きさをだいたい想像することで笑いを生む。
立川吉笑『現在落語論』でも触れられていることであるが、古典落語の「あたま山」（自分の頭のうえに山ができ、池ができ、最後はその池に落ちて自分が死ぬ噺）や「胴斬り」（刀で斬られて、上下真っ二つになった人が、上半身と下半身が別々の仕事について日常を送る噺）もこの手の「非現実」（吉笑さんの言葉で言う、不条理）というところだろう。

マグロをさばいてズボンにしたり、野球選手の帽子からハトが出てくる話になったり、スフィンクスを散歩させたり、島根と鳥取をポケットのなかに入れたりしたPOISON GIRL BANDのネタにも通じるところがある。

二〇一五年九月の「POISON GIRL BAND 60分漫才」は、彼らには珍しく終盤にミニコントもネタに挟んでくる構成で、八〇年代のバブル期の女性に扮した二人が会話をする。阿部が吉田をひたすらクラブに誘うという設定であった。

女阿部が「(大声) ねえ! クラブ行かなーい?」と、友だちであろう女吉田を誘う。

話はやがて変な方向に進む。

阿部　ねえ! クラブ行く前におすすめのラーメン屋あるから行かない? 大盛無料なの! 千gまで無料! 茹でる前の麺が千gだよ! 茹でたら千五百g!

吉田　水分吸いすぎ!

このあと、ショートコント「クラブだと思ったら海だった」ショートコント「クラブだと思ったら刑務所だった」などが続く。

阿部　（大声）ねえ！　刑務所出たら会わない？　え？　無期なの？
　　　大丈夫、出れるって。模範囚、模範囚！

完全なSFである。「あっち側」の世界の二人になるのだ。

ここでさらに阿部が、昔の肩にかけるタイプの大きい携帯電話を持っていることになり、それを落として動けなくなるなど、「だいたいの想像」で笑いを取る場面と繋がっていく。

要約だけ読んだらわけがわからないかもしれないが、この「要約だけだとわけがわからない」ことこそに面白さの真理が詰まっている。そしてここが、短尺での漫才には出てこない、POISON GIRL BANDらしさ、彼らの文体の真骨頂でもあると思うのだ。

10．立川談志のイリュージョン

立川談志がよく「イリュージョン」の例として挙げていた例を見てみよう。

【28】


「お前のとこで縁の下で飼ってたキリンどうした？

缶詰ばっかり食ってたキリンがいただろう」

「家出したよ」

「何で？」

「とっくりのセーター着るのが嫌だっつってたよ」

「書き置きはねぇのかい？」

「ワープロ打てねぇもんあいつ」

「で、どうしたの？」

「宮内庁へ電話したら佃煮持ってこいっていってたよあいつ」

「防衛庁へノコギリ持って相談行った方がいいんじゃないか？」

「あぁ〜、じゃあ二人でゆっくり、缶詰食ってベトナム行くかぁ」

みなさんはどこまで許容できるであろうか。

談志は、イリュージョン、ファンタジー、ナンセンスを使い分けていた人物だが、こと「イリュージョン」になると定義や用例、用法にいたるまで、年代ごとに定義が揺れる。言葉よりも先に身体で理解していたっぽい。そこが面白いところ（進化し続けた証左）でもあるのだが、「イリュージョン」というのが、部分をさすのか、全体をさすのかもいまだ判然としない。

ところが、完全な作り事＝ファンタジーと、イリュージョンを厳密に使い分けるのに、「一％の現実可能性」があると私は思っている。一％くらい、あるいはそれ以下でも、現実的にあり得ないわけではないこと、それがイリュージョンだ。

たとえば、一億円の宝くじが当たった人物が、その次も一億円をあてるとか。いまをときめくアイドルと自分が結婚する可能性とか。最初は泡沫候補と言われていた人物が大統領になることとか。決してないわけではない。「縁の下のキリン」、これはもし清水寺みたいな「縁の下」がやけに長い建物があり、そこでキリンを飼う可能性を考えると、決して現実的にないわけではない。

ただし、「とっくりのセーター着るのが嫌だっつってたよ」は、キリンが日本語をしゃべるわけはないので、一％の可能性もない。これはファンタジーである。同様の「縁の下のキリン」の導入で、別パターンとしてそのキリンがジャイアンツにいくというパターンもあるが、これもファンタジーだ。

「ワープロ打てねえもんあいつ」は、もっともなこと。「で、どうしたの?」以降は、キリンのくだりがまったく関係ない文脈になるので、「意味の連なり」の拒否になるので、面白さの質が変わる。ので、ここでは考えないでおこう。

ニッポン放送で人気を誇った『談志・円鏡 歌謡合戦』では、以下のようなやりとりがある。

【29】


(番台と言うテーマで)

「変なヤツが入ってきちゃったな、勝新太郎が脱いでるよ」

「今度はアントニオ猪木が飛行機で乗り付けてきたよ」

「オリンピックだね」

「どこが強い、オリンピック」

「日本が強い」

「インド強いねえ」

「なにが強いの?」

「福神漬の選りっこが強い」

勝新太郎が銭湯に来る可能性、アントニオ猪木が飛行機で乗り付ける可能性も決してゼロではない。現実的に起こそうと思えば起こり得ることだ（少なくとも二人が生きている間は）。

そこから「オリンピックだね」は話題の急な転換があるので、意味の連なりの拒否。オリンピックで「インドが強い」理由に「福神漬の選りっこが強い」とある。バカバカしいことこの上ないやりとりだが、ある意味で「もっともらしさ」を感じさせるからこそ面白い。この「ある意味でのもっともらしさ」は局所論理と言われていて、笑いを生むレトリックでは文学の世界でもふるくから使われている技術である。私の好きな内田百閒の随筆では、「上のうなぎは、並みのうなぎよりもうまいという点で、まずい」という論理展開がされており、一面的な評価軸で考えるとたしかにそうだと思わせる、それでいて冷静な読者には「なんだそりゃ」と思わせるのが局所論理である。

「北朝鮮が核飛ばしてきたらどうするの」

「大丈夫、うちは町内会がしっかりしているから」

というやりとりも同様に、話者の「主観」が局所論理的である。

キリンがワープロを打てないのも、そもそもがキリンがワープロを打とうとしないという前提が取り払われた「局所論理」なのである。

一%の現実可能性と、局所論理、この2点と、「言葉の連続性（ダジャレ）、意味の不連続性」というのが立川談志のいうイリュージョンを支える重要な要素だと考えている。そしてPOISON GIRL BANDのネタには、このような「要素」がちりばめられているものもある。

二〇〇六年のM−1グランプリ。POISON GIRL BANDとしては二回目のM−1決勝の舞台。トップバッターで出演して、ファッションに関する話題を扱ったネタをやった。「中日オレ」や、「島根鳥取」のネタに比べて印象が薄い人がいるかもしれないが、このときのネタは、靴選びで気を付けたいこと、ズボン選びで気を付けたいことという二コーラスのような構成になっていて、前半の「靴選び」がフリとなっておなじ構成で「ズボン選び」にすすむのだが、ここではサビ的に転調するブロックが用意されている（靴選びでも、「マヨネーズが入っている靴は買わない」という「転調」相当のものがあるのだが）。

ズボンはピッタリすぎるのも、ルーズすぎるのもいやだという吉田に対し、阿部は、店員さんに「これズボンですか？」と聞いて「はい、ズボンです」と言われたら買うけど「いいえ、ちがいます。これはイワシです」と言われたら、買わない、という話になる。

「イワシだったらどんなにがんばっても親指くらいしか入らない」、というような「現実可能性」に触れる。「これがマグロだったら話が変わる」という局所論理で話がスライドしていき、「マグロを穿く」という行為が二人によって示される。「展開」そのもののおかしさは客席には伝わっていなかったかもしれない。「君たちなに言ってるの?」というツッコミひとつでだいぶ見え方が変わると思うのだが、心のなかでそうツッコめるほど、余裕をもってお笑いを見ている人が少ないのかもしれない。みんな集中して「真面目」にお笑いを見てしまう時代に入っていた。M－1てそうなっちゃう。

談志的「イリュージョン」の影響は、映像化されていないが、「POISON吉田が5人と漫才」のシリーズにおいて、東京ダイナマイト松田大輔と演じたネタは、もっともその影響が色濃いネタであった。

イリュージョンという言葉が出てくるよりも以前に、立川談志がニッポン放送でやっていた『談志・円鏡 歌謡合戦』は、談志的イリュージョンをもっとも端的に表現していると言われているが、まさに前後の脈絡がほとんどない、「かろうじて文脈的あるいは音的あるいはイメージ的に連なっている」を意識した掛け合いとなっている。松田と演じたネタはまさにそのようなものであった。後日、吉田本人に「『談志・円鏡 歌謡合戦』みたいでした」と伝えると、「『談志・円鏡 歌謡合戦』を意識して作りました」との言質をえた。少なからず、番組の存在をご存じだったことはわかったので、あまり表だっては演じないけれど相変わらずこうしたネタをやりたい欲求はあるんだなと知れてうれしかったのは覚えている。

11. 近似したサンプル

POISON GIRL BAND的なものに、ネタの内容ではなく「演じ方」というものがある。

これは、先達としてはおぎやはぎを挙げたい。

有名な「結婚詐欺師」のネタをご紹介しよう。

【30】

小木 俺ね。結婚詐欺師になろうと思ってんのよ
矢作 あーそう
小木 うん
矢作 まあ俺お前がやりたいって思ってることなるべくやらしてあげたいと思ってるからな
小木 うん
矢作 あーでも結婚詐欺師？
小木 あーそこ頼むわ。俺やりたいの。ほんとに。マジでなりたいの

矢作　まあお前に頼まれたら俺弱いからな。うん。じゃあいっちょやるか
小木　なんかいつも悪いな
矢作　いいよいいよ……じゃあまずパーティー会場ね
小木　うん
矢作　ねるとんパーティーとかによく結婚詐欺師は現れるの。独身女性が多いでしょ？
小木　なるほど
矢作　俺女やってやるから
小木　うん
矢作　引っ掛けるとこやってみ
小木　オッケイ……「あのー。貯金額のほうを教えてもらいたいんですけど」
矢作　まずいよね。まずいよね
小木　まあまずいって言うけど俺としては知っておきたいでしょ？　お金のない人騙してもしょうがない
矢作　そうそう。そりゃあお前間違ってないのよ。でももうちょっとほら、聞き方考えろってこと
小木　あっはい
矢作　ごめんね。やり直し
小木　「あれ？　いくらぐらい貯金ありましたっけ？」
矢作　違う違う。その聞き方の問題じゃないんだよ

「あれ？　いくらぐらい貯金ありましたっけ？」っつったら俺が「え？　500万ですけど？」ってつられて言うと思った？

小木　うん。思った
矢作　あ。思っちゃたんだ
小木　うん
矢作　あーじゃあお前の作戦だったのね？
小木　はい
矢作　悪いなお前の作戦否定しちゃったみたいで
小木　いやいやいや。いい俺なんかいいよいいいよ

矢作は一切声を張らず、そして怒りもしない。諭す、そしてなんなら最後は「悪いな」と謝る。

声を張り、なんでだよ！　と絶叫したほうが、この二人の表現力をもってすればウケやすいのはまちがいないのだが、このやりとりで二人が手にするメリットは、「ほかのコンビにない二人の関係性」と「リアリズム」である。

私は彼らを「お笑い自然主義」と呼んでいるが、実際に、仲の良い若者が二人で話していそうなテンションと、その関係性なのである。

テンションと関係性（ここでは、比較的仲の良さと付き合いの長さを感じさせる、甘え

たり甘やかしたり、ワガママを言えば諭したりする関係性）は、二者の会話を「飽きさせない」ためには必須の要素であると思われるが、テンションを一般のコンビより落とすことで「平熱」の会話を展開する。がゆえに、より「漫才」としての生々しさを帯びるのである。こうなると、一発の笑いが重くなっていく。「自然主義」の価値は、一言ひとことが「重い」ことにある。

POISON GIRL BANDはこういった路線に乗った芸風であることはいうまでもない。また、おぎやはぎとて、もとをたどれば象さんのポット、もっとさかのぼればリーガル千太・万吉、あるいは寄席の色物としてウケすぎずにウケ、頭を使わせずに楽しませる漫才がルーツになっている。少なくとも関東には「自然主義」の系譜は細々とあったのである。

こうした自然主義の系譜は実は大阪にも存在した。近年だと変ホ長調がその好例だ。まるで給湯室のOLの会話のように、相手と話しているようで自分の話しかしていない、それでも会話っぽく成立しているという「自然主義」が貫かれたこのコンビのネタは、私は不当に評価が低いと思っている。

【31】

二人　こんばんは、変ホ長調です
小田　なんかあたしら、もう負け犬世代らしいでぇ
彼方　知ってる。だからあたし、M－1の決勝よりも、お嫁に行きたかったわァ　■
小田　そんな大事なこと、いまここで言われても
　今度からもうちょっと早めに言うといてー
彼方　セレブ婚がしたいねん
小田　かなちゃんは、意外に野心家やなァ　■（≠無理に決まっとるやろ）
　かなちゃんが、蛯ちゃんみたいやったらできるのにぃ
彼方　無理いわんといてぇ、私笑うときあんなに口角あがらへんもん　■
　（≠嫌味か！）
小田　最近あげすぎやもんなァ、ベストポイント見失ってるなァ　■
彼方　セレブやったらなんか贅沢できそうやん
　小田さんの贅沢ってなにィ？
小田　そうやなあ、御給料日は、いつもの発泡酒をヱビスビールにすることかなあ　■
　（↓相手の反応なし）かなちゃんは？
彼方　あたしは、TSUTAYAで新作借りることやわァ　■
小田　それは贅沢やなあ　（≠どんだけ小さい贅沢やねん！　それもはや貧乏やで）

彼方 セレブ婚のためには、六本木ヒルズで合コンせなあかんらしいねんけど
どうやって行ったらいいかわからんんえん
小田 あたし知ってる。フジテレビの女子アナになったらいけるらしいでぇ ■小
彼方 そっから目指すの⁉ （≠いや無理やろ）
小田 まず、いい大学入って、アナウンスセミナーに通って
彼方 そんな正規ルート、いまさら無理やわァ （≠時間かかりすぎや！）
小田 かなちゃんが、高橋英樹の娘やったら ■
フジテレビの女子アナになれたのになぁ ■
彼方 コネないし、フジテレビの女子アナは諦める
小田 諦め早いなあ、ほかにヒルズの合コンよく行ってる人って、お天気おねえさん？
彼方 お天気おねえさんかぁ、お天気、踏み台にしてる人やんなぁ ■大
小田 野心は大きそうやけど、意外に結果は出せてないからなぁ ■
お天気おねえさんはナシやな
ほかは、女優さん？
彼方 女優さんかぁ、あたしが、松本幸四郎の娘やったら、松たか子になれたのにぃ
小田 でも、藤山寛美の娘やったら、藤山直美やで ■
彼方 月9の主演もできたのにぃ
小田 かなちゃんは、自己評価高いなあ ■小
オシャレな月9は無理やわぁ、ホームドラマのほうが向いてるでぇ？

彼方　やりたいことと、向いてることは、ちがうもんやなぁ
小田　『渡る世間は鬼ばかり』は？
彼方　いきなり、橋田壽賀子ファミリー？　■　そこまでの覚悟はないわぁ　■
小田　徐々にレギュラーメンバー減ってるし、チャンスやでー？　■大拍手
　　　ま、大御所ばっかりで大変やろけど
彼方　そこやねん。えなりくん、て呼ぶべきか、えなりさん、て呼ぶべきか　■小
小田　そこは「えなりさん」やろう
彼方　かっちゃんとにっきは、どっち先に挨拶したらいい？
小田　それはどっちでもええんちゃうの。東がいたら、東が先やけど　■大
　　　ま、橋田先生押さえとくのが、一番確実ちゃう？
彼方　そやなー、でも、橋田先生どんな人やろう？
小田　自叙伝のドラマのとき、自分の役を、安田成美にしたような人やでー？　■大
彼方　人はだれでも、自己評価は高いなあ　■大拍手
小田　冷静な判断はなくなるなぁ　■
彼方　女優も諦めるわ。ヒルズ合コンも無理。なにもかも無理や。なぁ？
小田　ごめん、あたしはいまも、アナウンスセミナー通ってるから
彼方　えー、もうちょっと早めにいうといてー
二人　どうも、ありがとうございました

前半、通常のお笑いロマン主義の芸人だったらどうツッコむか、サンプルとして（≠）

で示した。

ご覧いただければわかると思うが、相手へのツッコミもあり、社会的な話題へのツッコミもあり、年増ＯＬ的なひねくれ方と批評性が無駄なく笑いにつながっているネタだと思う。これがなぜ簡単だと言えるのか。私は非常に志の高いネタだと思う。


デビュー当初は自然主義的なネタをやっていたハリセンボンが、ウケていくのに従ってお笑いロマン主義的なネタに移行していったのを見るにつけ、どちらを選択すればウケやすいかは明白だ。しかし、そんなことをしていたのでは、よほどキャラクターが強くない限り、ほかの芸人たちとおなじように埋もれる危険性があるのだ。スタイルを印象付け、ほかがやっていない方法で笑いを取りにいこうとすることの、どこが悪いのだろう。シュールといわれるほどぶっ飛んだネタでもなく、だれでもが理解できる会話でありながら、ただテンションが低いだけで「シュール」だの「つまらない」だの言われる。

結局、人が求めるのはＥＤＭのような、ハイテンポでご都合主義的なネタなのである。それは否定はしないが、それればかりだと本当にいまのメジャー音楽とおなじようなシーンになってしまわないだろうか。少なくとも二〇〇〇年代を駆け抜け、売れた漫才師たちは、みな「ほかとちがうこと」でてっぺんを目指したのだ。

私が主張したいのは、結果論的にてっぺんについたかどうかではなく、どういうルートでてっぺんを目指したのかという、そのプロセスを評価すべきだ、ということだ。

ネタの中身はまるでちがうが、「声を張ったツッコミはしない」「なんでだよ、は言わない」という徹底した思想の「演じ方」の系譜と価値を、少なくとも「線」でお笑いを消費している人たちは知っておくべきだ。


そういう意味で、「現実世界とは別の常識やルールをもった人がでてくる世界」を「SF」とするならば、それらの延長線上にいるコンビとしてスリムクラブにも触れておきたい。大喜利的なボケのパターン出しや組み合わせ、わかりやすいストーリーに依存しない笑いの一群を扱ううえで、このコンビの存在が世間に知られたことの意味は大きい。通常であれば、わからない、理解できない、つまらない、で片づけられてしまう危険をはらんだネタだからだ。

スリムクラブの漫才が世に知られたのは、二〇一〇年のM-1グランプリ。それまで漫才というのは、三分で三十回以上笑わせるとか、割とスピードと回数重視のものばかりだった。にもかかわらず、スリムクラブは、三分半で九回だけしか笑いはおきなかった。ただし、その九回がどれも大きかった。「量」で勝負しようとするアプローチばかりだったからこそ、「質」で勝負することが可能になった。面白さは伝わらなくても、なんか変わった人たちがいるな、ということはだれの目にも明らかな存在。それがスリムクラブだった。

真栄田の発言（ボケ）というのは、いわゆるそれまでの漫才で言われていた「ボケ」とは若干違っていて、それ○○だろ！　とすぐにツッコめるような類のものではなく、「こういう人いたら怖いな」というくらい、常識が通用しない人の発言として演出される。キャラクターの面白さの部類に入るものだが、キャラクターも半分は言語で人為的に形成することが可能だ。キャラクターとはビジュアルと発言内容の蓄積によって人工的に作ることができる。で、ここで真栄田が作り出したのが常識的な「理屈」ではなく、その人のなかだけの「理屈」で生きているという人物造形である。

【32】

真栄田　すみません、間違ってたら、失礼ですけど、あなた以前、私と一緒に生活してましたよね？

一緒に生活をしていた人のことを普通は忘れない。間違えない。が、この人のなかでは、そういうことも「ありうること」になっている。落語の小噺に出てくる与太郎のエピソードと近接しているともとれる。また、発言（ここでは文）の最後のほうに笑いどころがくるように、一文で笑いのカタルシスが得られるような工夫もなされている。「すみません、間違ってたら、失礼ですけど、あなた以前、私と一緒に」までは、だれが聞いても違和感のない文なのだ。
お葬式のシチュエーションでは、以下のようなやりとりが展開される。

【33】

内間 失礼ですが、故人とはどういった関係でしょうか？
真栄田 街で一回、見たことがあります
内間 ……普通ですね、街で一回見たことがある人の葬式に出席するのは非常識ですよ
真栄田 そうなんですか？ それはなんかあの、説明会みたいなのがあったんですか

この人のなかでは、「街で一回見たことがある」だけで、葬式に出るのは、論理的に正しい、ということになってる。そして、もしそういうルールがあるなら、説明会があるはずだという。わかるようなわからないような理屈。

これを「ナンセンス」とか「シュール」とか表現するのは早計だ。手垢のついた段取りではないものをすべてそういう言葉で片づけるのはあまりに安易で、結局「ナンセンス」とか「シュール」という振り分けボックスは、わかりやすい笑い至上主義のなかでの「仲

間はずれ」のレッテルとしてしか機能していない。

【34】

真栄田 会社のみなさんと協力して、この地球上にあるすべての戦争、貧困、差別をなくして、そのあと、みんなで手を取って、軽い打ち上げをしたいです

この発言も、「みんなで手を取って」までは自然な流れだ。日本語の文末決定性を逆手にとったような笑いの取り方。そして発言者の「世界のとらえ方」が「その人の理屈」であるもの。

【35】

真栄田 ほらあなた毎晩私にお話ししてくれたでしょ、この世で一番強いのは、放射能って

内間 僕じゃないです　だから、人違いですよ

真栄田 お話ししてくれましたよ。この世で一番弱いのは、うずらって

内間 それも僕じゃないです。だから、初対面ですよ、わかってください

真栄田 なぜそんなに知らんぷりしてるんです。まだ、自分がおかした罪を気にしてるんですね

形式的には会話になっているが、内容的には会話になっていない。不審者と対峙したときの違和感。また、その空気感を、内間がうまくコントロールする。実際にそういう危ない人に絡まれたら、すぐに「なんでだよ！」とかは言わない。ちゃんと実際にあったら、なんて声かけていいか、考える間はできるよなー、という「間」を作る。これは演者としては黙っている時間が長いので、とっても怖い時間だが、これをやった勇気を評価したい！象さんのポット的でもある。

「この人、とてつもなく理解しがたいことを言っているぞ。でも待てよ、こっちが理解不足なのかもしれない。でも適当なことは言えない、一応、意見を表明しておこう」という、「思考」の間なのである。

これまでの漫才師は「一緒に生活してましたよね？」というコメントに対して、オーソドックスな場合なら「なんでやねん！」「意味わかんねーよ」、変化をつけるなら、「序盤に高いところ飛びすぎだよ、お転婆にも程があるよ」（山里的な返しをするならば）と「相手」に対してコメントしたり、「うん、木の椅子の味はね、するかもしれない。木にもいっぱいあるし」と許容してみたりするところ（前期ＰＯＩＳＯＮの吉田ぽくさばくのであれば）。

しかし、内間は、ビックリして、固まって、よーく考えて、うん、意見表明しておこう。「してません。人違いですよ」となる。スリムクラブはこの二人の「空気感」なのである。

それはちょうど、落語でいう「粗忽長屋」のように、八っつあんと熊さんが、「お前は死んでるよ」「兄ィの前だけど、オレは死んだ気がしないぜ」「そこがお前は図々しいんだよ、はじめて死んだのになんでお前は死んだ気なんかしないと言えるんだよ」というくだりのような、お互いが「自分の理屈」で生きている人たちの会話のようだ。しかも、どちらかというと我々の側にいる人の価値観が、「もしかしたら自分が間違っているのかもしれない」と揺さぶられている。その空気感なのである。

【36】

吉田　こないだ友だちとドライブにいったんですけど途中で「運転代わって」って言われて
阿部　ほー
吉田　その友だちずっと運転してくれてたんで、申し訳ないなと思って、代わったのはいいんですけど、数年ぶりだったんで、ものすごい緊張しましたねこれはね
阿部　おー、それはドキドキだったろ、うーんで、ハンドルは丸かった？

吉田　ハンドル？　ハンドルは丸かったよ
阿部　ほー
　想像以上に丸かった？
吉田　ハンドル？
阿部　うん
吉田　いやオレ車乗るときに、ハンドル丸いって想像しないで乗るから
阿部　あーそうなんだ
吉田　ただハンドルは想像以上に丸かった
　そしてオレは緊張していた
阿部　あーなるほどねー
　タイヤも丸かった？
吉田　タイヤも丸かった
阿部　……想像以上に丸かった？
吉田　タイヤ？
　いやだからオレ車乗るときタイヤが丸いって想像しねえから
阿部　あそう
吉田　ただタイヤは想像以上に丸かった　そしてオレは終始緊張していた
　そういう話してんの

前にも引用したが、片方が「緊張していた」事実を伝えたいのに対して、片方は「ハンドルの丸さ」や「タイヤの丸さ」が気にかかる。

伝える側が伝えたいことが、聞き手の求める情報とは限らない。もし聞き手が素直に受け取らないとしても、それは話し手のワガママであるから、強制的に聞き手に自分の伝えたいことを聞けとも言えない。もっといえば、相手が知りたいことを否定はできない。そんなコミュニケーションの前提にある、「伝えたいこと」「知りたいこと」の共有を、崩してみたらどうなるか。

ハンドルが丸かったか、タイヤが丸かったか、そういうことを気にする「その人の理屈」を簡単に否定しない。「その人の理屈」を「与太郎の了見」あるいは、「ボケの頭の中」だとしたとき、それをしゃべっている阿部はファンタジーな存在になる。

最近でこそ、吉田のツッコミはよりシンプルで笑いやすいものに変化してきてはいるものの、このボケの方向性はずっと変わっていない。POISON GIRL BANDのアイデンティティはここにある。

「その人だけの理屈」を紹介するのは、それが「大喜利的なボケのパターンだし」という笑いの作り方とは、少しちがった笑いの取り方だからである。二〇〇六年のチュートリアルのネタをみてほしい。福田が新しい冷蔵庫を買ったという話題だ。

【37】

徳井　なんやねんお前いつ頃から買い替えようと思っててん
福田　いつごろから、秋口ちゃう？
徳井　秋口というと十月ぐらいか
福田　うんうん
徳井　なんやお前全然そんな素振り見せへんかったやんけ
福田　どんな素振りやねん！　そろそろ冷蔵庫買い替える素振りってなんやねん
お前、どう表現したらええねんオレ
徳井　ないないに事を運んだなお前
福田　いやいやいやーそんな
徳井　なんやお前
福田　そんな事でもない、あえて言う事でもないやろ
徳井　あーそー、ちょっとあのーこんなん聞いてもええのんか分からんけども
やっぱ、やっぱね、やっぱあれ、あのーその新しい冷蔵庫買ったら
何を冷やそかなーみたいの考えてんの？
福田　ちょっ、聞いてどうすんねんそれ
徳井　冷やすリストみたいのあるんちゃうん
福田　無いよそんなもん
徳井　あるやろー

福田　いやっ無い無いないないない
徳井　おいオーナー
福田　オーナー言うなお前
徳井　おい
福田　恥ずかしいわ
徳井　いや、例えばやで、冷蔵庫来ました、来ます。なんやどんなんか知らんよオレはな
福田　うんうんそらそうやろ
徳井　何色のやつとか知らんよオレは
福田　ゆうてないからな
徳井　何色のやつや？
福田　銀色
徳井　銀色、銀色!?
福田　どこにくいついとんねん！　そない珍しい色ちゃうやろ
徳井　お前攻めたな
福田　いや攻めてないですよ
徳井　近未来か
福田　いやっ近未来やあらへん
徳井　近未来の感じか
福田　色はええやん。近未来でいうたらウチの冷蔵庫右も左もどっちも開くねん

チュートリアルのこのネタも、冷蔵庫を買いかえたというだけの話題に、「いつ頃か」「なにを冷やすか」「何色か」「どこから開くか」という、本来話し手が伝えたいことではないことを気にする聞き手がいる。そしてその気になるポイントが笑いどころとなっている。

会話のなかから笑いの糸口を見出すこのようなタイプの笑いは、SF的なもの、キャラクター的なものと分類して差し支えないだろう。

一口にファンタジーといっても、シチュエーションだけではなくキャラクターもその世界観を支える重要な役割をしている。川上弘美の小説や、吉田戦車の漫画がそうであるように、それがありだと思われている世界。そしてその世界での常識。描くことは大変高度な表現力が必要だが、こうした一群の笑いを、単に「うけにくいもの」として処理するわけにはいかない。実際にウケてきた歴史があるからだ。

しかし、一方で実を結ばなかったコンビも存在した。

POISON GIRL BANDの、もしかしたらあり得た進化かもしれない存在、あるいは近隣する方向性のネタをやる漫才師に、浜口浜村というコンビがいた（二〇〇三〜二〇一五）。どういうネタをやるコンビかというと、夏にかき氷機でかき氷を作ろうとしたけど、冷蔵庫に氷がひとつもなかったので、かき氷機にかき氷機をいれてひたすらかき回す、といったことを反復するという形のネタだ。文字面でもその「面白さ」の志向性が見て取れるかと思うが、ここで問題にしたいのは、その志向性がメジャーだとかマニアックだとか、ウケるとかウケないとかいうことではない。

二〇一四年の『THE MANZAI』の認定漫才師五十組に選ばれた際にやっていたネタがこのようなものだ。

【38】

浜村　浜口さんさ、最近なんかありますか
浜口　あー、最近はね、空手をはじめようかなと思ってます
浜村　あー、空手ってったらアレだね、九対九で、ピッチャーとかバッターがいて投げたり打ったりする……
浜口　それ野球。それ野球ね。空手。俺がやろうとしてるの空手だから
浜村　あー、あれか、ラケットとか使う、クルム伊達とかの
浜口　それテニス。空手。俺やるの空手だから
浜村　水着着てゴーグルつけて
浜口　それ水泳。空手。俺やるの空手だから
浜村　台の上に乗って（両手をあげ）こうやってボールを受け取る
浜口　それポートボール。空手。俺やんの空手だから
浜村　ルークとかビショップ

浜口　それチェス。空手。俺やんの空手だから
浜村　ほぼ全裸で（手を広げて）こうやってなんか踊ってる
浜口　それリオのカーニバル。空手。俺やるの空手だから
浜村　豚を野に放って、いろいろ
浜口　それトリュフ探し。空手。俺やるの空手だから
浜村　ペットボトルをこうやって回す
浜口　それペットボトルグルグル
浜村　暗い所で懐中電灯持ってこうやって（顔にもっていく）
浜口　それお化けオフザケ。空手。俺やるの空手だから
浜村　すごい下り坂のカーブを、こうやって自転車でノーブレーキで
浜口　それショートチキンレース。空手。俺やるの空手だから
浜村　あ、朝起きて、パンと
浜口　それ朝食。空手。俺やるの空手だから
浜村　毎朝、満員
浜口　それ出勤。空手。俺やるの空手だから
浜村　日々、いろいろなこと
浜口　それ生活。空手。俺やるの空手だから
浜村　つらいことばっかりで、楽しいことほんの少ししか……
浜口　それ生きるってこと。うん。空手。俺やるの空手だから

浜村 あれでもないし、これでもないし
浜口 それ「それ」。空手。俺やるの空手だから
浜村 日々、台の上にたってこうやってゴールを
浜口 それポートボール生活。空手。俺やるの空手だから
ってなんだよ、なんで空手わかんないんだよ
浜村 空手ってどんなのだっけ？
浜口 だからぁ
（跳ねて両手を前や横につきだし、踊りはじめる）
ピーピピッピピー、ピーピピッピピー、ピーピピッピピー
浜村 それ空手？
浜口 うん。ピーピピッピピー、ピーピピッピピー
浜村 世の中には、知らないことがたくさんあるようです
浜口 ピーピピッピピー
二人 ありがとうございました

ＰＯＩＳＯＮ ＧＩＲＬ ＢＡＮＤ同様、短尺のコンテスト向けに、彼らにしてはかなりわかりやすくなっているネタだが、それでも彼らがはなった不思議なオーラはにじみ出ている。
「それ○○。空手。俺やるの空手だから」という浜口のツッコミがほぼｂｏｔのように反

復され、最初は空手とはちがうスポーツを例示していくのだが、次第にチェスや、トリュフ探し、といった名前のよくわからないものや、「ペットボトルグルグル」とか「お化けオフザケ」といった、さも前からあったように言っているがその場で名づけされたもの、というものが登場する。単純な「大喜利」なのだが、その配列と、それらの答えを単一なパターンの反復、という形で返して処理する面白さ。これは「反復」の面白さだ。「欧米か！」というタカアンドトシのツッコミは、ツッコミに合ったボケを表現力で演じ切るところに主眼があったが、このネタの場合は、もっとツッコむところがたくさんあるのにもかかわらず、「それ〇〇。空手。俺やるの空手だから」で処理するという大雑把さが面白さの源流になっていく。

そして、ツッコミ側、常識側だと思っていた浜口が、最後に謎のダンスをして「空手」と言い張るあたりは、「二人とも面白い人」として演出したいという意図を感じる。浜村が「それ空手？」と、本当に空手を知らないテイで疑問に感じるところは、ＰＯＩＳＯＮの阿部とおなじく「説得力のある与太郎」に見える。これができる人はなかなかいない。「二人セットで面白い」を志向したネタとして、「映画と小説」というネタがいまもＹｏｕＴｕｂｅに残っていた。

【39】

浜村 浜口さんさ、なんにもない休みの日とかなにしてんの？
浜口 休みの日、だいたい家で映画とか見てるかな
浜村 あー、映画ねいいよね
浜口 浜村さんは？
浜村 俺だいたい小説とか読んでます
浜口 あー、小説ね。でも小説読んでるよりさ、映画観てるほうが絶対面白いけどねえ
浜村 そんなことないけどね、てか小説読んでるほうが面白いと思いますよ俺は
浜口 いやいや映画のほうが面白いですよね
浜村 いや小説のほうが面白いよ
浜口 映画だって
浜村 小説だって
浜口 映画
浜村 小説
浜口 映画
浜村 小説
二人 「映画、小説、映画、小説」
浜村 いや映画だって

浜口　小説だって
浜村　映画だよ、黒澤だって全部面白いんだから！
浜口　小説だよ、谷崎潤一郎とか面白いのいっぱいあるんだから！
浜村　映画だって
浜口　小説だって
二人　「というかどっちもいい！　映画も小説もどっちも好き！」
浜村　「どっちも素晴らしいもの！　俺たちみたいなやつの逃げ道！」
浜口　「比べてどうとかじゃない！　いいものはいい！」
浜村　「好きなものは好き！　でも休みの日に人を殺すのは」
二人　「ダメ！　絶対、ダメ！」
浜口　ダメですよ
浜村　はい。ね。人を殺してはいけない、これが言いたくて出てきましたんでね
聞いていただいて
二人　ありがとうございます
浜村　全然話変わるんですけど、女性の身体だったらどこに魅力を感じる？
浜口　女性の身体……そりゃやっぱ、おっぱい
浜村　おっぱいって。浅っ。お尻でしょう、お尻でんがな
浜口　気取ってんじゃないよ　おっぱいだって
浜村　いやお尻だって

浜口 おっぱい
浜村 お尻
浜口 おっぱい
浜村 お尻
二人 「おっぱい、お尻、おっぱい、お尻」
浜村 おっぱいだって
浜口 いやお尻だって
浜村 おっぱいだって。大きいのも小さいのもいい、おっぱいこそ男のロマンだろ！
浜口 ケツがいいんだよ、こぶりなのもプリケツなのも、ケツが最高なんだよ！
浜村 いやおっぱいだって
浜口 お尻だって
二人 「ていうかどっちもいい！　おっぱいもお尻もどっちも好き！　どっちも触りたい！　触れぬなら、見るだけでいい！　見たい！　あー」
浜村 見たい、おっぱいとお尻みたーい！
浜口 さいこー！
浜村 女性の身体って神秘なんですよね
浜口 本当にそう！
浜村 「そんな女性の身体でも、死んでるのは」
二人 「いや！　絶対、いや！　だから人を殺すのはダメ！　絶対、ダメ！」

浜口　ダメですよー
浜村　はい、結局ね、これ、今日来てるお客さんのなかにもね、将来人殺しになる可能性のある人いるかもしれないので
浜口　みなさん人殺し予備軍の集まりですからね
浜村　よくみると、人殺しそうな顔をしている人、ちらほら
二人　いらっしゃいますね
浜村　そんな人がね、人を殺しそうになったときに今日の「ダメ、絶対ダメ！」を思い出して、踏みとどまってくれたらなと……

いかがだろうか。主張が、声が揃ったあとで入れかわるブロックの後、二人そろって「ダメ、絶対！」になる。なぜか人殺しはいけないという結論になっていく。別の意見の対立にしても、結論はここに収束していくというパターン。さらに、このあとの三ブロック目には、今度は「こうなるだろう」という「展開」を裏切るような仕掛けもしている。浜口浜村は、POISON GIRL BANDからスリムクラブまでを連続的に捉えることができるような、「非ベタ」「非大喜利」的な漫才群も多かったために、彼らの資料が乏しいのが悔やまれる。
立川談志的イリュージョンの笑いの世界へと引きずりこまれたものたち。もし、POISON GIRL BANDが吉本でなく、より「ウケる」、「間口を広げる」ということを

意識せず作家性を研ぎ澄ます方向にすすんでいたら、あるいはこういう感じのネタでの勝負になっていたかもしれない存在。

どちらがいいという問題ではない。ただし、浜口浜村が解散してしまったことだけは事実である。巨匠、ザンゼンジ、S×L、浜口浜村、ツィンテル、非吉本勢が二〇一五年あたりに一斉に解散したことの背景には、劇場をもたない芸能事務所にあって、いまお笑いがコンテスト以外に、世に出る活路を見失っていることを意味する。ネタ番組はいくつかあるが、お笑いファンしか見ない番組ではなく、年に一度観るようなライト層に知ってもらわなければ、売れることができないが、そうした機会は一年に一度、しかもこのような劇場をもたない芸人たちは、数枠しか存在しないところに対してアプローチし続けたコンテストマシーンであった。

しかし、最大多数の最大幸福という、民主的なお笑いをきわめるには、この浜口浜村やPOISON GIRL BANDといった新種はなかなかすくいとれない。思えば、テレビメディアに『お笑いスター誕生!!』で「象さんのポット」が出て以降、これは起用する側にも哲学と勇気が必要なジャンルなのかもしれない。しかし、それでもこれをやらなければ、お笑いはずっと様式美に囚われた退屈な芸能に成り果てる。

落語の歴史もそうだが。ベタや「あるある」から距離を取ればとるほど、いつの時代にも「俺は好きだけど」という前置きで語られてきた笑いの存在。しかし、時代はすでに「俺は好き」だけでいい時代になってきた。なぜほかの人がどう思うか、あるいは大手メディアに出るかということが評価軸として意識されるのだろうか。自分が面白いかどうかだけでいいではないか。

私はこれらの存在の価値を、生涯をかけてうったえ続ける。

いまはただ、POISON GIRL BANDという存在に、イリュージョンの余韻、余波、可能性を見出してこれを補完していきたい。そして「POISON GIRL BAND的」なものにも注視していきたい。

なぜ私はこうまでして彼らを語るのか。それには理由がある。

12. POISON GIRL BAND的あるいはアラン・ロブ＝グリエ

二〇一六年八月一〇日、POISON GIRL BANDの「60分漫才」がルミネtheよしもとで行われた。

漫才師という立場で六十分をどう料理するか。それにはさまざまな戦い方があるが、とにかく芸人はどんな手をつかってでも笑わせたいと思うはずだ。それはお笑いの歴史のなかで新しいかどうかとか、自分たちのコンビの歴史のなかでも新しいことかどうか、といったことではなく、とにかく総集編にしてでも、そしてどんな時事ネタを盛り込んででもウケたい、というのが心理だろう。しかもたった一度きりしかやらない六十分漫才。再利用のあてもなく映像化の予定もない。しかし、彼らはやはり新ネタ、しかもそれまでやったことを再生したような自己模倣ではなく、必ずひとつの「手法」を立てて、お笑いを「試みる」。

声を張るわけでもない。スピードを速めるわけでもない。まずこれができる漫才師がほとんどいない。どうしても張り切って、緊張して、スピードをあげて声を張る。「熱」で笑わせようとするが、このコンビはそういうことをしてこなかったし、できない。だからいい。ゆっくりと、自然体で笑いを作り上げていく。ずっと聞いていられるスピードで、客を構えさせない。おぼろげに聞いていて理解できる内容と構造。それでいてハッとさせられる。なんとも他に代えがたい、たまらない時空間が繰り広げられる。この日のためだけに組み立て、準備して披露する六十分。贅沢な時間である。

導入は、「夏だから怖い話を」という阿部。どうしても聞きたくないという人は「耳にバターチキンカレーを流し込んでください」という。ここからすでにPOISONワールドである。

「怖い話」といって、怖い話になっていなかったり、話が下手だったりする、というのがふつうのお笑いがやるパターンだが、決してそんな選択をしないのがこのコンビ。

そこはむしろミスリードで、会話がいかにも自然な会話っぽくさりげなくスライドしていく。あたかも、日常で繰り広げられている会話は、まさにこのような感じなんだと。すべての会話は実は辻褄が合っていなかったり、見事な構成になっているわけではないのだ、というように。

ここから、二人はこれまでどういう夏を過ごしてきたか、どういう人生を歩んできたか、の話をする。どう聞いてもドラゴンボールの悟空でしかない阿部の人生。ひたすらこの思い込みとでも言っていい妄想で、大喜利的に進まないのがこれまでの彼らが作り上げてきたパターーン。だが、今回はじゃあお前はどうなんだということでフラれた吉田が、「俺野球やってたんだけど、双子で」と、どこから聞いてもタッチでしかない人生を語っていく。

つまりダブルボケになっている。新しいものを乗っけてきてときめいた。お互いがこの「どう聞いても○○」のような人生を交互に語っていく前半。このまま展開していくのかと思いきや、後半は再度過去を確認していくとちがう記憶になっているという「逆行パターン」。

「筋」を追う頭でっかちな鑑賞ではなく、ひたすら脳をリラックスさせて受け入れていくと気持ちのよい漫才。夢のなかにいるような、心地よいスピードと話題で、なんでもありのルールであるような、そうでもないような世界観。

従来のお笑いの「ネタ」にあるような大きな「山場」などはなく、ずっと友達とファミレスで気を抜いて冗談ばかり言い合ってしゃべって、さんざん笑ったあとのような、「疲れない笑い」なのだ。

私は今年に入って、一冊の本を何度も読み返している。それは、早稲田大学の学部時代の師・平岡篤頼（フランス文学）の訳した『新しい小説のために』（新潮社）という本だ。著者はアラン・ロブ＝グリエ（一九二二〜二〇〇八）、フランスヌーボーロマン（新しい小説）の旗手である。

ロブ＝グリエは、フランスの伝統的な小説、つまり主人公が波乱万丈の人生を送り、出世したりするという「ロマン」を描く小説と最後まで「戦った」人物として世界の文学史上でも高名な作家である。「物語」至上主義的な小説のあり方に一石を投じ続け、またそれを体現し啓発させるような作品を数多く残した、私がもっとも影響を受けた作家のひとりだ。

以下、この本の一説を紹介する。「小説」を「お笑い」に変換して読んでほしい。

〈小説とは、大部分の愛好者にとっては――また大部分の批評家にとっても――なによりもまず《話》である。真の小説家とは、《話を語って聞かせる》ことのできる人間である。彼の作物の端から端まで、彼を運んでいく語り口の巧さ、それが彼の作家としての天質と同一視される。胸のときめくような、感動的な、ドラマチックな筋の工夫をすることが、同時に彼のはげしい喜びとなり、彼の行為の弁明ともなる。

したがってある小説の批評をすることは、しばしば、与えられたスペースが六段抜きであるか三段抜きであるかに応じて、筋のやま場や結末など、もっとも重要な部分を多かれ少なかれ解説しながら、多かれ少なかれ簡潔にその小説の荒筋を紹介することに帰着する。その書物に下される判断はとりわけ、筋の一貫性、その展開のし方、その均衡、息をはずませている読者にたいして、筋がどんな期待とおどろきを用意するか、などの評価から成り立つ。物語のなかの欠落部分、不器用に導入されたエピソード、興味の中断、中だるみ、などといったものがその本の主要の欠点とされる。きびきびした感じ、円滑さがそのもっともすぐれた長所となるだろう。〉

（p54～55）

本書は一九六三年に著された。日本では王貞治が一本足打法をスタートさせ、ジャニーズ事務所が設立され、世界ではビートルズがレコードデビューした年、室生犀星や吉川英治、正宗白鳥や飯田蛇笏といった作家が亡くなった年に、フランスのエディション・ド・ミニュイ（深夜書房）から、この文章は発表されている。そして、こういった議論はこの作家が、すでに戦後すぐにデビューし、ロラン・バルトがこれを激賞したときからはじまっていた。つまり、「筋」は小説なのかどうかという問題だ。

日本では、谷崎潤一郎と芥川龍之介が激突した問題であり、もっともはやいところでいうと漱石が『草枕』で提示したといっていいこの問題は、実はどのジャンルにも起こっている「ロマンと自然」との抗争そのものの問題である。

お笑いは、いまだに完成度だの笑いの量だの結果論が横行していて、なにを目指してどういうスタイルを採用したかということがあまり顧みられることはない。コンテストで残るお笑いが、「面白い顔」と「面白い声」以外に、「わかりきったパターンのずらし」と「大喜利的回答の隙のない配列」、そしてキャラクターの組み合わせで構成されている昨今、「そういうことではない」と反旗を翻すようなプレイヤーはなかなか現れない。

コントの場合は、「物語」を「設定」とか「世界観」と言い換えてもいい。「いい設定」「新鮮な世界観」が異様に評価されていて、そのほかは表現力でしかないという、「構成」や展開の隙のなさが評価される時代。

もちろんそれらのすべてを否定するものではない。

これは文学でいうならば、スタンダールや谷崎を否定することではない。ただ、「それだけではない」と主張し続けることもまた、そのジャンルには必要なことだ。新しい価値観、周辺の価値観をこそ喧伝するのが批評や評論の役目だとも思う。

そんななか、コンテストというメジャーフィールドに突如として現れることになったPOISON GIRL BANDは、筋や完成度至上主義者たちの前に新たな価値観を打ち立てた稀有な存在であった。そしてそれは突然のようでいて、実はおぎやはぎ、さらにさかのぼれば象さんのポットといった先達がいたからこそあり得た存在だともいえる。時代の必然であった。

しかし同時にそれは、「理解されにくい」という宿命を背負ったものでもあった。肌で感じることのできる人は理屈抜きなので共有できるが、お笑いをテイスティングする頭でっかちなお茶の間の人たちには、よくわからないものにうつったかもしれない。

しかし、小説が筋や物語ではなく、文章の美しさや気持ちよささを追求するものであるように、お笑いもそうであればいいと思うのだが、どうだろうか。

〈こうして物語は、たとえ思いがけないシチュエーションの変化、偶発的事件、意外な新局面の展開がどんなものであろうと、一挙に賛同を余儀なくさせるあの抑制不可能な勢いをもって、まるでひとりでのように、つまずきなしに流れてゆかなければならない。ほんのちょっとした躊躇、ほんの些細な変則性（たとえばふたつの要素が矛盾しあったり、あるいはうまくつながらなかったりするなど）でもあると、たちまちロマネスクの波が読者を運ばなくなり、読者はだしぬけに、《お話を聞かされ》ているだけではないかと疑い、真実の記録のほうに立ちかえろうとしそうになる。それらの記録にたいしては、すくなくとも、事物のまことらしさを問う必要がないからである。読者の気持を紛らせる以上に、その点では、読者を安心させることが肝要というわけである。〉（p36）

安心させることがエンターテイメントの役目なのだろうか。もちろん、そういう側面はある。だが、そうではないものもエンタメの範疇に入っていてもよい、いや、むしろいま安心できているものも、昔は安心できなかったものである。

主人公が貧民窟から抜け出して、立身出世をして大成功をおさめるといった大味な展開が好まれる時代に、主人公が良心の呵責を覚えて結局出世をあきらめるというバッドエンドなお話は安心やカタルシスを与えない。つまり、人気がないし、視聴率は取れないわけである。

苦労や障壁は多ければ、そして大きければ、それを乗り越えたときのカタルシスは大きい。弦をより強くひっぱれば矢は遠くまで飛ぶわけで、だからこそ主人公がどれだけ理不尽な目にあい憂き目にあっても、最後の最後に相手は土下座をすれば、ただただ気持ちよい物語、ということになるのである。ドラマでもそういうドラマはいまだに視聴率を取るし、現実世界でもそういう「ドラマ」を求める人たちがいるから、土下座や謝罪をする人たちが増える。それが物語が求める「ラスト」であり「カタルシス」であるからだ。いまの日本は、いまだにこの大映ドラマのような大味なプロットを求めている。そんななかに、筋ではない小説や、お笑いが存在しうるのか。私がこの文章で紹介してきた芸人たちは、それでもこの挑戦を続けている。

四〇%の視聴率のある番組でも、六〇%が見ていない。そのうちの一〇%の人にでも伝われば、あるいは一%でも伝われば、商売としたら大成功だ。そしてそういうものを見たがっている人が少なからずいる、という事実からも目を背けてはいけない。大勢の人が楽しんでいるものを楽しめず、飢えている人たちだって、大勢いるのだ。

もちろん、物語はわかりやすい。だから大勢に伝わる力はある。しかし、現実の世界に「物語」という枠組みは存在しない。物語は求めればそこに立ち上がる「概念」であり、物語の癒し効果やカタルシスは当然あるのであるが、朝起き、飯を喰らい、酒を飲み、どうでもいいことに心を震わせたあとに恋をし、糞尿を垂れ、寝ることを、毎日ループ構造で繰り返していることが現実であり、そこには時間の不可逆性がなく、つまり「物語性」がない。しかし、この現実だって、面白いことなのだ。紡いでいったら作者とは無関係に読者が「物語性」を紡いでいく。相関関係を示さなくても勝手に「物語」の額縁をあてはめることができ、気分によってはその額縁を取り外すことだってできるのだ。昨今この『いんよう！』でも話題にあがるナラティブという言葉に関しても、事実の「紡ぎ方」や「語り方」に主観や世界の捉え方が出るという意味で紹介されていることと思う。そう、つまりおなじ体験をしたり日常を送っていても、語り手によって「物語」は大きく違うのだ。

シンデレラの話の要約をめぐって、何度か『いんよう！』でも触れられてきたが、これもプロット（筋）にかかわる問題だと捉えられる。しかし非プロット的観点からこの物語を要約するならば、それは「ガラスの靴」というディテールにある。ほかはどうでもいい。シンデレラという話をシンデレラたらしめているのは、プロットではなく、ほかの同様の物語にはない小道具でしかないのだ。これが私の世界の見方である。

たとえば、年表などを見たとき、二年前に起きた出来事と現在の行動との間に「物語」を感じることができる。が、関係ないともいえるわけで、物語性すら読者に委ねられるタイプの文章だってあるのだ。

〈物語形式のあらゆる技術的要素―単純過去形と三人称の使用、年代記的展開順序の無条件の採用、線状の筋立て、情念の規則的な屈折、それぞれのエピソードの終局への指向、等々―はすべて、安定した、脈絡のとれた、連続的な、包括的な、すみずみまで解読可能な世界の像をおしつけることを目的としていた。世界の理解不可能性は、疑義さえさしはさまれなかったから、物語るということは、なんら問題を生じなかった。小説の文章（エクリチュール）は潔白であることができた。

ところが、フローベール以降、すべてがゆらぎはじめる。その後百年たって、いまではその体系全体が思い出にすぎなくなっている。この思い出、この死んでしまった体系に、なにがなんでも小説をしばりつけておこうというわけなのである。しかしながら、それにしても、今世紀はじめのかずかずの偉大な小説を読みさえすれば、たとえ筋の崩壊がこの数年間にますます際立ってくるばかりだったとはいえ、すでに久しい以前から筋が、物語の骨組たることをやめてしまっているという事実を確認しないわけにはゆくまい。疑いもなく物語的な話という要請は、プルーストにとってはフローベールの場合ほど窮屈ではなく、フォークナーにとってはプルーストの場合ほど、ベケットにとってはフォークナーの場合ほど窮屈ではない……　いまは、もっとほかのことが問題となったのである。物語るということが、密な意味で不可能となった。〉（p38）

学校教育で教わった小説あるいは文学で止まっている人は、もしかしたら二十世紀の文学においてどういうことが試みられてきたのかをご存じないかもしれない。しかし、フローベール、ベケット、ロシアではドストエフスキーなどといった名前を少なからず聞いたことがある人もいるかもしれない。彼らは徐々に「物語る」ということをメインにはしなくなっていく。純文学といわれるジャンルがなぜ「大衆小説」と峻別されるか、いまだに謎の境界線が存在するのではあるが、もしかしたら「物語ること」と「物語るだけではないこと」という峻別があるかもしれない。だからこそ、純文学が純度を高めていけばいくほど、小説の人気というのは下降し続けた。商業的には純文学にも物語が必要になってくる。いま、「物語」は化学調味料のように、どの小説にも入っている隠し味にはなっている。

ロブ＝グリエは、少なくとも小説の世界で、筋（プロット）や「物語る」ということの限界を、業界全体が把握したように書いているが、これはきわめて先鋭的な業界での話である。下北沢の演劇関係者界隈のみでの共通了解、くらいのニュアンスでしかない。地方の劇団はそんな流れのことをまったく知らずに活動しているように、日本という「地方」でも、いまだに味付けの濃い物語が好まれているのだ。

活字を読む人種という時点でふるいにかけられてはいる。文化理解度も高い。小説のこのような世界的な流れはいわば知識を積み上げてきた人たちのなかだけで得られている理解であって、大衆にはまるで知られていないのだ。

お笑いもおなじような局面に立たされている。もう何度も何度もおなじようなパターンだけが世代を超えて受け入れられてきており、もはや古典芸能といっていいレベルで「完成度」がテイスティングされ続けているが、それでも、「新しい味」を求めている人たちが少なからずいる。そしてその「新しい味」は、食通から初心者まで、多くの人が「おいしい」と思える「はじめての味」である可能性だってある。なにも、食通しかわからない「珍味」ではないのだ。


論より証拠だ。


その魅力の百分の一も伝わらないかもしれないが、二〇一六年八月一〇日に行われた「POISON GIRL BAND 60分漫才」より、冒頭の二十分を文字化したものをここに紹介してこの文章を終わりたい。

文字化はすべてタツオが手作業で行った。主催者と本人の許諾を得、紹介する了承を得た。

いわゆるネタ番組のネタのスピード感で読むのではなくて、ふつうにおしゃべりをするゆったりなスピードで展開されると思って読んでもらいたい。

【40】

吉田　どうもこんばんはー
阿部　八月十日ということでね
吉田　十日ですよ今日は
阿部　お盆の季節ですけどね
吉田　そうですね、世間的にはお盆の時期ですからね
阿部　ということでね、今日はね、怪談話でもね、しようかなーと思ってるんですよ
吉田　いまいろんなところでね、怪談話のイベント行われているから、いいんじゃないですか
阿部　でもさあ、こうやって漫才ライブだっつってね、お客さん集まってもらったのに怪談話っていうのもね、申し訳ないと思うんですよ
吉田　いやいや、やっぱ怪談も立派な話芸ですからね、僕は全然いいと思いますけれども、それでもねー
阿部　なかにはね、怖い話が苦手だっていう人もいると思うんです
吉田　なかにはいるでしょうね、怖い話苦手だって人はね
阿部　だからそういう人はね、耳にバターチキンカレーを流し込んどいてもらって
吉田　汚いよそれは。汚いよバターチキンカレーって。耳栓でいいじゃん
阿部　いや僕はねホントね、僕は声がでかいもんでね

吉田　声が小さいんだよ
阿部　耳栓なんかじゃもう筒抜けですからね
吉田　筒抜けじゃねえよ、耳栓で充分だよ
阿部　「希代の声デカ芸人」って言われてますからね
吉田　だれに言われてるんだよそれは
阿部　三代続く声デカ芸人ですからね
吉田　そうなの？　おじいちゃん、お父さん、あなたで？
阿部　息子孫と続くんですけど
吉田　下に続くの？　いないよ下にはまだあなたの下に
阿部　だから怖いのが苦手だって人はね、あのう、もし良かったら
　バターチキンカレーを右に
吉田　だらだらして終わりだからそれ
阿部　もしね、バターチキンカレー、用意してないってお客様ね
吉田　だれも用意してないから「もし」じゃねんだよ
阿部　あのう、表の売店のほうに売ってますんで
吉田　売ってないと思うよ、バターチキンカレー。さすがに
阿部　しっかりと、あのー、「バター」「チキン」えー、「カレー」と
　書いてある商品です
吉田　それは書いてあるんだけど

阿部　商品を購入していただいて、耳のほうに、流し込んでもらったらいいんじゃないですか
吉田　流し込まないから、だから。バターチキンカレー
阿部　えー、しっかりとね、あの、「バター」、「チキン」、「カレー」と書いてある商品
吉田　書いてあるよ　たいがい商品名書いてあるんだよパッケージに
阿部　右耳には、「バターチキンカレー右」をね、流し込んでいただいて
吉田　ないない。右耳用、左耳用のバターチキンカレーはないから
阿部　左耳には、「バターチキンカレー左」を流し込んでもらったらいいじゃないですか
吉田　ないない
阿部　もしね、自分でね、バターチキンカレー、耳に流し込むのちょっとできないなあ私、って人はね
吉田　まあまあ
阿部　横のお友だちにね、手伝ってもらって
吉田　「お友だち」って言うな
阿部　右耳には「バターチキンカレー右」を、右のお友だちに流し込んでもらって
吉田　お客さんを「お友だち」って言うな
阿部　左耳には「バターチキンカレー左」を、左側のお友だちに流し込んでもらったら

いいんじゃないですか

吉田　他人の可能性のほうが大きいから、こういうところの隣は。幼稚園児の集まりじゃねんだよ別に

阿部　大丈夫ですか

吉田　大丈夫ですよ、入れないですよね別に

阿部　時間取ります？　じゃあ

吉田　いいよ　匂いが充満するからカレーの匂いが

阿部　までもね、怖い話をすると、よく言うじゃないですか、鬼が出るって

吉田　霊が出るとはよく言いますけどねー

阿部　だから、そういった場合でも僕はちゃーんと対処しますんで

吉田　お笑い的なことができると、霊が出ても

阿部　僕はなんと言ってもね、安倍晴明（アベノセイメイ）のね

吉田　陰陽師の安倍晴明ですか

阿部　そうそう！

吉田　末裔かなんかですか

阿部　そう！

吉田　字がちがくない？　安倍晴明の「安倍」とあなたの「阿部智則」の「阿部」は

阿部　いや、安倍晴明のマブダチの末裔なんですよ

吉田　マブダチ？　安倍晴明のマブダチってなにそれ

阿部　アベのマブのダチの孫って
吉田　孫じゃねーだろ　もうちょいさかのぼるでしょ安倍晴明って
阿部　だから、安倍晴明が生きてたときに、僕の先祖も生きてたんじゃないですか
吉田　まあま、そりゃそうだろうけど
阿部　ホントにうっすい接点ですけど
吉田　それは俺の先祖にも言えることだよ
阿部　まあでもそういうことなんです
吉田　ま、近かったと。あなたの先祖が、安倍晴明の先祖に近い関係にあったから、
阿部　そそ
吉田　お祓いというか
阿部　そう！
吉田　術みたいなものをちゃんと受けついでると
阿部　そう！
吉田　そうなの？　そういう家系だったっていうのははじめて聞いたわ
阿部　阿部家代々に伝わる術っていうのがありますからね
吉田　へー、霊が出てきたときの対処用で
阿部　うんうん
吉田　これははじめて聞きましたね
阿部　だからみなさん、安心してください。退治しますよ！

吉田　うん、だからそれ面白くないんだよ
　「穿いてますよ」以外おもろくないんだよアレは。安心してくださいのあとは
阿部　もう一回言おうか？
吉田　もう一回言わないほうがいいと思うよ
阿部　もう一回聞きたいって、お友だちは？　（手を挙げて）
吉田　いないいないいないいない
阿部　あ、そちらの方。あとでね
吉田　いや言ってやれ今
阿部　後ででいいって
吉田　親戚のおじさんじゃないんだから。いま言わなくていいの？
阿部　ほか聞きたい人いませんか
吉田　ひとりずつ言いに行くの!?　いいから。退治してくれるのね霊を
阿部　はい。もうね、厳しい訓練を受けてましたから
吉田　そのー、おじいちゃんだかだれかから？
阿部　そうそうそう。じっちゃんにね
吉田　じっちゃんて
阿部　じっちゃんに受けてましたからね、僕はねー、ほんとねー、夏休みなんてねー
　もう毎日毎日訓練で

吉田　術の訓練で
阿部　そうそう。もう宿題なんてやる暇ないんですよ
吉田　そんな厳しかったんだ、じっちゃんからの訓練が
阿部　うん、もう朝から、晩まで。毎日毎日訓練でね
吉田　そりゃ大変ですねけっこう
阿部　あのう、訓練が、朝はじまってぇ、……晩に終わるんですよ
だから、朝から晩まで訓練してたんですけど
吉田　おなじことを言い方変えて言うな、二回も三回も
カレーのところからそうだよお前は
阿部　ホントにねえ、厳しい訓練受けてましたよ
吉田　訓練受けてたんだね
阿部　だからそういった、邪悪な邪念みたいなものがね、生まれたら、僕がちゃんと
対処しますんで
吉田　なるほど
阿部　基本的に術ってのは、兄貴と二人でやるもんなんですけど
吉田　じゃあダメじゃん。兄貴がいないんだから今日よ
阿部　え？　兄貴はちゃんと飛んできますんで
吉田　飛んでこないよ　宮城県にいるんだから兄貴は
阿部　パジェロミニで来ますんでね

吉田 パジェロミニで。じゃあもう七、八時間待つよ、仙台からくるんだったら
阿部 ホント厳しい訓練でしたよ、朝から晩までだったんですけどね
吉田 夏休みの
阿部 夏休みの宿題なんかやる暇ないんですよ
吉田 はー！　訓練ばっかりで
阿部 もうじっちゃんに毎日毎日訓練
吉田 それはすごいですね
阿部 もう、朝！　朝、早い時間にはじまってね、晩の
遅い時間に終わるんですけどねえ、訓練がねー、まー、ほんとにねー
吉田 おなじこと言って、はじめて来た人ああやって六十分持たすんだなって
思われるから。やめろってズルするのは
阿部 そういった日々を暮らしてたんですよ。宿題なんてほんとやる暇なくて
吉田 夏休みの宿題やってないの？
阿部 うん。だから一学期の最後、終業式に全部終わらせるんですよ
吉田 えらいなそれは　やってたんかい
阿部 全部やりました
吉田 すごいですねそれは
阿部 修行ってのはね、ほんと厳しくてねえ、もう兄貴とね、毎日毎日朝から晩まで
大変でしたよ

吉田　いいよいいよ、どういう訓練してたの修行というのは
阿部　あのね、基本的には、重い、亀の甲羅を背負わされて
吉田　知ってるよその訓練。重い甲羅を背負わされてたの？　二人で？
阿部　うん。いろんなことさせられたなー
　兄貴とはなー、朝、牛乳配達な
吉田　知ってるよそれ。悟空とクリリンがやってたやつだろ？
阿部　重い甲羅背負わされてさー
吉田　『ドラゴンボール』の二、三巻だろ？　それ
阿部　あとなにやったかな、農作業、農作業もやらされたなー、重い甲羅背負わされて
吉田　素手でやるやつだろどうせ。ババババババって
阿部　あー知ってんじゃんお前
吉田　うん知ってるよ
阿部　話したっけかな、これな
吉田　いや話したことないけど、それ知ってる俺
阿部　あと、重い甲羅背負わされて、おもてー石、でかーい石をさー
吉田　岩ね
阿部　それを動かすためにダダダってね
吉田　うん
阿部　知ってんじゃゃん知ってんじゃんお前、これも話したな？　話してた

吉田　話してないけど。少し動くやつね
阿部　亀仙人ビックリしてたんだよ
吉田　「亀仙人」って言いませんでした今
阿部　じっちゃんがな、じっちゃんがビックリしてた
吉田　亀仙人って言っちゃってるし
阿部　クリリンは小さいのを
吉田　「クリリン」って言っちゃってるじゃん
阿部　あ、兄貴、兄貴は小さいのを
　　　ホント厳しくてな、じっちゃんはな
吉田　訓練が
阿部　うちさ、親父がいなかったのよ
吉田　いやいるよ
　　　会ったことあるもん、宮城で。営業行ったとき。背の高いお父さん
阿部　いやいや、うん
吉田　何回か挨拶してるもん
阿部　いや親父じゃねんだあれ。親父じゃねんだあれは
吉田　え？　親父じゃねえの？　あれは
阿部　金で雇ってたの
吉田　親父を⁉

阿部 うん
吉田 いや、だれに向けて？
阿部 お前、お前に。
吉田 俺に親父いるとこ見せたかったの？
阿部 うん、なんか片親っていう弱みを見せたくなかったから
すみませんね、片親の人もしいたら
吉田 芸人片親多いから大丈夫だよ
阿部 だからあの人は金で雇った人なの、あの人は
吉田 あの人？　けっこういいお父さんだったけどな
阿部 顔面神経痛の人だろ？
吉田 え？
阿部 顔面神経痛の人
吉田 雇った人にそういうこと言うなよ　いいお父さんだったよ
寿司とか差し入れしてくれて
阿部 ああ、そうそう、雇ってたんだけどさ
ホントの親父はね、あのう、……ひいちゃうかなあ
吉田 ひかないと思うよ、だっているんだもん
阿部 いい機会だから、言っちゃおうかな、あの、満月の夜にね、僕が……
踏みつぶしたんです

吉田　知ってるよそのエピソード。大猿になって。なあ
阿部　すみません、あ、ひいちゃったなあ
吉田　ひいてないよ、そうだと思ったよ
阿部　お客さんにはね、お金払ってねえ、あ、お友だちね、お金払ってこんな話
吉田　やめろ「おともだち」って、『20世紀少年』みたいになるから
阿部　いやホントにねえ、なんかね
　そういえばじっちゃんに言われてね、大会も出たの
吉田　「天下一武道会」じゃねえのだから
阿部　オラけっこういいところまで行ったんだよ
吉田　「オラ」って言いだした？　それはじめて。そういうしゃべり方するのあなた
阿部　なんかね、白髪のね、老人に、最後負けたんだよなあ
吉田　それ「じっちゃん」だね、「ジャッキー・チュン」って名前変えて出てた
阿部　いろいろつえー敵いたなぁ
吉田　いたよいたよ
阿部　（手を交差させて）こうやって飛んでくるやつとかさー
吉田　「ナム」な、ナム。天空×字拳のね
阿部　あ、そうそう！　テレビでやってたか、中継でやってたか
吉田　中継やってないやってない、みんな知ってんだよ
阿部　あとなんか恐竜みてえなの、ガムだっけ

吉田　ガムでぐるぐる巻きにされるやつ
阿部　そ、ぐるぐる巻きにされるやつ、俺しっぽで逃げたんだけどなあ
吉田　「ギラン」な、ギラン　お前「しっぽ」で逃げたの？
お前この髪はセットしたらああなるの？　悟空みたいな
阿部　がんばれば
吉田　がんばれば？
阿部　あとー、あの「八手拳」とか使えるさー、あのぅ、チャパ、チャパ
吉田　「チャパ王」？
阿部　チャパ王だ！ぁ、それ次の大会のやつだ
吉田　二回目のやつ？
阿部　うん、それ次の大会で、なんだっけ、あのー、パンツ一丁になるやつ
パンツ一丁、ブラとパンツの……、女の子に惑わされて
最後ブチュン！って倒された
吉田　え？　ブルマじゃないよね？
阿部　ブルマじゃねえよ、ブルマ出てねえよ
え、なんでブルマ知ってんだ？
吉田　いや、みんな知ってるもん
阿部　ま、とにかくすげーつえー敵ばっかりだったんだよなあ
俺はねえ、まあ小さいときはそんな感じだったな

吉田　そういう感じで、そうやってじっちゃんからの訓練受けて、育ってきたと
阿部　うん。お前はもうあれか、子どもの頃は野球少年か
吉田　僕はもうずっと野球ですよ、野球ばっか
阿部　あのー、親父の影響とかで？
吉田　いやいや、その、親父からも教わったこともあるけれども
　野球はじめた理由はちょっと不純ではあるんですけども
阿部　うん
吉田　好きな子がいて、その子がちょっと、甲子園に連れてってみたいなこと言うから
阿部　ほー
吉田　その子を、甲子園に連れていきたいっていう理由で、野球はじめたんだけどね
阿部　いやなんかめっちゃなんか、いいエピソードじゃん
吉田　いや、なんかナンパなエピソードだなあ
阿部　いやいやそんなことないよ
吉田　あんまいわないようにしてたんだ
阿部　へー、あ、そうなんだ
吉田　俺はけっこう子どもの頃からその界隈、町中ではすごい有名な
　ピッチャーだったんだけども、名の知れたピッチャーでね、すごかったのもう
阿部　ほう、そうなんだ、へー
吉田　中等部入っても、一年からずっとエースで

阿部 中等部？
吉田 中等部
阿部 お前公立じゃなかった？
吉田 いや中等部で、ずっとエースで
阿部 お前荻窪の、なんか中学校じゃなかった？
吉田 ちがうちがうちがう。「明青学園」だから
中等部で、一年からずっとエースで、高等部で、高等部でも一年からエースで
阿部 高等部？　お前練馬の高校行ってなかった？
吉田 ちがうちがうちがう
阿部 公立だろ？
吉田 黒木さんていうね、メガネかけた先輩がいたんだけど
その人サードにおいやって
阿部 元ピッチャーの人だろ？
吉田 元ピッチャー。でも俺が入ってきたら、俺がピッチャー
高校一年からずっとエース
阿部 えー、そうだったんだー、でもお前あれじゃない？
中学までとか言ってなかった？
吉田 ちがうちがうちがう、高一。高一までやってるよ厳密にいうと
阿部 高一までやってたの？　高一で辞めたんだ？

吉田 辞めた。厳密にいうと、高一の夏の大会の決勝当日にやめた
　やめざるを得なかった
阿部 あー、もう負けそうだったの？
吉田 知ってるでしょみなさんも、俺が甲子園に行ってないっていうの
　知ってるでしょお前も
阿部 お前が甲子園に行ってるなんて話聞いたことないもんな
吉田 でしょ？　甲子園はだから、その子の、好きだった子の夢を
　俺は叶えられてなくて
　結局その子の夢は、俺の双子の兄貴が叶えることになるんだけど
阿部 双子、え？
吉田 双子の兄貴が、甲子園に
阿部 話進めるな、お前勝手に話進めんな　双子じゃねんだお前は
吉田 いやいや、双子の兄貴がいて
阿部 いやお前、姉ちゃんと二人姉弟だろ？
吉田 双子の兄貴がいるんだって。すげーうり二つな
　双子の兄貴がいて、双子の兄貴は昔っからなんもしないの
　素質はすげーあんだけど
　なんか、野球は俺のもの、みたいな感じにしてくれたの
阿部 ああ、はいはい

吉田　やれば絶対大成するのに、なんか俺にゆずってくれてるのか
好きな子の夢をかなえるのはお前の役目だ、みたいな
阿部　はー
吉田　だからもうそれが俺が高一の夏で野球やめて、そのあと兄貴がはじめるんだけど
結局素質がすごいから、そっからすぐに甲子園に行ったんだよ
阿部　はー、そうなんだ、へー　じゃあその南ちゃんとはうまくいったの？
吉田　なんで知ってんの　なんで知ってんの南ちゃん　恥ずかしいから
言うのやめてたのにその名前
阿部　なんか明青学園の女の子って言ったら南ちゃんかなと
吉田　だから南の夢は兄貴が叶えて。でも俺高一の夏、決勝まで行ってんの
勝てば甲子園ってところまで
阿部　おうおう
吉田　当日に、ちょっと球場行く途中で、ちょっとあのう、トラックにひかれて
死んでんだよ
阿部　え、お前が？
吉田　子どもが飛び出してきて、助けなきゃなーと思ってかばって
その場でトラックにひかれて死んでんだよ
阿部　お前が？
吉田　高一の夏に

阿部　で、そのあとに兄貴が野球をやって
吉田　ちょちょっ、話進めんなお前
阿部　弟が果たせなかった夢を、兄貴が果たそうって言って、南の夢でもあるしってことで
吉田　いやいや、お前生きてんじゃん
阿部　ん？
吉田　生きてますよね？
阿部　死んでんだよ高一の夏に
吉田　きれいな顔してますよね？
阿部　兄貴が言ってたそれ。兄貴がおなじこと言ってた
吉田　「きれいな顔してるだろ」って。俺黙ってたけど
阿部　俺信じられねーよ、俺信じられねーよ
吉田　兄貴は「ウソみたいだろ」って言ってましたけど
阿部　でも、動いてますよね？
吉田　兄貴は「もう動かないんだぜ」って言ってたけど兄貴はホントに弟想いだから、もう素質はすげえんだよ一回運動会でさ、お互いちがうクラスでさ、アンカー同士で対戦したの
阿部　リレーだろ？
吉田　そそ　兄貴が走りながらしゃべってくんの「ここは兄貴に花もたせろよ」って

でも俺はそんな手を抜いて負けるようなことはできねえって言って
そしたら兄貴が「じゃあ熱血だ！」って走って、一気にビュンで抜かされたの
阿部　おおお
吉田　めっちゃできる人だったから
阿部　運動神経双子だから一緒だ、さらに向こうのほうがちょっといいんだ運動神経
吉田　だからね、俺が死んだあとに、兄貴が野球続けて、素質もすごいから
そのまま二年後甲子園で優勝したの
阿部　へえ……え、兄貴とはいまどういう関係なの？
吉田　もう会ってない会ってないそれは
阿部　なんで？
吉田　ビックリするからやっぱり
死んだやつが出てきたら、ビックリするから。死んだやつがでてきたら
阿部　ああ、そりゃそうだなあ
吉田　そこはもう。南ともうまくやってるだろうし
阿部　じゃあ南ちゃんとももう会ってないの？
吉田　会ってない会ってない、もうビックリするから。急に現れたら
阿部　孝太郎は？
吉田　え？　なんで知ってんの
孝太郎も会ってない　めっちゃいいやつなんだよ孝太郎。投げやすいし

阿部 でかいからなあ、身体
吉田 そうそう。粋なんだよ孝太郎
阿部 肉まんもってきてくれんだよな
吉田 そうそうそう。俺が風邪ひいたときね
俺じゃねえや兄貴だ。兄貴が風邪ひいたときね
阿部 お前もう死んでんじゃねえのその時
吉田 え？　俯瞰で見えるんだよ死ぬと。世界っていうのは
兄貴が風邪で寝込んでるときにな、その前にちょっと喧嘩してんだよ兄貴と
孝太郎が
で兄貴が寝てるときにさ、孝太郎がさ、母ちゃんに肉まんもってきてくれんだよ
で肉まんかじったら五百円が出てくるっていう。いいやつなんだよ
阿部 あれいいエピソードだよなあ。孝太郎な、こぶ平と声一緒なんだよな
吉田 一緒一緒
阿部 一緒っていうか、似てるっていうかな
吉田 あ、一人だけ、原田には会った。原田
阿部 原田？　原田ってあのボクシング部の？
吉田 へえ、どこで会ったの？
阿部 ルミネ
吉田 ルミネ？

阿部 あ、お客さんで観に来てたんだ、目立つもんな
吉田 ちがうちがう、漫才してた
阿部 漫才？　Ｍ－１かなんかで素人参加してたの？
吉田 ちがうちがうちがう
「はりけ〜んず」っていうコンビで漫才してた
阿部 「はりけ〜んず」？
吉田 そう、原田
阿部 それ「はりけ〜んず」のツッコミの新井さんだろ？
吉田 あれ新井さん？　あれ新井っていうの？
阿部 新井だよあれ
吉田 あれ俺苗字変わったんだと思ってたわ。親離婚したのかなと思ってたわ
阿部 いやいい年こいて親離婚したからって苗字変えないよ
吉田 いやお母さんについてったのかなーって
阿部 だいたい中学くらいまでだろ苗字変わんの
吉田 じゃあちがうんだアレ
阿部 あれ新井さん
吉田 すげー原田に似てるよ　めっちゃいい人だったよ
阿部 うん、めっちゃいい人。顔怖いぶんな
いい人っていうのをアピールしてプラマイゼロにしようとしてんだよ、あの人

吉田　すごいんだよ、阪神ファンで
阿部　そうそう
吉田　毎回野球の話してくれる
阿部　合わしてくれてんだよアレ
吉田　あ、そうなの？　どうりでなんも言ってこねえなと思ってさ
　苗字も変わってるしさ、原田も全然俺のこと触れてくれこないからさ
　そこも気遣って、死んだやつが出てきてもビックリしないっていう
　リアクションとってくれてんのかなって
阿部　ちがうちがう。それは理由は「新井さん」だから
吉田　ただいい人だからっていう
阿部　いい人だよ
　だって漫才中さ、ツッコミながらじょじょにセンターマイクから
　はずれてったろ？
吉田　うん、はずれてってた
阿部　それ「新井さん」だよ
吉田　あの、相方さんより先にスーツに着替えて、いつでもネタ合わせできるように
　ウロウロしてる
阿部　そうそうそう
吉田　それ「新井さん」なの？

阿部　そうそう
吉田　なんだあれ「新井さん」だったのか。原田かと思った
阿部　一回九十分漫才やったとき、袖まではけてっちゃった人
吉田　それは知らないわ　その原田のエピソード知らないわ　新井さんだったのか
阿部　スキップ上手にできてなかったろ？
吉田　できてなかった
阿部　じゃあ「新井さん」だ
吉田　「スキップができない」っていうので大爆笑とってたあれ「新井さん」ていうんだ
阿部　「新井さん」だ
吉田　そっか、お前はスポーツ？　なにやってたの？

　このあたりで二十分。こういう漫才をやっているコンビがいるということを、みなさんはどう思うだろうか。
　この【40】のネタを、これまで私がこの文章でやってきたように分解できるほどに読み込んでくれる人は、いったい何人いるだろうか。分解する必要はない。ただ、こういうのも面白いなと思ってくれればそれでいいです。

時代は、いまだ「物語」を求めている。それも、ごくごくわかりやすい物語を。真偽を別とした「読みたい物語」を求めはじめている。「物語」が社会を覆っていく。フェイクニュースが、現実となる。ついに「現実」が「物語」に敗北しはじめた。局所的だった「そんなバカな」と思う「読みたい物語」が、社会全体を変え始めたのだ。

しかし、都合のいい物語＝ロマンに真実はない。そこから漏れていくものこそ、私は追いかけ続ける。たとえばそれが、POISON GIRL BANDだった、ということである。

どこにも発表させてもらえない内容だったので、この場でまとめました。

機会を与えてくれた『いんよう！』、ありがとうございます。次にまた機会があれば、私は一万字以内でなにか書きます。

531　POISON GIRL BAND研究 〜サンキュータツオのお笑い文体論〜 ／ サンキュータツオ

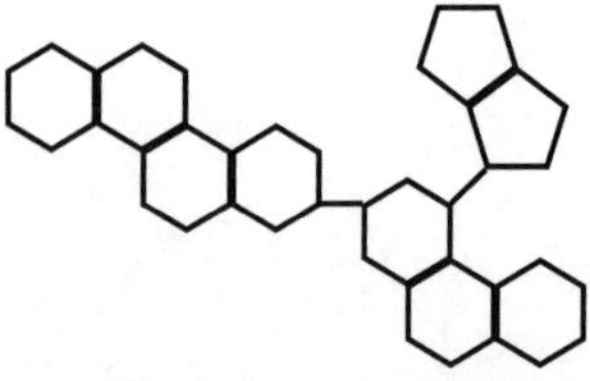

編集後記

こんにちは、牧野曜といいます。この本を読んでいただいてとても嬉しいです。ありがとうございます。私は、大学の片隅で生物学の研究をしています。専門はエピジェネティクス関係です。職業研究者としての自分の限界が見えてきたころ、Ｐｏｄｃａｓｔをやって科学のことを話そうと思い立ちました。広い意味でいえば、サイエンスコミュニケーションをやろうとしたわけです。

　この本のタイトル『まちカドかがく』はお察しの方もいるとおり、漫画・アニメ作品『まちカドまぞく』からの引用です。私とＹｉｎｇこと病理医ヤンデル先生でＰｏｄｃａｓｔ番組を始めるときに、タイトルは何がよいか頭を悩ませていたのですが、ヤンデル先生が二秒で「たとえば『いんよう！』とかどうですかね。いろんな意味に取れますし」というアイデアを出してくれて、それに決まりました。ちなみに、これも『けいおん！』からの引用です。もとより最初から、我々オリジナルの話をしてやろう！　みたいな野心はなく、好きなもの、どこかで聞いたり学んだりしたことを雑談としてアウトプットしようと思っていましたので、ぴったりなタイトルだと思っています。この本の表紙のデザインも細胞システムを模しています。番組内で「まちカドかがく」というコーナーを作って、「街角に転がっている現象を、こういう科学的な視点で見たらおもしろいですよ」といったメールを聞いてくださっている人たちから募集しようとしたのですが、いかんせん私自身いい例を思いつかず、あるのかないのか分からないコーナーになってしまっています。突発的に同人誌を作る流れになって、これまた本のタイトルに悩んでいたのですが、それならいっそ『まちカドかがく』にしようと思いつきました。ヤンデル先生とサンキュータツオさんからいただだいた素晴らしい原稿を読んで、本当に嬉しくて、びっくりして、「まちカドかがく」の意味を、非論文的、非アカデミア的な知的好奇心の発露、というふうに拡張するならば、このタイトルはぴったりだと思っています。あらためて原稿を書いていただいたことを感謝いたします。

この本は二〇二〇年十一月に、サークル『いんよう！』から
刊行された同人誌を基に加筆・修正を加えて作成されました。

著者連絡先
https://twitter.com/inntoyoh (Twitter)
inntoyoh@gmail.com (email)
https://inntoyoh.blogspot.com/ (blog)

Illustrations by Aso Kamo

〈解説〉

かも　よなかくんってさ、絵は描けるんだっけ？

よなか　ええ、まあ、いちおう描きますけど。

かも　で、生き物に詳しいでしょ。

よなか　お魚なら、ちょっと詳しい……。

かも　ふむ。お魚に詳しいなら大丈夫だね。

よなか　な、何がですか？（不安）

かも　いや、あのさ、「まちカドかがく」文庫版のカバーイラストを描かない？

よなか　ほぇ？

かも　『まちカドかがく』の文学フリマ版って、表紙の絵は生命科学をモチーフにしているそうなんだけど、そのままだとちょっと記号的すぎるかなあって。

よなか　はあ。

かも　で、文庫版は普通のポップなイラストがいいかなと。ポップなんだけど、よくよく見ると実は生命科学のモチーフが含まれているってのが、おもしろいと思うんだよ、僕は。

よなか　なるほど。生命科学のモチーフ。

かも　ほら、細胞って、機能によっていろんな形になるじゃない。あと外部刺激に対しても反応するでしょ。

よなか　ええ。

かも　そういうことをモチーフにしつつ、あまりややこしくはしないで、たとえばクロマチンからタンパク質ができて、機能を持って、で、複製されるとまたゲノムDNAができてっていう一連の流れとか、ヒストンオクタマーのまわりにゲノムDNAが巻きついてできたヌクレオソームが並んでクロマチンになるとかさ、そういうのをいい感じの絵にしたいの。

よなか　うーん、どうしましょうかねぇ。

かも　僕は生物学はあまりわかってないから、自分でやると数学物理的なアプローチになっちゃう気がするんだよね。

よなか　それはそれでありじゃないですか？

かも　あと、面倒くさいし。（本音）

よなか　(面倒……くさい……だと⁉)
かも　イラストの基本はセントラルドグマでいいと思う。それで何か考えてよ。(丸投げ)
よなか　だったら、よかった。たぶん、大丈夫です。
かも　おお、よかった。基の表紙については、よう先輩が配信の中で無限に説明しているから、そっちを見てよ。(さらに丸投げ)
よなか　わかりました。参考にするです。
かも　あ！　それでね、あと街角の絵にして欲しいの。生命科学だけど街角。
よなか　街角でセントラルドグマ……　(ムチャ言いやがるぜ)。
かも　そう。じゃ、お願いね。

＊　＊　＊

よなか　二つほどラフを描きました。
かも　おお、速い‼　いい雰囲気だけど……えーっと、この二人は誰？
よなか　もちろん傘人間とキノコ人間です。
かも　あ、ああ、傘……人間と……キノコ人間……ね（何を言ってるんだこの子は？）。
よなか　ですです。街角を歩くこの二人が遺伝子のセントラルドグマでつながってるんです！（興奮）で、鳥が止まったところから七回膜貫通型受容体を経由して信号機が刺激を受けると、カルシウムイオンチャネルが開くって感じです。（大興奮）
かも　あ、セントラルドグマには遺伝子の小さな変異もあって、それはアミノ鎖の……か、傘……人間と……キノコ人間……⁉
よなか　はい、キノコ人間は傘人間のクローラなんですよ。で、もう一つがクロマチン繊維から転写されての翻訳と、アミノ酸のアルファヘリックスベータシート構造からの立体化……（超興奮）
かも　ちょっと待て待て！　止まれッ！
よなか　そして細胞死が全体を埋め尽く……
かも　待てッ！　落ち着けッ！　ハウスッ‼
よなか　ワン。（お座り）
かも　ふう……僕も混乱しているから、この方向でいいかを、よう先輩に確認しよう。

＊　＊　＊

牧野　（イラストを見て）おお、なるほど！　これは信号機がシグナル受容体全体のメタファーで、七回膜貫通型とイオンチャネル型が具体例として埋め込まれていて、流入したカルシウムの雨は、主体が傘で受け止めている。傘人間の手からクロマチンが解かれてゲノムが露出し、変異の入ったゲノムを転写、翻訳して合成されたタンパク質がキノコ人間を形づくっている、という理解でいいのかな?

かも　そ、そう……(この絵を見ただけでわかるのか!?)……です……。

市原　すっげえなー、わかる人にはわかるんだなあ。

かも　あとキノコ人間は傘人間のクローラだとか言ってましたね、よなかくんは。

市原　おもしれぇ。

かも　でもパッと見は単なる街角の絵。

牧野　ああそうか。街角か。それだいじですね。

かも　街角、だいじです。

＊　＊　＊

かも　ねえ、よなかくん、よう先輩すごく喜んでたよ。『信号機はシグナル受容体全体のメタファーで、七回膜貫通型とイオンチャネル型が具体例として埋め込まれていて、流入したカルシウムの雨は、主体が傘で受け止めている。傘人間の手からクロマチンが解かれてゲノムが露出し、変異の入ったゲノムを転写、翻訳して合成されたタンパク質がキノコ人間を形づくっている、という理解でいいのかな?』って(やや困惑)。

よなか　そうです! ひゃあーー! やったー! わかってもらえたー!!(嬉しい)

かも　あとは、シグナルがオンなのかオフでもいいんだけど、どっちなのかが知りたいってのと、カルシウムイオンはもっとたくさん降らせて欲しいって。

よなか　わかりました。やってみます!!(興奮)

　とまあ、こんなやりとりを経て、カバーのイラストに生命科学のモチーフが仕込まれたのでありました。

　内容ではなく、イラストの解説になってしまいましたが、これもまた同人的なものだとして、おもしろがっていただければ幸甚です。

浅生鴨

ネコノスの本

浅生 鴨 著

雑文御免

これまで雑誌、ネットメディア、SNSなどの各所へ書いてきたエッセイ、ダジャレ、インチキ格言、短編小説、回文、エッセイ集『どこでもない場所』に収録できなかった掌編などを一処へ集めた著者初の無選別雑文集。

ISBN 978-4-9910614-0-0 C0195
A6文庫判 三八四P 定価 九〇〇円＋税

浅生 鴨 著

うっかり失敬

「文学フリマ」用に、これまで各所で書いてきたさまざまな小文を集めてまとめた雑文集。あまりの量に、第一弾の『雑文御免』だけでは全く収まりきらず、しかたなくの第二弾。エッセイ集『どこでもない場所』に収録できなかった掌編も掲載。

ISBN 978-4-9910614-1-7 C0195
A6文庫判 三八四P 定価 九〇〇円＋税

燃え殻 著

相談の森

文春オンラインの人気連載「燃え殻さんに聞いてみた。」を待望の書籍化。生きている限り、人はいつだって悩んでいる。そんな悩みの一つ一つに、自身も迷いながら答える燃え殻の「人生をなんとか乗りこなす方法」を大公開。なぜかホッとする回答の数々。六十一篇のQ＆Aを収録。

ISBN 978-4-9910614-5-5 C0095
B6変型判 二二四P 定価 一五〇〇円＋税

ネコノスの本

異人と同人

浅生鴨／小野美由紀
川越宗一／古賀史健
ゴトウマサフミ／スイスイ
高橋久美子／田中泰延
永田泰大／幡野広志
燃え殻／山本隆博

さまざまな分野で活動する「書き手」が一同に集まったアンソロジー集。『熱源』で第一六二回直木賞を受賞した川越宗一の短編『スヌード』、『伴走者』で第三五回織田作之助賞候補となった浅生鴨の短編『ホイッスル』なども収録した多彩な一冊。

ISBN 978-4-9910614-2-4 C0093
B6判 一五六P 定価二〇〇〇円＋税

雨は五分後にやんで

浅生鴨／今泉力哉
岡本真帆／小野美由紀
河野虎太郎／古賀史健
ゴトウマサフミ
今野良介／スイスイ
高橋久美子／田中泰延
ちえむ／永田泰大
野口桃花／幡野広志
山下哲／山田英季
山本隆博／よなかくん

浅生鴨による責任編集の元、『五分』という単語を作品中に使うこと」だけを条件に、各分野の書き手一九人が自由に書いた文芸アンソロジー集。小説、エッセイ、漫画、イラスト、インタビュー、パズルなど、文芸同人誌の枠を超えた幅広いジャンルの作品を多数掲載。

ISBN 978-4-9910614-3-1 C0093
四六判 三〇四P 定価二五〇〇円＋税

まちカドかがく

著者

市原《いちはら》　真《しん》

サンキュータツオ

牧野《まきの》　曜《よう》

neconos

2021年5月25日　初版1刷発行

発行人　浅生　鴨
発行所　ネコノス合同会社
東京都世田谷区上馬三－一四－一一
電話　〇三－六八〇四－六〇〇一
FAX　〇三－六八〇〇－二一五〇

印刷　シナノ印刷株式会社
製本　株式会社 MOTOMURA
制作進行　小笠原宏憲
茂木直子
校正　株式会社　麦秋新社
装画　よなかくん

定価はカバーに記載しています。
本書の無断複製・転写・転載を禁じます。
落丁・乱丁本は小社までお送りください。
送料当社負担にてお取替えいたします。

Printed in Tokyo, JAPAN
ISBN 978-4-9910614-6-2　C0195